Histoire des femmes en France
XIXᵉ-XXᵉ siècle

Collection « Didact Histoire »

Andrew ERSKINE (dir.),
Le monde hellénistique. Espaces, sociétés, cultures, 323-31 av. J.-C., 2004, 736 p.

Daniel BALOUP, Stéphane BOISSELLIER et Claude DENJEAN,
La péninsule Ibérique au Moyen Âge. Documents traduits et présentés, 2003, 300 p.

Bernard MERDRIGNAC,
Le sport au Moyen Âge, 2002, 344 p.

Nicole LUCAS,
Enseigner l'histoire dans le secondaire. Manuels et enseignement depuis 1902, 2001, 230 p.

Martine COCAUD et Jacques CELLIER,
Traiter des données historiques. Méthodes statistiques/Techniques informatiques, 2001, 150 p.

Monique BOURIN et Robert DURAND,
Vivre au village au Moyen Âge. Les solidarités paysannes du XIe au XIIIe siècle, 2000, 208 p.

Robert DURAND,
Musulmans et Chrétiens en Méditerranée occidentale (Xe-XIIIe siècles). Contacts et échanges, 2000, 268 p.

Évelyne HERY,
L'épreuve orale sur dossier en histoire. Préparation au Capes d'histoire-géographie, 2000, 174 p.

Bernard MERDRIGNAC et André CHÉDEVILLE,
Les sciences annexes en histoire du Moyen Âge, 1998, 300 p.

Guy SAUPIN,
Naissance de la tolérance en Europe aux Temps modernes, 1998, 200 p.

Pierre BRULÉ,
La cité grecque à l'époque classique, 1994, 196 p.

Vincent JOLY,
L'Europe et l'Afrique de 1914 aux années soixante, 1994, 388 p.

Jacques CHÉREL (dir.),
Révolution et Bretagne. Apprendre à construire son histoire, 1993, 434 p.

Michelle ZANCARINI-FOURNEL

Histoire des femmes en France

XIXe-XXe siècle

Collection « Didact Histoire »

PRESSES UNIVERSITAIRES DE RENNES

UHB Rennes 2 – Campus de la Harpe
2, rue du doyen Denis-Leroy
35044 Rennes Cedex
www.uhb.fr/pur
Imprimé en France
Dépôt légal : 2e semestre 2005
ISBN 2-7535-0198-X

Pour Laure et Pierre

Sommaire

Deuxième partie

LES FEMMES DANS LA SOCIÉTÉ FRANÇAISE

Troisième partie

PORTRAITS DE FEMMES

Introduction

L'*Histoire des femmes en France (XIX*e*-XX*e *siècle)* revendique, par son titre, l'appartenance à l'un des champs de la discipline historique, l'Histoire des femmes, expression d'usage courant qui englobe aujourd'hui à la fois l'histoire au féminin, l'histoire du genre et les femmes dans l'Histoire. Employer la catégorie « Histoire des femmes » signifie prendre en compte l'historicité de la constitution de ce champ de recherche, mais également refuser de prendre parti et suspendre les jugements de valeur à l'égard de l'une ou l'autre de ces acceptions. La réflexion s'est nourrie de ma participation active au comité de rédaction de la revue francophone d'histoire des femmes, *CLIO, Histoire Femmes et Sociétés*, fondée en 1995 avec Françoise Thébaud[1]. L'*Histoire des femmes en France (XIX*e*-XX*e *siècle)* ne se veut pas une histoire des femmes séparatiste, mais prône l'inclusion des femmes dans une histoire totale. Ce manuel est une synthèse qui s'appuie largement sur les travaux existants, cités dans le texte ou en note, et auxquels on voudra bien se référer pour des analyses plus complètes. Le large éventail chronologique considéré – deux siècles – n'a pas toujours permis de longs développements, mais il vise à aborder l'histoire des femmes à la fois sous l'angle politique, social et culturel, sans établir de cloison étanche entre ces différentes manières d'aborder l'histoire.

Écrire l'histoire des femmes et du genre ?

« Au cœur de tout récit historique, il y a la volonté de savoir. En ce qui concerne les femmes, elle a souvent manqué. Écrire l'histoire des femmes suppose qu'on les prenne au sérieux, qu'on accorde au rapport des sexes un poids, même relatif, dans les événements ou dans l'évolution des sociétés », écrit Michelle Perrot dans un ouvrage, publié en 1998, au titre évocateur, *Les Femmes ou le silence de l'Histoire*[2].

1. THÉBAUD Françoise et ZANCARINI-FOURNEL Michelle, « Naissance et histoire d'une revue », *CLIO, Histoire, Femmes et Sociétés*, n° 16, 2002, p. 9-22.
2. La référence complète des ouvrages cités dans le corps du texte se trouve dans la bibliographie à la fin de l'ouvrage. Sauf mention spécifique, le lieu de publication est Paris.

L'histoire des femmes s'est écrite en France depuis trente ans sur un double paradoxe : celui de la vitalité de la recherche et des publications bien accueillies par le grand public et celui d'une reconnaissance institutionnelle difficile dans la « communauté des historiens ». Après ce constat, il serait tentant d'écrire une histoire linéaire des progrès de l'Histoire des femmes qui, de colloques en livres – Saint-Maximin 1983 (*L'histoire des femmes est-elle possible ?*, Rivages, 1984), La Sorbonne 1992 (Plon, 1993), Rouen 1997 (*L'histoire sans les femmes est-elle possible ?*, Perrin, 1998) –, s'affirmerait depuis une trentaine d'années. Il est nécessaire cependant de remonter bien en amont et de s'interroger sur la manière dont l'Histoire, en tant que discipline scientifique, s'est construite au cours des XIXe et XXe siècles, pour tenter d'expliquer les racines de l'exclusion des femmes de l'histoire[3]. Non qu'elles soient totalement absentes des pages des historiens. Michelet (*La Femme* date de 1849) leur accorde une large place, mais les cantonne dans leur rôle dit « naturel », lié à leur destin de mère, et en stigmatisant les ouvrières : « ouvrière, mot impie, sordide... ». Les historiens méthodiques (Langlois, Lavisse, Seignobos) de la fin du XIXe siècle, fondateurs d'une conception scientifique de leur discipline, liée au positivisme, et mettant au centre de leurs préoccupations une histoire politique de la nation et de ses grands hommes, repoussent l'histoire romantique à la Michelet. Ils exercent un métier d'hommes qui écrivent une histoire au masculin, tandis que, dans le même temps, les murs de la Sorbonne se couvrent de figures et d'allégories féminines. Leurs successeurs, les historiens des Annales, préoccupés d'histoire économique et sociale, ne voient guère les femmes si ce n'est, dans les années 1960, au sein de la famille, grâce à la démographie historique. La famille est aussi le levier qui permet à la « nouvelle histoire », imprégnée d'ethnologie et d'anthropologie de rendre visibles les femmes et de s'attarder sur la culture féminine.

Mais c'est peut-être l'effet de la « demande sociale » qui a eu l'impact le plus fort dans le développement de ce champ disciplinaire. En effet, sous l'influence du Mouvement de libération des femmes (MLF), mouvement politique et social né en 1970, des femmes ont affirmé leur identité et le droit d'exprimer leur différence. De là est né un besoin d'histoire et de recueil des mémoires. Des séminaires, des enseignements et des colloques ont permis que la recherche se développe dans certaines universités. Dès 1973 à l'université Paris 7 (Michelle Perrot) et à celle d'Aix-Marseille (Yvonne Knibiehler) se sont constitués des collectifs d'historiennes (les plus nombreuses) et d'historiens qui ont exploré les territoires du public et du privé, ceux de la différence des sexes ; elles et ils ont revisité la séparation entre nature et culture, les questions du corps et du langage et l'expression publique des femmes dans les grèves, manifestations et associations. Les métiers dits « féminins »

3. SMITH Bonnie, « Le genre de l'histoire au XIXe siècle : approche comparative (Europe, États-Unis) » et ERNOT Isabelle, « Les historiennes et l'histoire des femmes en France du début du XIXe siècle au début du XXe siècle », *Bulletin de l'Association pour le développement de l'histoire des femmes et du genre, Mnémosyne*, n° 1, 2002, respectivement p. 13-26 et p. 27-36.

ont été étudiés. Partout les femmes sont devenues visibles sous la plume d'une nouvelle génération d'historiennes.

Françoise Thébaud a retracé, en 1998, ce parcours de l'histoire des femmes, partie prenante du récit historique, dans une synthèse claire et dense à la lecture indispensable[4]. Elle distingue trois phases : celle de l'émergence, au début des années 1970, est une « histoire au féminin » marquée par le souci de combler les déficits d'une histoire officielle écrite au masculin, de rendre les femmes visibles et de chercher les femmes rebelles en particulier dans les grèves de femmes. À partir de là, deux voies se différencient progressivement. L'une décline une « histoire au féminin » en s'attachant à une chronologie et à des domaines spécifiques – entre autres, le temps de la maternité et le fait d'être mères (Catherine Fouquet, Yvonne Knibiehler, 1980); elle s'attache à l'identité et à la culture féminines, elle explore les territoires et les espaces de relations entre femmes (Yvonne Verdier, 1979; Agnès Fine, 1984). L'autre voie met en valeur les sujets-femmes, les rébellions et les héroïnes, les moments de transgression des rôles, dessinant ainsi une histoire en noir et blanc, avec les bonnes et les méchants. Mais assez vite, vers le milieu des années 1980, la dichotomie entre une majorité des femmes victimes et une minorité de femmes rebelles a été critiquée et en partie dépassée. De plus en plus, les études ont concerné non seulement les femmes, mais les rapports entre les sexes, la question des différences et des pouvoirs (Cécile Dauphin *et alii*, *Annales ESC*, 1986). L'usage des sources a été critiqué, en particulier les sources orales, qui, plus que donner des informations brutes, retracent la vie de femmes « ordinaires », fournissent des représentations et permettent d'explorer la symbolique des rôles sexuels, du masculin et du féminin (Schweitzer et Voldman, *Pénélope*, 1985). Et surtout a été posée la question du pouvoir, des pouvoirs faudrait-il écrire, suivant en cela les analyses percutantes de Michel Foucault (*Surveiller et punir*, 1975). S'éloignant des chemins connus de la domination et de l'oppression, les recherches abordent, plus tard, l'histoire du consentement, de la ruse, du désir et de la séduction (Cécile Dauphin, Arlette Farge, 2001), donc des rapports divers entre les deux sexes.

Une histoire plus relationnelle, celle des femmes et des hommes dans une société complexe, dans le cadre de la famille, du métier ou des espaces privés et publics s'écrit alors (*L'Histoire de la vie privée*, 1987, sous la direction de Michelle Perrot pour le XIXe siècle et de Gérard Vincent et Antoine Prost pour le XXe siècle). Plus politique et liée à l'histoire du régime républicain, l'histoire du féminisme est défrichée par Laurence Klejman et Florence Rochefort (*L'Égalité en marche. Le Féminisme sous la IIIe République*, 1989), travaux qui ont été poursuivis par Christine Bard (sur l'entre-deux-guerres : *Les Filles de Marianne*, 1995) puis par Sylvie Chaperon (*Les Années Beauvoir*, 2000, sur la période 1945-1970). Le mot même « féminisme », né sous la plume d'Alexandre Dumas en 1872 dans un sens péjoratif, est repris et détourné

4. THÉBAUD Françoise, *Écrire l'histoire des femmes*, Fontenay-aux-Roses, ENS Éditions, 1998.

en 1882 par Hubertine Auclert qui se bat pour le suffrage des femmes. Depuis, les définitions du ou des féminisme/s ont varié, accolées ou non d'adjectifs : bourgeois, maternaliste, chrétien, modéré, radical... Elles associent une acception large qui englobe personnalités et mouvements féminins qui favorisent à un degré ou à un autre l'autonomie des femmes, et une définition plus restrictive et plus exigeante qui dénonce l'oppression spécifique d'un sexe et la volonté d'instaurer une véritable égalité. Les méthodes d'approche sont elles aussi diverses : étude des réseaux, des associations, des revendications et des luttes, approche biographique (Michèle Riot-Sarcey, 1994), portraits de figures marquantes, dont certaines fascinent plus que d'autres (Madeleine Pelletier par exemple). Des études s'efforcent de relier les deux approches, du féminin au féminisme (Sylvie Chaperon, 2000). La comparaison transnationale entre les féminismes permet également de faire émerger les spécificités nationales (Florence Rochefort, 1998) et approfondit la connaissance de ces mouvements en liaison avec l'histoire politique de chaque pays. Une récente synthèse a été publiée qui s'efforce de faire le bilan des acquis de la recherche (*Le Siècle des féminismes*, 2004). L'histoire des femmes, s'éloignant d'une approche strictement économique et sociale, est alors devenue plus politique sans toutefois arriver à changer véritablement le regard général sur l'histoire. L'histoire des femmes a démontré sa vitalité, mais elle reste encore cantonnée dans un territoire spécifique, et elle est loin encore de pénétrer l'ensemble de la discipline historique.

La troisième étape est le « temps du *Gender* » selon l'expression de Françoise Thébaud (1998). Ce concept, venu d'outre-Atlantique, a pénétré timidement en France. Le terme est apparu sur la scène publique en France en 1988 avec la traduction, sous le titre de « Genre : une catégorie utile de l'analyse historique », de l'article de l'historienne américaine Joan Scott publié aux États-Unis en 1986. « Le genre est un élément constitutif des rapports sociaux fondé sur des différences perçues entre les sexes et le genre est une façon première de signifier des rapports de pouvoir » (J. Scott, 1988). On peut traduire le terme *Gender* par « genre » ou par « sexe social » par opposition au sexe biologique. Dans son acception française, le genre est un outil pour penser la différence des sexes, résultat d'une construction sociale et culturelle au cours d'un processus historique, qui s'appuie autant sur des réalités matérielles de la condition des hommes et des femmes, que sur des discours et des représentations. On est ainsi passé de l'histoire des femmes à l'histoire du genre, une histoire relationnelle qui n'oublie pas la question des pouvoirs, et qui pense que l'histoire des femmes ne peut être séparée de celle des hommes. De plus, cette catégorie explicative n'est pas la seule potentiellement employée en histoire : l'appartenance sociale, politique, religieuse ou nationale restent parmi les facteurs explicatifs pertinents. Cette avancée épistémologique a permis que se développe une lecture sexuée des événements historiques et une histoire relationnelle du rapport entre les hommes et les femmes, articulée avec les notions de pouvoir et de domination (Pierre Bourdieu, *La Domination masculine*, 1998). Les cinq volumes de l'*Histoire des femmes en Occident*, publiés sous la direction de Georges Duby et Michelle Perrot en 1991-1992, rendent compte de ces différentes approches. Ils ont connu un succès éditorial, puisqu'ils ont été vendus à plusieurs dizaines de milliers d'exemplaires en France et traduits dans plus d'une dizaine de langues; ils sont le témoignage de l'accueil favorable d'un large public, plus ouvert que la « communauté des historiens » à ce nouveau regard sur l'histoire. L'usage du mot « genre » en français comme traduction de *Gender* a longtemps été refusé par les éditeurs. Le premier livre grand public l'incluant dans son titre a été publié par Gallimard en 2000 : *Genre et Politique*, en collection de poche, Folio. Cantonné au genre grammatical, le genre est depuis peu accepté dans les études sociologiques voire, plus récemment, historiques. Le premier livre d'histoire qui utilise le terme est le produit d'un colloque tenu à l'université de haute Bretagne en 2002 : *Le Genre face aux mutations. Masculin et féminin du Moyen Âge à nos jours*, publié aux Presses universitaires de Rennes en 2003.

Les directions de recherche les plus récentes revisitent des terrains déjà explorés[5]. C'est ainsi que l'histoire du travail, domestique et salarié, est revivifiée par une approche sur l'histoire des techniques. Delphine Gardey (2001) analyse, par exemple, la mécanisation des emplois de bureau dans l'entre-deux-guerres parallèlement à leur féminisation. Florence Rochefort explore l'histoire des intellectuelles, qui s'était jusqu'à une époque récente déclinée au masculin, parce que liée fortement à la notion d'engagement politique[6]. L'histoire du corps et des sexualités se développe (Anne-Marie Sohn, 1998). L'homosexualité elle-même n'est plus un sujet tabou (Marie-Jo Bonnet, 1995, et Florence Tamagne, 1999). Par ailleurs, le territoire de l'histoire politique est investi par la définition de la citoyenneté et des pouvoirs. L'approche sexuée des politiques, en particulier des politiques sociales, a permis également de revisiter l'histoire des « États providence ». Des études comparatistes entre les pays européens et les États-Unis ont mis en valeur l'historicité de ces politiques et le poids des caractéristiques nationales (Leora Auslander et Michelle Zancarini-Fournel, 1995). Territoire aux marges de l'histoire nationale, l'histoire coloniale française reste encore, sauf exceptions, peu abordée en France par l'histoire des femmes ou du genre[7], tandis que les spécialistes d'histoire coloniale se soucient généralement peu d'une approche sexuée de la colonisation ou de la décolonisation.

5. THÉBAUD Françoise, *Histoire des femmes en Occident*, tome V : *Le XXe siècle*, Plon, édition de poche, 2002 (avec une nouvelle introduction qui fait le point des recherches les plus récentes).

6. ROCHEFORT Florence (dir.), *CLIO, Histoire, Femmes et Sociétés*, n° 13, 2001; voir aussi RACINE Nicole et TREBITSCH Michel (dir.), *Histoire des intellectuelles. Du genre en histoire des intellectuelles*, Bruxelles, Complexe, coll. « Histoire du temps présent », 2004.

7. HUGON Anne (dir.), *Histoire des femmes en situation coloniale*, Karthala, 2004. GAUTIER Arlette, « Femmes et colonialisme », *in* Marc Ferro (dir.), *Le Livre noir du colonialisme, XVIe-XIXe siècle : de l'extermination à la repentance*, Robert Laffont, 2003, p. 569-607.

Montage

D'autres manuels, fort bons d'ailleurs, existent, mais avec un découpage chronologique différent de celui-ci. Le premier, publié en 1999, a été celui de Yannik Ripa qui a pour titre *Les Femmes actrices de l'histoire*, et porte sur la période 1789-1945. Le second, celui de Christine Bard (2001), s'intitule *Les Femmes dans la société française au XXe siècle*. Chez le même éditeur, Dominique Godineau a publié *Les Femmes dans la société française, XVIe-XVIIIe siècle* (Colin, 2003) qui inclut la Révolution française dont elle est une des spécialistes reconnues. L'*Histoire des femmes en France (XIXe-XXe siècle)* englobe la Révolution française comme matrice du rapport au politique et pousse jusqu'à l'inclusion de la parité dans la constitution, à la fin du XXe siècle. Il faut d'emblée souligner le pluriel contenu dans LES femmes et non LA femme. Le singulier a été longtemps utilisé, y compris dans les publications érudites : en 1964, Pierre Grimal publie une *Encyclopédie de LA femme*. Utiliser le singulier a signifié et signifierait construire un archétype – qui n'existe pas dans la réalité (toutes les femmes sont différentes) – mais suivrait en cela une partie de la littérature qui a exalté un idéal-type de LA femme (dans différentes versions selon les époques). À chaque période historique, un modèle ou un type de femme a pu ainsi être mis en avant, tel celui de l'« Ève nouvelle » au tournant des XIXe et XXe siècles, ou la « garçonne » au cours de la décennie des Années folles après la Grande Guerre, prototype de la femme émancipée. Il faut donc constamment prêter attention à l'usage du singulier et du pluriel qui n'a pas du tout le même sens historiquement.

Si les bornes chronologiques définissent un angle de vision, celui du politique, « de la démocratie exclusive » à la parité (1999), abordé dans la première partie, elles ne suffisent pas à couvrir ce qui est contenu dans le pluriel « les femmes », car il faut s'interroger sur la place des femmes dans la société (ce sera l'objet de la deuxième partie). Outre le suffrage et la citoyenneté, l'unité du groupe déterminé par le pluriel « les femmes » est la confrontation avec la maternité : mères réelles ou potentielles, les femmes sont toutes confrontées dans leur corps ou leur esprit à la procréation, la transmission et la perpétuation de l'espèce (même si certaines le refusent). Enfin, comme les femmes, célibataires ou mariées, ont toujours travaillé, que ce soit à l'intérieur de la maisonnée et à l'extérieur, aux champs, à l'atelier, à l'usine ou au bureau, l'histoire sur deux siècles du travail des femmes est fondamentale pour comprendre la transformation de leur quotidien (Schweitzer, 2002), tout comme l'éducation et la formation. On abordera aussi, dans ce cadre, le rapport privilégié des femmes à la religion. Dans une troisième partie, enfin, nous nous interrogerons sur les représentations et les écrits sur les femmes et des femmes elles-mêmes en nous penchant sur les divers « types et stéréotypes » sécrétés dans les moments historiques. Nous aborderons également les représentations des femmes dans la peinture, au cinéma et à la télévision. Enfin nous verrons comment les femmes ont exprimé leurs « états de femmes » dans les journaux intimes, les autobiographies ou les romans.

On le voit donc, l'approche de cette Histoire des femmes est à la fois chronologique (dans la première partie) et thématique (dans les deuxième et troisième parties, avec une approche diachronique à l'intérieur de chaque chapitre). La mise au programme de l'histoire des femmes dans différents concours de recrutement (dont l'agrégation de sciences sociales en 2005-2006) montre qu'une partie des résistances de l'institution est levée. Je souhaite aux lectrices et aux lecteurs de l'intérêt et du plaisir tout au long de ce parcours dans l'histoire contemporaine des femmes.

Première partie

LES FEMMES ET LE POLITIQUE

Chapitre 1

ARCHÉOLOGIE D'UNE EXCLUSION (1789-1848)

La question du politique, de la participation des femmes au politique, des formes de la citoyenneté (le suffrage et l'éligibilité n'étant qu'une des formes du politique qui passe aussi par la participation des femmes aux associations, mouvements, partis et syndicats) est l'objet de cette première partie. La question des droits politiques des femmes a suscité d'intenses débats au cours des révolutions, lors des changements constitutionnels ou d'événements importants comme les guerres.

C'est aussi un axe nouveau des recherches en histoire des femmes et du genre qui se sont déplacées de la sphère privée (nouvel objet d'histoire dans les années 1980) vers l'analyse de l'appropriation par les femmes de la sphère publique (par l'exercice des droits politiques et par l'engagement), de leur accès à la citoyenneté, des usages sexués de l'espace public et du genre des politiques. Pour comprendre comment la démocratie naissante a exclu les femmes du politique, il est nécessaire de partir de la Révolution française quand a été définie, après la fin de la monarchie absolue, une citoyenneté dont les femmes ont été très vite exclues, malgré leur participation aux événements révolutionnaires et l'universalité (et l'égalité) des droits contenue dans la Déclaration des droits de l'homme et du citoyen dès le 26 août 1789.

Les femmes ont été des actrices de l'Histoire pendant la Révolution française. Des femmes devrait-on dire, plus dans les grandes villes – en particulier à Paris – que dans les campagnes et les villages. Mais certaines se sont fait entendre dans l'espace public, même si, dès 1793, leur exclusion des lieux de débats politiques (les clubs, puis les tribunes de l'Assemblée) a abouti à faire pour la moitié de la population majeure des « citoyennes sans citoyenneté [1] », c'est-à-dire sans les droits politiques du citoyen (soit voter et faire partie de la Garde nationale). Pourtant leur présence active a permis que les débats sur les principes d'égalité et de liberté dans l'espace public et au sein de la famille, agitent les députés.

1. Titre du dernier chapitre du manuel de Dominique Godineau (2003).

L'irruption des femmes dans l'espace public

« Il ne suffit pas de dire que les femmes y ont ou n'y ont pas participé. Il ne suffit pas non plus de mettre en évidence le poids du facteur masculin-féminin. Il faut questionner l'histoire pour tenter de dégager l'articulation entre le rapport des sexes et l'événement[2]. »

La société d'Ancien Régime est, depuis le Moyen Âge, organisée en trois ordres hiérarchiques qui divise les femmes : les femmes nobles par la naissance, ou les religieuses du fait de leur statut, sont supérieures aux autres femmes, ainsi qu'aux hommes du Tiers État, mais inférieures aux hommes du clergé et de la noblesse. Ce que 1789 apporte de nouveau, c'est dans un premier temps la prise de parole qui s'instaure dans le pays, après l'appel du roi pour la préparation des États généraux ; elle touche toutes les personnes et tous les domaines : y compris les femmes, y compris les familles.

Prises de parole

Seules les femmes des ordres privilégiés avaient été invitées par le roi à transmettre leur point de vue aux représentants de leurs ordres respectifs après la convocation des États généraux le 24 janvier 1789. Pourtant un certain nombre de femmes du Tiers État se sont exprimées dans les cahiers de doléances, comme par exemple, en janvier 1789 dans la *Pétition des femmes du Tiers État au Roi* : les femmes se présentent comme des « êtres mixtes » et posent ainsi la question du rapport entre masculin et féminin dans la société française d'alors.

Sans jamais posséder la citoyenneté, des femmes ont participé à la Révolution française de différentes façons. Du 14 juillet 1789 aux manifestations de 1795, elles sont une composante notable de la foule révolutionnaire urbaine, en particulier à Paris. Dès le 14 juillet 1789, une femme, Marie Charpentier, fait partie du cortège de celles et ceux qui ont « pris » la Bastille. Les femmes se sont trouvées, parfois, à l'origine ou à la tête de manifestations : l'événement le plus connu est la marche de 6000 à 7000 femmes de Paris à Versailles les 5 et 6 octobre 1789 ; elles contribuent à ramener la famille royale à Paris et changent ainsi la géographie politique des événements de la Révolution. Dans la foule révolutionnaire, elles jouent souvent le rôle de « boutefeux » (Godineau, 1988) occupant la rue, lançant souvent le soulèvement de la voix et du geste. « Reste que si les femmes sont là pour surveiller et au besoin ranimer l'ardeur des hommes, ce sont ces derniers qui, grâce à leurs armes, dirigent l'événement[3]. » Lors des insurrections parisiennes de Prairial (20-23 mai 1795), les femmes commencent l'insurrection le premier jour aux cris de « du pain et la constitution » ; mais leur rôle actif s'efface le

2. Godineau Dominique, « Filles de la liberté et citoyennes révolutionnaires », *Histoire des femmes en Occident, Le XIXe siècle*, Plon, 1991, citation p. 27.
3. *Ibid.*, 1991, p. 29.

lendemain au profit des hommes. Pourtant, dès les premières élections de l'hiver 1789, elles sont considérées comme faisant partie des « citoyens passifs », c'est-à-dire ceux et celles qui ne votent pas. Les clubs, les tribunes des assemblées et les salons sont cependant des lieux d'expression politique pour un certain nombre de femmes. Entre public et privé, les salons, lieux mixtes de rencontre et d'échanges d'idées politiques, mettent le savoir en débat dans une véritable dynamique de genre pour les femmes des élites politiques : ceux de Mme Roland et de Sophie de Condorcet sont parmi les plus fréquentés. Quelques personnalités exceptionnelles, figures de proue de la défense des droits des femmes, ont contesté vivement leur statut de « citoyennes sans citoyenneté ». L'une d'elles, longtemps oubliée, a été remise en valeur à l'occasion du Bicentenaire de la Révolution en 1989 et prend aujourd'hui valeur d'icône.

Olympe de Gouges (1748-1793) est l'une des figures féminines de la Révolution française parmi les plus connues. Femme de lettres avant la Révolution, elle a produit de nombreuses pièces de théâtre liées à l'activité politique, dont *L'Esclavage des nègres* qui démontre l'humanité commune des Blancs et des Noirs. Elle a participé aux discussions enfiévrées d'alors sur tous les sujets (abolition de l'esclavage, droits des enfants illégitimes, droit de veto du roi, maternité...), mettant son imagination au service de ses idées et se comportant comme si elle avait des droits de citoyenneté. Elle a ainsi publié une *Déclaration des droits de la femme et de la citoyenne*, texte dans lequel elle prend au mot l'universalisme des révolutionnaires et de la Déclaration des droits de l'homme et du citoyen du 26 août 1789 et réplique de cette dernière avec un préambule et 17 articles. Le texte complet comprend d'abord une adresse à la reine Marie-Antoinette, en tant que mère et épouse – Olympe de Gouges a ainsi été longtemps, de ce fait, taxée de monarchiste – et se clôt par une adresse avec un appel à la suppression de l'esclavage des Noirs, autre préoccupation politique d'Olympe de Gouges[4]. Geneviève Fraisse (2000) souligne cependant qu'Olympe de Gouges s'adresse aux « mères, filles, sœurs », et donc situe par là les femmes à l'intérieur de la filiation féminine et toujours par rapport à l'homme, qui est lui l'incarnation de l'humanité; elle institue aussi les femmes comme « représentantes de la nation » et non comme citoyennes parce qu'elles « fabriquent les mœurs » (comme mères éducatrices). Olympe de Gouges qui avait écrit dans sa *Déclaration des droits de la femme et de la citoyenne* « la femme a le droit de monter à l'échafaud; elle doit avoir également celui de monter à la tribune » n'obtint que le droit d'être guillotinée en 1793. Arrêtée en juillet pour avoir placardé sur les murs de Paris un plaidoyer en faveur du fédéralisme contre le centralisme jacobin (position des Girondins, arrêtés en juin 1993) et avoir critiqué Robespierre, elle est guillotinée en novembre : au lendemain de son exécution voici l'épitaphe de *La Feuille du Salut public* :

4. Veauvy Christiane et Pisano Laura, *Paroles oubliées. Les femmes et la construction de l'État-nation en France et en Italie (1789-1860)*, Colin, 1997.

« Olympe de Gouges, née avec une imagination exaltée, prit son délire pour une inspiration de la nature. Elle voulut être homme d'État. Elle adopta les projets des perfides qui voulaient diviser la France. Il semble que la loi ait puni cette conspiratrice d'avoir oublié les vertus qui conviennent à son sexe[5]. »

La participation des femmes au politique

Dominique Godineau (1988) a dénombré une trentaine de clubs, clubs mixtes ou clubs de femmes. À Paris, deux clubs de femmes se succèdent : la Société patriotique des amies de la vérité (1791-1792), qui s'intéresse à l'éducation des jeunes filles pauvres, et le Club des citoyennes révolutionnaires en 1793 (10 mai-dissous le 30 octobre) proche des sans-culottes. À côté de ces organisations spécifiques, les quartiers et les lieux de travail (dont les blanchisseries) sont l'occasion de discussions animées. Les pétitions sont utilisées par les provinciales pour envoyer leurs desiderata à l'Assemblée. Le 6 mars 1792, Pauline Léon lit à l'Assemblée une pétition signée par 300 personnes pour réclamer le « droit naturel » de s'organiser en Garde nationale au nom de l'égalité entre les sexes, de porter les armes pour exercer leur citoyenneté. Après leur exclusion du vote en 1793, elles revendiquent l'obligation pour les femmes de porter la cocarde tricolore (une des manifestations de la citoyenneté). Les députés prennent peur de ces revendications, alors qu'ils l'imaginent les femmes devant servir la nation en jouant leur rôle de « mères républicaines », femmes libres parce que le peuple est libre : elles répondent qu'elles sont « esclaves » (= sans droits). « Partout où les femmes seront esclaves, les hommes seront courbés sous le despotisme » écrit un club de femmes de Dijon, ce qui montre comment le destin des femmes est lié, par leur humanité commune, à celui des hommes. La présence active dans les tribunes lors de délibérations politiques auxquelles elles ne peuvent prendre part est un moyen de participer au « souverain » (selon le vocabulaire de l'époque) pour ces « citoyennes sans citoyenneté ». Dominique Godineau a montré comment le terme de tricoteuse avait changé de sens : des femmes qui assistaient aux délibérations de l'Assemblée en tricotant, on est passé aux « furies de guillotine » qui encouragent de la voix et du geste les mises à mort. Le glissement est attesté dans la seconde moitié du XIXe siècle. La gouache des frères Lesueur, intitulée *Les Tricoteuses jacobines ou de Robespierre* (que l'on trouve dans nombre de manuels avec un commentaire sur la présence des femmes dans les procès et devant la guillotine), porte la légende suivante : « Elles étaient un grand nombre à qui l'on donnoit 40 sols par jour pour aller dans les tribunes des Jacobins applaudir les motions Révolutionnaires. » Si le commentaire est péjoratif à l'égard des robespierristes, il ne concerne pas la guillotine. La mémoire a fait glisser la tricoteuse des tribunes politiques aux activistes du spectacle de la guillotine, les « furies de guillotine » disait-on en 1795. La mémoire (et l'histoire le plus souvent) a ainsi masqué, par cette représentation des « tricoteuses », le rôle politique

5. Cité par SCOTT Joan, *La Citoyenne paradoxale*, Albin Michel, 1998, p. 80.

des « citoyennes » dans la période révolutionnaire. Elle stigmatise par une image familière – la tricoteuse – les femmes qui ont osé franchir les barrières entre public et privé pour pénétrer dans l'espace politique. La tradition contre-révolutionnaire s'est acharnée à souligner la violence féminine : dénaturant les femmes – au sens premier du terme, c'est-à-dire leur faisant perdre leur « nature » faite de douceur. Après l'insurrection de Prairial (1795), interdiction est décrétée pour les femmes de pénétrer dans les tribunes de la Convention, d'assister à toute assemblée politique et de s'attrouper à plus de cinq personnes dans la rue. Comme en octobre 1793, avec l'interdiction des clubs de femmes, « en prenant comme prétexte la violence des femmes qui trouble l'ordre public, c'est l'ordre politique que l'on entend préserver par la violence institutionnelle faite aux femmes[6] ».

On trouve aussi des femmes dans les rangs de la Contre-Révolution, parmi les émigrées ou les troupes vendéennes insurgées contre les républicains après 1793, mais aussi dès 1791, quand, elles sont nombreuses à soutenir les prêtres réfractaires qui refusent de prêter serment à la constitution. C'est l'occasion ici de souligner deux points importants, valables aussi pour les XIXe et XXe siècles : d'une part, le lien privilégié des femmes avec la religion – et cela au moins jusqu'au milieu du XXe siècle : on parle de dimorphisme sexuel du phénomène religieux; d'autre part, les femmes ne forment jamais un groupe homogène, politiquement, socialement ou culturellement. La majorité de la population, acquise à l'égalité des droits, pense sans doute – y compris la plupart des femmes – que la place des femmes n'est pas dans l'espace politique qui doit être réservé aux hommes. Dès août 1789, de l'abbé Sieyès à Marat – à l'exception du philosophe Condorcet (1743-1794), défenseur de l'instruction des filles qui, dans l'« Essai sur l'admission des femmes au droit de cité », publié le 3 juillet 1790 dans le *Journal de la Société de 1789*, dénonce l'exclusion des femmes de la citoyenneté –, tous les orateurs sont d'accord pour que les femmes soient représentées par le chef de famille.

Pendant toute la période révolutionnaire, la question de la différence des sexes est l'objet de discussions y compris à la tribune de l'Assemblée. De nombreux points sont en débat : quelle est la part de l'égalité affirmée par rapport à la liberté individuelle (du mari, du père de famille)? Y a-t-il une spécificité féminine due à la nature? Ces femmes qu'on appelle aussi « citoyennes » sans qu'elles aient les attributs de la citoyenneté, peuvent-elles alors porter les armes comme leurs époux, leurs pères et leurs frères? L'engagement dans les manifestations ou les débats parlementaires n'est le fait que d'une petite fraction de la population féminine, essentiellement urbaine. Certaines femmes, telles les « Citoyennes républicaines révolutionnaires » ont même pour but de « s'armer pour concourir à la défense de la patrie[7] ». Cependant, les rares

---

6. GODINEAU Dominique, « Histoire d'un mot : Tricoteuse de la Révolution française à nos jours », *Langages de la Révolution (1770-1815)*, Klinsieck, INALF, coll. « Saint-Cloud », 1995, p. 601-611. GODINEAU Dominique, « Citoyennes, boutefeux et furies de guillotine », *De la violence et des femmes*, 1997, p. 33-49. Citation dans GODINEAU, 1997, p. 41.
7. GODINEAU Dominique, « De la guerrière à la citoyenne. Porter les armes sous l'Ancien Régime et la Révolution française », *CLIO, Histoire, Femmes et Sociétés*, n° 20, 2004, p. 43-69.

femmes qui se battent dans les armées révolutionnaires sont considérées non comme des femmes, mais comme des mâles. Elles sont vigoureusement remises à leur place par le député Chaumette le 27 brumaire an II (17 novembre 1793) s'emportant contre une délégation de femmes venues à la Convention nationale coiffées du bonnet rouge : « Femmes imprudentes qui voulez devenir des hommes, au nom de cette même nature, restez ce que vous êtes et loin de nous envier les périls d'une vie orageuse, contentez-vous de nous les faire oublier au sein de nos familles » (Godineau, 1988). Le propos est clair : les femmes doivent assurer le repos des hommes lorsqu'ils rentrent à la maison. L'interdiction des clubs de citoyennes dès l'an II, puis la réaction en l'an III, marque aussi l'élaboration progressive du Code civil.

Du droit révolutionnaire au Code civil : vers la légalisation durable de la différence des sexes

« Il sera fait un code de lois civiles communes à tout le royaume » : ainsi se terminait le titre premier de la Constitution du 3 septembre 1791. Le but était d'unifier le droit pour favoriser l'unité politique et le changement de la société, la « régénérer » en suivant les principes du libéralisme. Le Code civil de 1804, élaboré sous le Consulat et promulgué sous l'Empire, sera en fin de compte, la réalisation de ce projet, issu de la Révolution française et d'une bonne dizaine d'années de débats autour du couple liberté/égalité.

L'organisation traditionnelle de la famille reposait avant 1789 sur l'indissolubilité du mariage, la puissance paternelle et maritale, mises en cause sous la Révolution française par les principes de liberté et d'égalité. Au regard de l'importance et de la pérennité du Code civil de 1804, la législation de la Révolution française sur la famille a longtemps été considérée comme une parenthèse, car comme l'écrit Bernard Schnapper, « le despotisme familial n'a pas connu sa nuit du 4 août[8] ». Cependant, entre 1791 et 1804, les législateurs se sont efforcés d'appliquer les grands principes énoncés dans la Déclaration des droits de l'homme et du citoyen (août 1789), en particulier l'égalité dans les successions. Par ailleurs, deux lois décisives laïcisent l'état civil et changent complètement les modalités du mariage et de la conjugalité. Ces textes avaient été préparés par un vaste débat chez les philosophes dans la seconde moitié du XVIIIe siècle, débat visible aussi dans les pièces de théâtre et les romans (Marivaux, par exemple, réconcilie le mariage et l'amour). L'approche qui met en valeur les transformations de la famille par le droit révolutionnaire fait partie du « récit d'ouverture » (Guilhaumou, 2005) mis en avant, entre autres, par des historiennes américaines, dont Lynn Hunt qui récuse le discours de « fermeture » portant sur la seule exclusion des femmes de la scène publique pendant la Révolution française.

8. *In* BIET Christian et THÉRY Irène (dir.), *La Famille, la loi, l'État de la Révolution au Code civil*, Centre Georges-Pompidou/Imprimerie nationale, 1989, p. 222.

Mariage et divorce

Le 20 septembre 1792, le jour où la royauté est abolie et la Première République proclamée, les députés votent l'institution du mariage civil qui devient alors un contrat entre individus. Les enfants majeurs – la majorité politique et civile est fixée à 21 ans (après discussion sur une échelle qui allait de 20 à 25 ans) et restera ainsi jusqu'en 1974 – peuvent se marier sans le consentement de leur père. Le mariage cesse d'être indissoluble grâce au divorce (y compris par consentement mutuel). Le divorce révolutionnaire instaure l'égalité entre les hommes et les femmes (ce qui sera supprimé par le Code civil en particulier dans les cas d'adultère). En abolissant le recours obligatoire à un tribunal et à des hommes de loi, le divorce révolutionnaire, supprimant toute dépense, établit une réelle égalité des riches et des pauvres face au divorce. C'est une des rares mesures des assemblées révolutionnaires favorables aux femmes, puisque ce sont les femmes surtout qui réclament le divorce. À Lyon en 1792, 200 divorces sont prononcés – un pour quatre mariages – mais une centaine seulement les années suivantes. Le divorce reste par ailleurs un phénomène urbain, localisé dans la petite bourgeoisie (en particulier à Paris : 6000 divorces entre 1793 et 1795). S'il y a eu, dès l'adoption de la loi, un phénomène de rattrapage qui entérinait des situations anciennes d'abandon par le mari du domicile conjugal, les années suivantes voient surtout des divorces pour « incompatibilité de caractère ». On perçoit ainsi l'évolution de la conception du mariage, destiné auparavant à la procréation, et qui se transforme insensiblement en l'union, par amour, de deux individus. L'exclusion des femmes de la scène publique les a peut-être également rendues plus exigeantes quant à leur vie intime, dans le privé domestique[9]. Limité par le Code civil de 1804, supprimé en 1816, le divorce ne sera rétabli qu'en 1884 – loi Naquet – et le divorce par consentement mutuel seulement en 1975.

La réforme du droit de l'héritage et la législation sur la filiation naturelle

Le droit successoral de l'Ancien Régime était très divers, du nord (droit coutumier) au sud (droit écrit) du pays. Afin de supprimer le droit d'aînesse, essentiellement de la noblesse, une réforme du droit successoral est entreprise dès 1790 par les différentes assemblées. Les lois du 12 brumaire an II et du 17 nivôse an II (6 janvier 1794) suppriment le droit d'aînesse et le privilège de masculinité. D'autre part, les enfants légitimes comme les enfants naturels (nés hors mariage) sont redevables des droits de succession. Tous les enfants naturels n'ont cependant pas les mêmes droits : l'enfant adultérin n'obtient qu'une partie des droits de succession au titre de la simple « créance alimentaire ». Le Code civil de 1804 renverse complètement cette perspective

9. DESSERTINE Dominique, *in* Biet et Théry, 1989, p. 321.

égalitaire en excluant l'enfant naturel de la famille paternelle et en lui refusant tout droit à hériter. Il faut attendre la loi de 1972 pour que les droits égaux soient reconnus aux enfants naturels, adultérins ou non. Mais, malgré cette entorse à l'égalité, la réforme du droit à l'héritage a une portée symbolique importante et une portée pratique à terme déterminante (morcellement des propriétés et de ce fait réduction volontaire du nombre d'enfants).

Une « nature féminine »

La principale inégalité entre les hommes et les femmes est fondée sur une conception de la différence des sexes et de l'existence d'une « nature » féminine. Les philosophes des Lumières au XVIIIe siècle, tout comme les naturalistes et les médecins, ont défini l'être humain en tant que mâle ou femelle et ont souligné la différence, la spécificité, la complémentarité entre les hommes et les femmes. Dans l'*Encyclopédie* (1751-1772), comme dans les traités médicaux – en particulier celui de Pierre Roussel, le *Système physique et moral de la femme*, publié en 1775 et réédité pendant tout le siècle suivant –, il est mis en avant une « nature féminine », définie par un corps sexué, caractérisé par sa faiblesse et par sa prédestination à la maternité. Conception reprise par les hommes politiques révolutionnaires pour justifier l'exclusion des femmes de la sphère du politique :

> « Les fonctions privées auxquelles sont destinées les femmes par la nature même tiennent à l'ordre général de la société; cet ordre social résulte de la différence qu'il y a entre l'homme et la femme. Chaque sexe est appelé à un genre d'occupation qui lui est propre : son action est circonscrite dans ce cercle qu'il ne peut franchir, car la nature qui a posé ses limites à l'homme, commande impérieusement et ne reçoit aucune loi... »

Ainsi s'exprime le député Amar, rapporteur au nom du Comité de sûreté générale du décret sur l'interdiction des clubs de femmes, à la séance de la Convention nationale du 30 octobre 1793. La matrice est considérée comme l'organe féminin par excellence; la femme est confondue avec son utérus. Au XIXe siècle, le Sexe est le sexe féminin. Le corps de la femme, relié à la nature (avec son rôle dans la transmission de l'espèce), fonde la différence des sexes, la dépendance du sexe féminin vis-à-vis du père ou du mari, et donc son impossible autonomie de sujet individuel.

Le Code civil de 1804 (ou Code Napoléon)

Dès le 9 août 1793 est présenté aux députés le premier projet de Code civil qui concerne les successions. Le droit naturel est avancé pour les régimes matrimoniaux, mais l'égalité évoquée entre les hommes et les femmes reste purement verbale. Après la Convention, le retour à l'ordre se marque dans le domaine politique, comme dans le domaine juridique. Dès 1796, Cambacérès affirme qu'il faut « maintenir l'ordre naturel et prévenir ainsi des débats qui détruiraient les charmes de la vie domestique ». La femme mariée devient incapable juridiquement. Le 1er pluviôse an IX (janvier 1801) Portalis, principal rédacteur du Code civil, prononce devant le Conseil d'État le Discours préliminaire au projet qui doit préparer le passage entre le droit révolutionnaire et le nouveau Code. Il oppose le temps agité de la Révolution où le droit public l'a emporté sur le droit privé : « on renverse le pouvoir des pères », « l'autorité maritale n'est plus respectée », « on a eu besoin de bouleverser tout le système des successions »; mais sous le Consulat, « la France respire » : l'expression incarne, pour son auteur, la concorde nationale et la paix retrouvées. Portalis appelle à revenir aux principes de Montesquieu dans *De l'esprit des lois*, c'est-à-dire à « la raison simple d'un père de famille », à respecter les traditions et l'esprit d'une nation et condamne de fait la période révolutionnaire. Le propos, consensuel, concerne particulièrement le mariage : les Idéologues (Sieyès, Volney, Cabanis, Daunou, Chénier) qui siègent au Tribunat défendent le mariage, contrat civil, dissocié du sacrement depuis la loi du 20 septembre 1792. Mais Portalis présente le mariage comme « un droit naturel », antérieur à toute codification juridique, donc un contrat perpétuel ce qui permet d'évoquer indirectement la question de l'indissolubilité du mariage (soit repousser le divorce par consentement mutuel et pour incompatibilité de caractère) : le mariage n'est donc plus un contrat entre individus libres. À la volonté des révolutionnaires de promouvoir les droits des individus succède le gouvernement de la famille, clé de voûte de l'ordre social et politique. « Notre objet a été de lier les mœurs aux lois et de propager l'esprit de famille qui est si favorable quoi qu'on en dise à l'esprit de cité. » Portalis conclut ainsi son discours qui donne la clé de tout l'ordre juridique qu'il souhaite mettre en place dans le nouveau code. L'inégalité entre les époux qui perdure jusqu'au dernier tiers du XXe siècle est inscrite dans le Code civil : le mari doit protection à sa femme et celle-ci lui doit obéissance. Le mari décide du domicile conjugal. En cas d'infidélité, l'adultère féminin est passible de la prison, l'adultère masculin hors du domicile conjugal, d'une simple amende. Le Code civil étend à toute la France la conception de l'autorité maritale qui n'existait en droit avant la Révolution que dans les pays de droit coutumier (le Nord). Le principe de l'incapacité juridique de la femme mariée s'étend également aux régimes successoraux : le mari, chef de la communauté, a tout pouvoir d'administrer les biens communs et même, dans certains cas, les biens personnels de son épouse. Le Code civil légalise aussi la situation de dépendance des filles et des femmes. Les célibataires dépendent de l'autorité paternelle : lorsqu'elles sont majeures (plus de 21 ans), elles sont civilement responsables, mais sont, de fait, marginalisées dans la société puisque le but du mariage est la procréation et la perpétuation de l'espèce; dépendance surtout des femmes mariées (jusqu'en 1938 avec la suppression de l'incapacité de la femme mariée) : le mari avait droit de regard y compris sur la correspondance de sa femme[10].

10. BIET Christian et THÉRY Irène (dir.), *op. cit.* ROCHEFORT Florence, « Laïcisation des mœurs et équilibre de genre. Le débat sur la capacité civile de la femme mariée (1918-1938) », *Vingtième Siècle. Revue d'histoire*, 87, juillet-septembre 2005, p. 129-141.

Après le Consulat et l'Empire, prenant appui sur ce nouveau droit, une géographie sexuée de l'espace public et privé se met en place (surtout dans la bourgeoisie) : les réunions politiques, culturelles et militaires sont le domaine des hommes, tout comme les clubs et les cafés. Les femmes se retrouvent à l'Église, où elles ont, pour les plus fortunées, leurs œuvres, ou encore dans leur salon qui, de lieu de discussion mixte, se transforme en lieu de réception de moins en moins mixte. Les demeures bourgeoises séparent les espaces de réception et le privé : le bureau pour les hommes, l'office pour les domestiques et le boudoir pour les femmes. Les femmes du peuple, elles, circulent pour leurs activités quotidiennes dans l'espace urbain entre le marché et le lavoir.

Le frémissement des années 1830 : les saint-simoniennes

Après la chape de plomb imposée aux femmes par l'Empire (1804-1815) et la Restauration (1815-1830), les insurrections du premier XIXe siècle (1830, 1848) permettent de faire émerger des paroles de femmes que l'on peut considérer comme féministes (même si le mot n'existe pas à l'époque). Un mouvement de contestation politique, auquel un certain nombre de femmes participent, s'est exprimé en 1830 pendant les « Trois Glorieuses » : le 29 juillet, une manifestante brandit le premier drapeau tricolore sur une barricade. Eugène Delacroix, dans *La liberté guidant le peuple*, fait de cette action de bravoure féminine, une allégorie et le symbole de la liberté. L'insurrection de juillet 1830 qui a contribué à renverser la monarchie de Charles X et mis Louis-Philippe, « roi des Français », sur le trône (et non des Françaises comme le lui demande Louise Dauriat), n'a pas transformé profondément les rapports sociaux. Cependant, dans les années 1830-1834 a été mise à profit la nouvelle liberté d'expression (liberté de la presse et droit de faire des pétitions). Ces « temps de désillusions » (selon les termes de l'historien Philippe Vigier) ont été aussi le théâtre de nombreux débats, en particulier après les fortes aspirations à l'émancipation du peuple et des femmes, au centre de la doctrine des socialistes utopistes.

Les théories des utopistes, qui présentent des projets d'une autre société, mettent en avant de nouvelles relations entre les sexes. Charles Fourier (1772-1837) propose l'organisation de phalanstères, groupes d'hommes et de femmes où régnerait l'égalité entre les sexes. Inspiré de la doctrine de l'économiste Saint-Simon (1760-1825), le saint-simonisme est un mouvement politique complexe, un lieu de débats et un laboratoire d'idées pour une nouvelle organisation sociale, matrice de la représentation de la société industrielle en train de naître. Le disciple de Saint-Simon, Prosper Enfantin (1796-1864), veut fonder une communauté où régneraient l'égalité des sexes, l'affranchissement des femmes comme celui des prolétaires. À la tête de cette « Église », le « Père » Enfantin – la « Mère » est quelque part en Orient. De nombreuses femmes suivent à Ménilmontant les conférences des saint-simoniens, appelées « prédications ». Certaines d'entre elles, telles Claire Bazard, Cécile Fournel ou Marie Talon occupent – un temps seulement – une place dans la hiérarchie de l'« Église », la communauté saint-simonienne. Leur journal *Le Globe* publie les lettres et les textes des femmes [11].

En novembre 1831, le « Père » Enfantin, décrète dans *Le Globe* que la parole saint-simonienne ne peut être propagée que par les hommes et exclut les femmes de tout rôle actif dans l'organisation. Certaines des saint-simoniennes réagissent et s'organisent pour faire entendre la voix des femmes et créer un nouveau journal [12] : *La Femme libre*. Le périodique est fondé par trois femmes, Jeanne-Victoire, Jeanne-Désirée (Désirée Véret) et Marie-Reine (Reine Guindorf), qui font paraître, de 1832 à 1834, 31 numéros. Si le titre a varié – *La Femme de l'avenir, La Femme nouvelle* –, le sous-titre, *Apostolat des femmes*, reste inchangé du n° 1 au n° 12 pour se transformer en *L'Affranchissement des femmes* (n° 13), puis *Tribune des femmes* à partir du n° 14. Sa particularité est d'être un journal dirigé par des femmes, avec uniquement des articles de femmes. La publication a commencé avec la dissidence au sein du groupe des saint-simoniens et l'exclusion par Enfantin des femmes de l'Église saint-simonienne. Les rédactrices sont plutôt d'origine populaire et se nomment elles-mêmes « prolétaires saint-simoniennes ». Voici quelques-unes des figures de proue. Suzanne Voilquin (1801-1876 ou 77), née Suzanne Monnier, fille d'un ouvrier chapelier de Paris, brodeuse, épouse le saint-simonien Voilquin dont elle divorce en 1833; elle devient directrice de *La Femme libre* à partir du n° 5 et écrit deux textes autobiographiques qui l'ont fait connaître. Elle a mené une existence vagabonde en Égypte avec les saint-simoniens à la recherche de la « Mère », la « Femme messie », puis en Russie et aux États-Unis. Comme Suzanne Voilquin, Désirée Véret est travailleuse de l'habillement, de même que Rénée Ginsdorf (1813-1837). Jeanne Deroin, lingère qui obtient un brevet de capacité d'institutrice, fait de la prison après l'échec de 1848 et doit s'exiler. Les deux suivantes sont d'origine plus aisée, même si leur vie fut consacrée à leur liberté et à la liberté des femmes. Pauline Roland (1805-1852), fille d'un directeur des postes en Normandie, découvre le saint-simonisme par son précepteur; elle revendique ensuite une vie libre de militante et mère célibataire avec quatre enfants. Après son emprisonnement en 1852, elle meurt d'épuisement. Claire Démar, née sans doute en 1801, d'origine aristocratique (Émilie d'Eymard), incarcérée à la prison politique de Sainte-Pélagie en 1832, se suicide en 1833. Elle a contribué selon Christiane Veauvy à « abolir le clivage qui sépare politique et identité de sexe ». Pour elle, la femme, avant l'émancipation du prolétaire, devait engendrer une nouvelle vision du monde.

11. RIOT-SARCEY Michèle (éd.), *De la liberté des femmes. Lettres de Dames au* Globe *(1831-1832)*, Côté Femmes, 1992.
12. Les saint-simoniennes ont été étudiées par la sociologue et historienne Marguerite Thibert en 1926, par l'archiviste Édith Thomas en 1948 et redécouvertes après 1968 par Geneviève Fraisse et Lydia Elhadad, dans la revue *Révoltes logiques*, 1976, puis Christine Planté (1983), et enfin Michèle Riot-Sarcey, *La Démocratie à l'épreuve des femmes*, 1994.

Les femmes saint-simoniennes revendiquent la liberté, à la fois la liberté publique et la liberté privée, c'est-à-dire la libération de la tutelle maritale : « Nous naissons libres comme l'homme et la moitié du genre humain ne peut être, sans injustice, asservie à l'autre » écrit Jeanne-Victoire dans le premier numéro de *La Femme libre* en 1832. L'aspiration à la liberté politique et sociale et à l'émancipation conduit à exiger le droit au divorce et l'abolition de la loi de 1816 : une série de pétitions sont ainsi envoyées à l'Assemblée nationale. En 1837 Flora Tristan fait une pétition sur le divorce, mais la loi n'est pas adoptée à cause de l'opposition de la Chambre des pairs. Le Code civil est contesté pour l'assujettissement des femmes à l'autorité paternelle et maritale. Dans *Le Conseiller des femmes* de décembre 1833, Ulliac Dudrezene écrit :

> « Qu'on ouvre le Code civil; qu'on lise tout ce qui concerne la femme, et l'on se demandera sans doute d'où sont sorties ces lois barbares par lesquelles non seulement la femme est condamnée à une tutelle éternelle, mais aussi à voir sa dignité comme épouse rabaissée [...]. Où sont inscrits nos droits? Et partout une main de fer a inscrit notre abaissement et nos devoirs [...]. Le mal est dans l'oubli d'une liberté sage qui repose sur les droits et les devoirs. C'est à nous femmes de prouver nos droits; c'est à nous de répandre parmi les femmes l'instruction [...]. Ainsi s'établira par la force de choses une émancipation réelle[13]. »

Louise Dauriat lance en 1837 une pétition pour la révision du Code civil. Le port, pour les épouses, du nom du mari, hérité du Code civil, est un des objets de discussions intenses : les prolétaires saint-simoniennes signent de leur prénom (le seul qui leur appartienne en dehors du nom du père ou du mari); les femmes auteurs (telle George Sand) se choisissent des noms et prénoms masculins; le problème du nom est en fait un combat pour l'identité individuelle de chaque femme.

Les saint-simoniennes réclament aussi le droit à l'éducation quand est adoptée en 1833 la loi Guizot rendant obligatoire une école de garçons dans les communes de plus de 500 habitants. Une pétition est lancée par Sophie Masure, dans le journal *Le Globe*, pour créer une École normale d'institutrices. En 1836, une ordonnance royale règle la question de l'éducation des filles laissée à la charge des communes. Eugénie Niboyet, qui a fondé à Lyon *Le Conseiller des femmes*, se passionne pour l'instruction du peuple et l'éducation des femmes[14]. Elle crée à Lyon une Athénée des femmes pour qu'elles « travaillent d'une manière active au développement de leurs facultés morales et intellectuelles ». Les libéraux au pouvoir, comme les républicains, se sont refusé à donner aux filles une éducation publique pour ne pas inclure les femmes dans la sphère publique qui est celle des citoyens.

Les femmes saint-simoniennes, par leur positionnement de « femmes libres », ont fait peur; dès le suicide de Claire Démar (1833), une série de textes violemment critiques ont entretenu une image négative de ces femmes,

---

13. Citation *in* Riot-Sarcey, 1994, p. 135.
14. Czyba Luce, « L'œuvre lyonnaise d'une ancienne saint-simonienne : *Le conseiller des femmes* (1833-1834) d'Eugénie Niboyet », *Regards sur le saint-simonisme et les saint-simoniens*, Lyon, PUL, 1986, p. 103-141.

libres, indépendantes économiquement, et qui prétendaient donner leur avis sur le religieux et le politique, le corps et l'esprit, l'individuel et le collectif. Marguerite Thibert, en 1926, les taxe de « mysticisme social » et de « sentimentalisme ». La religiosité des saint-simoniennes a gêné les féministes laïques de la IIIe République. Les « prolétaires saint-simoniennes » ont en effet prôné une culture religieuse fondée sur l'Évangile et le corps, la sexualité et l'amour. À la différence des femmes de la Révolution, elles se préoccupent peu de la nation ou de la patrie, mais elles se constituent en un « nous les femmes », sans poser explicitement la question du pouvoir. Après 1834, déçues par ces républicains qui veulent construire la démocratie sans les femmes, elles se réfugient dans le silence, la fuite, l'exil ou le suicide. Cependant, dans les années 1830, ces femmes ont prôné, par leur désir de liberté, le désordre dans l'ordre des sexes et ont semblé mettre en cause l'équilibre de la société. Quelques années plus tard, elles sont influencées par le renouveau religieux du christianisme qui exalte le rôle bienfaisant des mères. Le retour à une forme de christianisme primitif (le Christ rédempteur et l'égalité devant Dieu) – par exemple à Lyon, avec la prédication d'Ozanam, qui cherche à soulager la misère du peuple –, constitue les prémices d'un catholicisme social qui marque profondément le XIXe et la première moitié du XXe siècle. Un moralisme teinté de religiosité se diffuse, non seulement chez les bourgeoises, mais aussi auprès des ouvrières. Le réveil religieux, qui permet de regrouper les femmes, contribue également au succès et au développement des congrégations religieuses. Les républicains des années 1840, dans l'opposition à la monarchie, glorifient, eux, le travail et la morale familiale : le père de famille, bon travailleur doit entretenir son foyer. Le silence est fait sur la réalité du travail des femmes (cf. *L'Enquête de Villermé* de 1840)[15].

Les discours le montrent, mais également la situation politique et les rapports de force : l'exclusion des femmes de l'espace public permet de fonder la citoyenneté républicaine d'une communauté fraternelle d'individus libres : c'est la « démocratie exclusive » (Geneviève Fraisse, 1989). Anne Verjus (2002) développe une thèse différente : si elle montre comment les femmes ont été mises à l'écart du droit de suffrage, dès l'avènement de la démocratie française, elle insiste sur le rôle de la famille structurant la construction politique de la citoyenneté entre 1789 et 1848. L'auteur argumente sur l'unité d'intérêts entre l'homme et la femme au sein de la famille. En son sein, le père de famille, représentatif de l'autorité politique, est le garant des intérêts de tous, femmes incluses. L'avènement de la « communauté naturelle » des hommes en 1848, avec l'apparition du suffrage universel masculin, rompt avec le suffrage familialiste, et marque ainsi l'abandon, dans le droit électoral, de l'individu « social », au profit de « l'individu abstrait de la démocratie[16] ».

---

15. RIOT-SARCEY Michèle et THIBAULT Marie-Noëlle, « La préhistoire de la protection : enquêtes et autres discours sur le travail des femmes », *in* Auslander et Zancarini-Fournel (dir.), *Protection sociale et différence des sexes. France-États-Unis XIXe-XXe siècle*, Saint-Denis, PUV, 1995.
16. VERJUS Anne, *Le Cens de la famille. Les femmes et le vote, 1789-1848*, Belin, coll. « Socio-histoires », 2002.

Chapitre 2

LE « SUFFRAGE UNIVERSEL » EN QUESTION (1848-1944)

Les révolutionnaires de 1793 avaient exclu les femmes de l'espace public. Le Code civil de 1804 avait institué les femmes mariées en mineures, dépendantes de leurs maris. Conservateurs ou socialistes, les républicains de 1848 les remettent à leur place « naturelle » de mères, gardiennes du foyer. Passant des femmes, actrices des révolutions populaires, à Marianne – l'allégorie féminine qui incarne la République apparaît pour la première fois le 4 mars 1848 à l'occasion de l'enterrement des victimes des journées de février –, l'historien Maurice Agulhon décrit le processus républicain d'exclusion des femmes du politique :

> « Disons-le une fois pour toutes : tout au long de cette histoire des révolutions populaires qui va en France de 1789 à 1871, les conditions sont réunies pour qu'on glisse facilement de l'une à l'autre de ces trois réalités en principe distinctes : la femme combattante d'élite – la femme porte-drapeau – la femme allégorie vivante [1]. »

Les « femmes de 1848 » et le suffrage universel masculin

Le 24 février 1848, le roi Louis-Philippe Ier, roi des Français, abdique. La IIe République est proclamée ; le 2 mars, le gouvernement provisoire déclare électeurs tous les Français âgés de plus de 21 ans ; le 20 décembre 1848, Louis Napoléon Bonaparte est officiellement intronisé président de la IIe République, après l'adoption de la constitution le 4 novembre 1848 et son élection au « suffrage universel » (ou « par le vote universel » autre vocabulaire de l'époque). Alain Garigou a montré comment un accord s'est progressivement et historiquement institué sur la légitimité de cette modalité du

1. AGULHON Maurice, *Marianne au combat*, 1989, p. 90.

vote et comment on est passé d'un vote communautaire, dans la seconde moitié du XIXe siècle, au secret des opinions et à une individualisation du vote en 1914[2].

Aujourd'hui, nous définissons le suffrage dit « universel » en 1848 comme « un suffrage universel masculin » (1848-1944). Le premier historien à avoir intégré cette dimension de genre dans une histoire du suffrage est Raymond Huard[3]. Spécialiste des « Quarante-huitards » (Archives, 1975), Maurice Agulhon, professeur au Collège de France, a lui-même admis publiquement la légitimité de l'expression en 1997, au colloque de Rouen[4].

L'expression « suffrage universel masculin » dit donc l'exclusion des femmes du suffrage en 1848 (ceci jusqu'à l'ordonnance de 1944, signée par le général de Gaulle, au nom du Gouvernement provisoire de la République française à Alger)[5]. Mais elle ne dit pas la part prise par les « femmes de 1848 » dans la révolution de février et dans les événements politiques qui ont suivi l'abdication de Louis-Philippe. La foule festive et pacifique qui envahit les rues de Paris le 23 février 1848 est composée d'hommes, de femmes et d'enfants. Sur les barricades qui suivent le lendemain, le slogan des unes et des autres est le droit au travail. Les principes de la révolution de 1848 sont Justice, Droit, Liberté et Égalité et Fraternité et un certain nombre de femmes souhaitent qu'ils s'appliquent à l'ensemble des citoyens et des citoyennes. Le droit au travail est ainsi, de suite, associé au droit de vote, la « question sociale » aux droits politiques.

Le Gouvernement provisoire pour contenir l'insurrection de février 1848 le reconnaît : « Le droit au travail est le droit qu'a tout homme de vivre en travaillant. La société doit, par les moyens productifs et généraux dont elle dispose et qui seront organisés ultérieurement, fournir du travail aux hommes valides qui ne peuvent s'en procurer autrement. » Les Ateliers nationaux sont créés pour mettre en application ce droit. Les décrets des 5 et 8 mars 1848 qui instituent le « suffrage universel » ne privent explicitement du droit de vote que les détenus de droit commun (et donc n'évoquent pas les femmes), mais le décret du 16 mars 1848 est explicite en définissant le citoyen comme « tout Français en l'âge viril ».

Contre la misère, du travail pour les femmes[6]

Parmi les « femmes de 1848 » – ainsi se nomment-elles elles-mêmes –, Désirée Gay qui adresse le 3 mars 1848 une pétition, pour demander du travail et

2. GARIGOU Alain, *Histoire sociale du suffrage universel en France (1848-2000)*, Seuil, coll. « Points Histoire », 2002 (2e éd. revue en poche).
3. HUARD Raymond, *Le Suffrage universel en France (1848-1946)*, Aubier, 1991, p. 188-209.
4. AGULHON Maurice, *Les Quarante-huitards*, Julliard, coll. « Archives », 1975.
5. Voir chapitre 4. Les manuels les plus récents ont enregistré le qualificatif masculin accolé à suffrage universel de 1848 à 1944, et il est intéressant de noter la différence entre le texte du manuel et l'iconographie ou les textes contemporains de 1848.
6. RIOT-SARCEY Michèle, *La Démocratie à l'épreuve des femmes. Trois figures critiques du pouvoir (1830-1848)*, Albin Michel, 1994 est le livre de référence pour ce chapitre.

des secours pour les femmes, au Gouvernement provisoire. Un de ses membres, Garnier-Pagès, responsable des finances, témoigne *a posteriori* : « Une multitude de femmes en proie à la plus grande misère réclamait du travail et du pain. Le ministère résolut de leur donner du pain par le travail. Il réussit si bien qu'il parvint à faire vivre pendant quatre mois, trente à quarante mille femmes[7]. » Dès le 26 février, les ouvrières parisiennes, en manifestation, avaient réclamé à Louis Blanc, président de la Commission du Luxembourg, organisateur des Ateliers nationaux destinés à donner du travail aux très nombreux sans-travail, de créer des Ateliers nationaux pour les femmes. Celles-ci s'organisent. Les premiers ateliers ne sont ouverts que le 10 avril, après de nombreuses interventions de Désirée Gay, qui devient alors responsable d'atelier. En province aussi, les corporations féminines réclament du travail et manifestent parfois en s'en prenant violemment aux couvents qui, avec leurs pensionnaires, font une concurrence redoutable aux ouvrières avec leur main-d'œuvre gratuite : en avril 1848, à Saint-Étienne, 150 femmes s'en prennent au couvent du Refuge, animé par les sœurs de Saint-Joseph. Les manifestantes, statue du Christ en tête, arrachent fenêtres et portes, qui symbolisent la clôture, et brûlent les métiers à tisser. Le travail de la soie est arrêté dans le couvent qui transforme alors ses ateliers en blanchisserie[8].

Pour l'égalité et le droit de vote, contre le Code civil

Les saint-simoniennes de 1830 qui s'étaient éloignées de la scène publique à partir de 1834-1835 sont de nouveau présentes, après le changement de régime en février 1848, dans l'espoir de voir aboutir leur revendication, d'égalité et de liberté, en somme de citoyenneté, dans ce moment historique d'exaltation de la fraternité. Jeanne Deroin a 43 ans en 1848 et elle devient une figure de proue de la revendication féministe en mettant en valeur la place spécifique des femmes dans l'organisation politique et sociale[9]. Jenny d'Héricourt fonde la Société pour l'émancipation des femmes et demande par pétition, le 16 mars 1848, l'abrogation du Code civil, le droit au divorce ; elle est attachée à « l'indépendance matérielle et morale » des femmes. Le 20 mars, Eugénie Niboyet crée le journal *La Voix des femmes* qui publie lettres et pétitions et donne des nouvelles de l'Europe insurgée. Le 22 mars, le maire de Paris reçoit le Comité des droits de la femme, dont les membres s'adressent aux « citoyens représentants » : « Les femmes qui comprennent la grandeur de leur mission sociale viennent faire appel à votre sagesse et à votre justice. Elles demandent, au nom de la fraternité, que la liberté et l'égalité soient une vérité pour elles comme pour leurs frères... » Elles réclament l'élection pour tous sans exception, le suffrage universel pour 17 millions de personnes. Le maire renvoie la décision à l'Assemblée nationale qui doit être

---

7. Cité par RIOT-SARCEY, 1994, p. 177.
8. DUBESSET Mathilde et ZANCARINI-FOURNEL Michelle, *Parcours de femmes. Réalités et représentations. Saint-Étienne, 1880-1950*, Lyon, PUL, 1993, p. 23-26.
9. SCOTT Joan, *La Citoyenne paradoxale*, Albin Michel, 1998.

élue en avril. Eugénie Niboyet, directrice de *La Voix des femmes*, est aussi présidente du Club des femmes ouvert en avril 1848. Au nom de leurs devoirs de mères, elles réclament des droits. Leurs premières revendications portent sur l'instruction et sur le travail. Elles souhaitent améliorer le quotidien des ouvrières en proposant des services collectifs (restaurants, buanderies). Des cours et des conférences sont organisés par Eugénie Niboyet, Jeanne Deroin et Désirée Gay. Ces « femmes de 1848 », anciennes saint-simoniennes des années 1830, sont aussi très attachées à l'égalité des droits politiques et au droit de vote. Pour l'élection de l'Assemblée nationale à laquelle les femmes ne sont pas admises, elles tentent de proposer la candidature de George Sand – seule femme reconnue pour ses talents d'écrivain et soutien actif du Gouvernement provisoire ; mais cette dernière, non consultée, refuse et considère la demande comme illégitime et ces prétentions politiques non fondées : elle considère que l'obtention des droits civils est un préalable indispensable au libre exercice du suffrage :

> « Monsieur,
>
> Un journal rédigé par des dames a proclamé ma candidature à l'Assemblée nationale. Si cette plaisanterie ne blessait que mon amour-propre en m'attribuant une prétention ridicule, je la laisserais passer, comme toutes celles dont chacun de nous en ce monde peut devenir l'objet. Mais mon silence pourrait faire croire que j'adhère aux principes dont ce journal voudra se faire l'organe. Je vous prie donc de recevoir et de vouloir bien faire connaître la déclaration suivante :
>
> 1° J'espère bien qu'aucun électeur ne voudra perdre son vote en prenant fantaisie d'écrire mon nom sur son billet.
>
> 2° Je n'ai pas l'honneur de connaître une seule des dames qui forment des clubs et rédigent des journaux.
>
> 3° Les articles qui pourraient être signés de mon nom ou de mes initiales dans ces journaux ne sont pas de moi.
>
> Je demande pardon à ces dames qui, certes, m'ont traitée avec beaucoup de bienveillance de prendre des précautions contre leur zèle. Je ne prétends pas protester d'avance contre les idées que ces dames voudront discuter entre elles ; la liberté d'opinion est égale pour les deux sexes ; mais je ne puis permettre que, sans mon aveu, on me prenne pour l'enseigne d'un cénacle féminin avec lequel je n'ai jamais eu la moindre relation agréable ou fâcheuse. Agréez…
>
> 8 avril 1848 George Sand[10]. »

Femmes au parcours d'exception par rapport à l'ensemble des individus de leur époque, les « femmes de 48 », bien que liant droit de vote et droit au travail, ne sont pas représentatives de la masse des femmes. Leur action publique dans la revendication des droits au nom de l'universalisme, est rendue très visible par leur presse, les pétitions, les réunions publiques et les

10. Réponse de George Sand publiée dans *La Réforme*, le 9 avril et dans *La Vraie République* le 10 avril 1848. Textes cites par PERROT Michelle, *George Sand, Politique et polémiques*, Imprimerie nationale, 1997, p. 531-532.

adresses aux gouvernants, et, de ce fait, rencontre une opposition de plus en plus grande. Elles sont isolées : pas ou peu d'hommes politiques les soutiennent. Les participantes aux réunions (mixtes) des clubs de femmes sont prises à partie. La presse – y compris la presse républicaine – se déchaîne de façon qui se veut humoristique (Daumier croque méchamment les femmes « saucialistes »). On représente les féministes sous les traits des « vésuviennes », femmes exaltées revendiquant des armes, croquées dans des textes inventés pour la plupart (textes qui ont trompé beaucoup d'historiens). La famille et la propriété semblent attaquées par les revendications des « femmes de 48 », malgré la modération de leurs discours qui ont glissé des « femmes libres » de 1832-1834 aux « mères responsables de l'éducation des citoyens qui demandent l'égalité ». Le Club des femmes est fermé le 6 juin 1848. Les femmes sont ainsi écartées de la scène publique.

La réaction après les « journées de juin » (22-26 juin 1848)

Les journées de juin, au départ simple manifestation contre la fermeture des Ateliers nationaux, se transforment en révolte sociale fortement réprimée par la troupe. Après le 25 juin 1848, plusieurs centaines de femmes sont emprisonnées à la prison Saint-Lazare pour participation aux barricades et à l'insurrection, les principales leaders des « femmes de 1848 » se divisent. Eugénie Niboyet, isolée, sans ressources, quitte Paris. Jeanne Deroin et Désirée Gay fondent une nouvelle association et un nouveau journal *L'Opinion des femmes* (août 1848-août 1849), lié aux socialistes : la solidarité sociale avec les ouvrières les plus démunies prime sur la solidarité entre femmes, alors que tout débat public leur est interdit par décret du 26 juillet 1848. Désirée Gay essaie de s'attirer le soutien de socialistes (comme Jean Macé) et polémique vivement avec Joseph Proudhon (1809-1865) qui ne voit la femme que comme « ménagère ou courtisane » (décembre 1848). En 1849, Jeanne Deroin se porte candidate aux élections législatives au nom du Comité démocratique-socialiste, malgré l'inconstitutionnalité de cette candidature. Elle fait campagne, tient meeting. Proudhon, sans citer son nom, essaie de l'empêcher de s'exprimer, en intervenant auprès des démocrates-socialistes dans le journal *Le Peuple* du 12 avril 1849 :

> « Un fait très grave et sur lequel il nous est impossible de garder le silence s'est passé à un récent banquet socialiste. Une femme a sérieusement posé sa candidature à l'Assemblée nationale. Nous ne pouvons laisser passer, sans protester énergiquement, au nom de la morale publique et de la justice elle-même, de semblables prétentions et de pareils principes. Il importe que le socialisme n'en accepte pas la solidarité. L'Égalité politique des deux sexes, c'est-à-dire l'assimilation de la femme à l'homme dans ses fonctions publiques est un des sophismes que repousse non point seulement la logique mais encore la conscience humaine et la nature des choses [...]. La famille est la seule personnalité que le droit politique reconnaisse. Le ménage et la famille, voilà le sanctuaire de la femme... »

L'expression de ce point de vue est très importante, car Proudhon dispose d'une forte autorité morale et politique auprès des « prolétaires » : l'anarcho-syndicalisme de Proudhon est la colonne vertébrale de tout le mouvement ouvrier français jusque dans le premier tiers du XXe siècle. Cette position par rapport aux femmes imprégnera très fortement les syndicats ouvriers, y compris jusqu'à une époque très récente. La place des femmes dans le mouvement ouvrier et socialiste est au centre du débat qui se noue en 1849. La position de Jeanne Deroin est trop extrême pour les dirigeants démocrates et socialistes.

Les « femmes de 48 » se replient alors sur l'associationisme et l'éducation : la création d'associations « fraternelles » pour les femmes est conforme au programme de la révolution de 1848; l'instruction est indispensable et reste la condition de l'affranchissement des filles. C'est la base de repli d'Eugénie Niboyet, à Lyon, après l'échec des tentatives d'intervention dans le politique. En mai 1850, la police arrête plusieurs dizaines de représentantes des associations accusées d'être des organisations socialistes. Jeanne Deroin est jugée, emprisonnée pendant un an, puis s'exile (elle termine sa vie à Londres en 1894, dans une gêne relative, mais fidèle à ses convictions). La nouvelle assemblée législative rétablit le suffrage restreint le 31 mai 1850 et vote également, en juin 1851, l'interdiction pour les femmes de faire des pétitions (ce droit avait été acquis en 1791 pour les citoyens – et citoyennes – passifs). Dans la démocratie naissante dont l'histoire et les progrès ne sont pas linéaires, non seulement les droits des citoyens ont été limités, mais il s'agit d'une « démocratie exclusive », sans les femmes qui demandaient, elles, une République égalitaire et une société mixte. Des femmes sont apparues sur la scène publique au moment des grandes secousses révolutionnaires de 1789, 1830 et 1848, mais la démocratie se construit sans elles.

Féminisme et suffragisme sous la IIIe République [11]

Les termes suffragisme et suffragistes concernent la revendication pour les droits civiques des femmes et l'action des militantes et militants, modérés, qui s'expriment dans des textes, des pétitions, des articles de journaux ou des résolutions de congrès. On réserve le terme de « suffragettes » à celles qui, à l'imitation des Anglaises, recourent à des actions d'éclat, parfois violentes : « La suffragette est une guerrière qui a entrepris la conquête armée des droits politiques de la femme là où la suffragiste procède à la même besogne par la pénétration pacifique » écrit, en 1911, non sans emphase une féministe plutôt modérée [12].

11. ROCHEFORT Florence, « La citoyenneté interdite ou les enjeux du suffragisme », *Vingtième Siècle. Revue d'histoire*, avril-juin 1994, n° 42, p. 41-51. Le livre de référence de ce chapitre est KLEJMAN Laurence et ROCHEFORT Florence, *L'Égalité en marche. Le Féminisme sous la Troisième République*, Presses de la FNSP, 1989.
12. Citée par KLEJMAN et ROCHEFORT, 1989, p. 267.

Le ralliement, acquis en 1914, d'une fraction de la classe politique au suffragisme est l'aboutissement non seulement de l'installation durable de la IIIe République (1875-1940), mais surtout de quarante ans de combats des féministes pour faire advenir la participation des femmes au politique. Pourtant l'action individuelle de certaines « femmes de 1848 » s'était effacée sous le Second Empire, qui, en ce domaine, est une période de reflux au moins jusqu'en 1866. Au cours des débats politiques qui animent la période libérale de l'Empire, les idées sur l'égalité des sexes trouvent un écho auprès de certains républicains. Dans la franc-maçonnerie se discute la question de l'égalité des femmes au cours de conférences organisées à l'initiative de Léon Richer (1824-1911), clerc de notaire, républicain et franc-maçon, farouche opposant à l'Empire qui invite Maria Deraismes, écrivaine et oratrice, à faire des conférences. Elle y dénonce « un universel de poche laissant de côté la moitié de l'humanité ». En 1868, *L'Opinion nationale* (journal libéral dirigé par un saint-simonien) diffuse un manifeste revendiquant le suffrage, à l'initiative de Paule Minck, André Léo (nom de plume de Mme Champseix fait du prénom de ses jumeaux André et Léo), Maria Gagneur, Adelaïde Collet et Clarisse Reclus. Julie Daubié (première bachelière en 1861) crée de son côté une association suffragiste. Ces initiatives dispersées ne donnent pas immédiatement de résultats. En fait, le mouvement féministe, qui commence alors à s'organiser, ne se focalise pas, dans un premier temps, sur le suffrage, mais sur l'éducation, le droit au travail et les droits civils. Après l'effondrement de l'Empire et la défaite contre la Prusse, la situation politique est difficile : répression de la Commune (mai 1871) et difficulté de la République à s'installer entre Ordre moral et tentatives monarchistes. Par conviction républicaine, la première génération du féminisme, incarnée par l'action de Maria Deraismes et de Léon Richer, lance un périodique *Le Droit des femmes*, en laissant de côté la revendication des droits politiques. La guerre de 1870 et la Commune (mars-mai 1871) ont révélé l'engagement politique, patriotique et civique de femmes qui y ont gagné le surnom de « pétroleuses » et, pour certaines, le conseil de guerre après la « Semaine sanglante » de mai 1871, puis la condamnation par contumace et l'exil, ou la déportation en Nouvelle-Calédonie (comme Louise Michel). La répression qui suit la Commune change les formes d'intervention politique. En 1872, Léon Richer organise un banquet pour le droit des femmes qui reçoit le soutien épistolaire de Victor Hugo : « Il y a des citoyens, il n'y a pas de citoyenne. C'est là un état violent, il faut qu'il cesse. » Mais la répression de la période de l'Ordre moral (1873-1875) fait taire ces militants. Il faut donc définir le féminisme avant de revenir au suffragisme.

Féminisme(s)

Si en 1789-1795, en 1830 et en 1848 des individues peuvent être aujourd'hui considérées et définies comme des féministes, le mouvement féministe lui-même ne s'organise que sous la IIIe République : il est qualifié parfois de « féminisme de la première vague » – la seconde étant en 1970 avec la naissance du Mouvement de libération des femmes (MLF). Cette périodisation est cependant revisitée par la recherche la plus récente qui nuance les coupures trop rigides entre les deux vagues et se méfie de cette métaphore aquatique[13]. Le féminisme – le terme apparaît de façon péjorative en 1872 sous la plume d'Alexandre Dumas fils – se développe en France dans le dernier tiers du XIXe siècle, parallèlement à l'affirmation de la République. Florence Rochefort (1998) souligne qu'il faut bien faire la distinction entre le féminisme (la théorie politique), les féministes (les individus, femmes ou hommes) et le mouvement féministe (l'organisation collective). Le féminisme peut donc être considéré comme une culture politique spécifique qui traverse et est traversée par les autres courants de pensée politique de la IIIe République, que sont le libéralisme, le républicanisme, le socialisme, le nationalisme. Cette « prise de conscience individuelle ou collective de l'oppression des femmes[14] » n'exclut pas l'existence d'autres formes d'action ou d'associations féminines spécifiques aux femmes (comme les organisations de charité ou de philanthropie), donc non mixtes, alors que le mouvement féministe a pu et peut l'être (associations et mouvements mixtes et hommes féministes – certes peu nombreux). Christine Bard (1995) parle, pour la période 1918-1939, de féminismeS, le pluriel signifiant la diversité des approches féministes. Les adjectifs accolés parfois au terme féminisme (féminisme bourgeois, catholique, nationaliste, etc.) ont pour but de préciser et de définir les formes de cette culture politique. Initié par la suffragette Hubertine Auclert, qui y voyait le moyen pour les femmes de devenir des sujets autonomes, le mouvement pour le suffrage des femmes se développe au début du XXe siècle, après le ralliement progressif de l'ensemble des organisations féministes.

Le suffragisme une revendication minoritaire des féministes (1876-1906)

Le mouvement pour le droit de vote est repris sous une forme spectaculaire par Hubertine Auclert (1848-1914). D'une famille provinciale aisée, après des études au couvent, devenue orpheline et rentière, elle « monte à Paris » et fait son éducation politique auprès de la première génération des féministes du Second Empire. En 1876, après sa participation à un Congrès ouvrier où elle s'insurge contre les conceptions développées à la tribune sur la subordination des femmes, Hubertine Auclert crée son propre mouvement la Société du droit des femmes (autorisé seulement en 1879), dont la priorité est l'obtention du droit de vote. Elle se fait remarquer en publiant sa communication refusée au Congrès international du droit des femmes en 1878 (organisé par Léon Richer et Maria Deraismes en même temps que l'Exposition universelle de Paris) sous le titre « Le droit politique des femmes : question qui n'est pas traitée au Congrès international des femmes ». Refusant la

13. GUBIN Éliane *et al.*, *Le Siècle des féminismes*, Éd. de l'Atelier, 2004.
14. KLEJMAN et ROCHEFORT, 1989, p. 23

politique des « petits pas » et du féminisme modéré, Hubertine Auclert développe une stratégie offensive. En octobre 1879, au Congrès ouvrier de Marseille, « l'immortel congrès », Hubertine Auclert – une des six femmes présentes – fait voter « au nom de neuf millions d'esclaves, la moitié déshéritée du genre humain » une motion sur l'égalité des sexes. À la suite du congrès, une candidate, Léonie Rouzade, est présentée par le parti socialiste aux élections municipales de Paris (XIIe arrondissement, quartier de Bercy) et obtient 4 % des voix. Après 1880, Hubertine Auclert incarne un féminisme radical qui ne recule devant aucun obstacle et se met en scène avec un certain goût pour la provocation : elle essaie, en compagnie d'une dizaine de jeunes femmes, de se faire inscrire sur les listes électorales et devant le refus commence une grève publique de l'impôt et par ce geste devient la première suffragette avant même les Anglaises. Elle fonde le 13 février 1881, son propre journal, hebdomadaire, *La Citoyenne*, aux éditoriaux percutants qui donnent le ton de son combat pour le droit de vote. Elle réunit toutes les semaines dans son appartement son groupe le Droit des femmes (qui devient le Suffrage des femmes en 1883), des hommes et des femmes, républicains convaincus. Le groupe propose une candidate aux législatives, défile avec banderole le 14 juillet 1881 à la Bastille avec du crêpe noir en signe de deuil et appelle au boycott du recensement de 1881 : « Si nous ne comptons pas, pourquoi nous compte-t-on? » (*La Citoyenne*, 15 décembre 1881). En 1882, elle dépose une pétition à la Chambre des députés pour le suffrage des femmes. La Cour de cassation confirme en 1885 l'exclusion des femmes des listes électorales. Le départ en 1888 d'Hubertine Auclert pour l'Algérie (où elle suit son mari qui y est nommé juge) l'éloigne (provisoirement) de la scène politique et porte un coup au suffragisme français. Si ses méthodes ont bousculé quelque peu le légalisme républicain, elle s'est cependant située dans une pensée républicaine « qui faisait de la possession du suffrage la condition du progrès[15] ». La mort de Maria Deraismes en 1894 contribue également au changement du féminisme français. D'autres personnalités et d'autres groupes sont fondés avec des orientations différentes et avec certains succès (pour le droit du travail et les droits civils par exemple). À son retour d'Algérie, après la mort de son mari en 1893, Hubertine Auclert, désireuse de faire passer ses idées féministes à n'importe quel prix, collabore brièvement à *La Libre Parole*, de Drumont, journal nationaliste et antisémite, puis rejoint le journal *Le Radical*, où elle tient une chronique hebdomadaire sur le « féminisme ». En 1901, avec son groupe le Suffrage, elle lance une pétition pour que les femmes sans mari, veuves ou célibataires aient le droit de vote; puis Hubertine Auclert se spécialise dans la propagande par l'image (timbre sur les droits des femmes à coller à côté de celui sur les droits de l'homme; affiche électorale illustrée, etc.). Les féministes de *La Fronde* reprennent le flambeau. *La Fronde*, journal créé par Marguerite Durand en 1897, a la particularité de n'être fait que par des femmes (journalistes et typo-

15. HUART, 1991, p. 191.

graphes). Mais c'est en 1906 à la suite de l'action des suffragettes anglaises que le mouvement pour le suffrage prend réellement de l'ampleur. La doctoresse Madeleine Pelletier, féministe radicale, est une émule des suffragettes anglaises. Elle organise une manifestation en voiture dans les rues de Paris avec des banderoles « la femme doit voter » et « nous voulons le suffrage universel et pas le suffrage unisexuel ». Des actions plus violentes suivent : bris de vitres d'un bureau de vote et urnes renversées, envahissement de la Chambre des députés à l'ouverture de la session parlementaire où les suffragettes jettent des tracts du haut des tribunes. Mais les actions violentes cessent vers 1908 et le suffragisme modéré triomphe.

La position des formations politiques de la IIIe République avant 1914

Le premier parti interpellé par les féministes est le parti socialiste, ou plutôt les différents groupes socialistes, qui ne formaient pas encore un véritable parti politique au sens moderne du terme. Les Guesdistes (1880) puis les Broussistes (1885), suivis par le Congrès international socialiste de Bruxelles en 1891, affirment dans leur programme l'égalité entre les sexes. La revendication sur le suffrage des femmes s'impose plus difficilement, malgré la création de plusieurs groupes de femmes socialistes; mais en 1906, proposée au congrès par la doctoresse Madeleine Pelletier, la motion demandant aux élus de déposer un projet de loi en faveur du vote des femmes est adoptée. Si certains dirigeants du parti socialiste semblent convaincus (Jean Jaurès, Jean Allemane, Marcel Sembat ou Francis de Pressenssé), les militants dans les fédérations sont plus réticents. Du côté des radicaux, à l'exception de personnalités tels Ferdinand Buisson ou Mme Brunschvicg, l'hostilité est de rigueur en raison de la crainte du « péril clérical » propagé par les femmes. Le combat pour la laïcité est la colonne vertébrale du parti radical et la proximité des femmes avec la religion et l'Église les inquiètent. Dès 1901, le parti radical se prononce en congrès contre le suffrage féminin. Il en est de même des républicains modérés, comme les conservateurs ou l'extrême droite monarchiste de l'Action française. Mais des clivages existent au sein des partis. Certains radicaux se prononcent pour le suffrage (77 sur 248 en 1914) et au total, bien que minoritaires, 238 députés sur 591 sont favorables au suffrage dans la législature de 1910-1914.

Les conditions de développement du suffragisme existent : la République s'est affermie et avec l'instruction obligatoire et laïque et la séparation des Églises et de l'État, la pensée républicaine semble triompher. Le suffrage universel (masculin) s'individualise et une discipline du vote a été inculquée aux citoyens : le scrutin sous enveloppe et le vote dans l'isoloir (1913) achèvent le processus. Une fraction de l'opinion est favorable aux idées féministes et des parlementaires, à la Chambre des députés, se font l'écho des revendications pour le droit de vote des femmes. Le mouvement dépasse les frontières : en 1904 se fonde une Alliance internationale pour le suffrage des femmes. Certains pays ont déjà accordé ce droit de vote (Nouvelle-Zélande, Australie, Finlande et certains états des États-Unis). Même les féministes modérées du Conseil national des femmes françaises, fondé en 1901 (et qui regroupera 73000 femmes), ouvrent une section sur le suffrage en 1906. Jeanne Schmalh (1846-1916) prépare le regroupement des associations suffragistes. Son action aboutit en 1909 : l'Union française pour le suffrage des femmes (UFSF) devient la section française de l'Alliance internationale pour le suffrage des femmes. Le nombre d'adhérentes croît (650 en 1910, 6000 en 1912, 12000 en 1914). En 1910, le premier meeting suffragiste réunit plus de mille personnes. Le souci des organisatrices est de développer le mouvement en province : les institutrices (et certains instituteurs) sont des alliés précieux, ainsi que la Ligue des droits de l'homme. La revendication est limitée – le droit de vote aux élections municipales – et les modes d'action, pacifiques : conférences et pétitions. Le mouvement s'élargit et reçoit le soutien de personnalités tel Ferdinand Buisson, président de la Ligue des droits de l'homme et éditeur du célèbre *Dictionnaire de pédagogie* : la seconde version de 1911 fait une place au féminisme et aux revendications suffragistes. Député, il est également l'auteur en 1911 d'un rapport sur le droit des femmes à la Chambre. L'opinion publique est mobilisée : en 1914, avec le soutien du quotidien *Le Journal*, un vote blanc avec l'indication « je désire voter » recueille un demi-million de suffrages. Un nombre non négligeable de parlementaires (près de 250) sont convaincus. Dès 1901 avait été déposé un premier projet de loi pour le vote partiel. Le 5 juillet 1914, une manifestation de commémoration en l'honneur de Condorcet réunit toutes les féministes, suivies par 6000 personnes. Première démonstration de force massive du féminisme français, elle est le symbole de la nature de ce mouvement politique. Célébrant un homme partisan de l'égalité des sexes, le philosophe Condorcet, elle dit aussi le lien des féministes avec le républicanisme et le souci d'un pragmatisme militant qui s'est réapproprié un lieu de mémoire mixte. Le soutien de près de 250 députés et celui du parti socialiste justifient les choix de modération et d'intégration du féminisme français. La guerre met un terme à cet âge d'or du suffragisme. Le 23 décembre 1914, toutes les élections sont ajournées jusqu'à la fin de la guerre. Cécile Brunschvicg, présidente de l'UFSF estime « qu'il ne serait pas convenable et utile pour notre cause d'entreprendre une ardente campagne suffragiste au moment où notre patrie lutte contre un ennemi barbare[16] ».

L'opposition du Sénat et la recomposition du mouvement suffragiste dans l'entre-deux-guerres

Au lendemain de la guerre de 1914-1918, le contexte est favorable à la prise en considération de la question du vote des femmes, qui ont massivement

16. Voir le chapitre suivant sur les femmes et les guerres.

adhéré à l'« union sacrée », en faisant taire leurs revendications et qui ont su remplacer les hommes à l'arrière pendant toute la guerre. Leur patriotisme doit être récompensé.

L'opposition du Sénat

Au mois de mai 1919, la Chambre des députés accorde aux femmes, par 344 voix contre 97, le doit de voter et d'être éligibles. Le lendemain, le président du groupe de la Gauche démocratique au Sénat, Émile Combes (un des inspirateurs de la loi de 1905 de séparation des Églises et de l'État), donne la consigne de repousser la proposition de loi. En 1922 c'est chose faite par 156 voix contre 134 et la position des sénateurs sera constante jusqu'en 1939. Le scénario suivant – vote positif de la Chambre, mutisme ou refus du Sénat – se répète à trois reprises en 1932, 1935 et 1936, malgré un activisme féministe très diversifié dans ses formes. Comment interpréter ce refus des sénateurs? Comment comprendre cette singularité française et le retard français en matière de suffrage des femmes? (Les Russes l'obtiennent en 1917, les Luxembourgeoises en 1919, les Américaines en 1920, les Anglaises en 1928, les Turques en 1930 et les Espagnoles en 1931.) La France siège sur les bancs des « pays non affranchis » dans les congrès féminins internationaux : au pays des droits de l'homme, les femmes restent exclues des urnes[17].

Pour comprendre l'échec de l'active « nébuleuse féministe » qui marque une singularité française, il faut souligner, dans un premier temps, le rôle conservateur de la guerre qui sépare radicalement les sexes et pousse à un retour à l'ordre politique, moral et familial, ainsi que la recomposition du mouvement suffragiste qui se développe sur toute l'échelle politique avec des organisations diverses, proches des différents partis politiques. Après une déclaration du pape favorable au vote des femmes en 1919, le ralliement des catholiques représente un chiffon rouge pour les radicaux anticléricaux, groupe dominant au Sénat. L'entre-deux-guerres est aussi une période d'obsession démographique, où les pouvoirs publics mettent en place une politique familialiste et nataliste faite de répression de l'avortement et d'interdiction de la contraception et, par ailleurs, d'incitations financières et honorifiques pour les mères prolifiques. Pierre Rosanvallon avance que c'est la philosophie politique individualiste du droit français qui a empêché l'intégration politique des femmes parce qu'elles n'étaient pas considérées comme des individus (alors que les pays anglo-saxons ont intégré les femmes à cause des spécificités propres à leur sexe[18]). Mais comment expliquer alors les différences de points de vue entre les députés et les sénateurs français? Ces derniers considèrent que le vote féminin est prématuré et dan-

17. Bard Christine, *Les Filles de Marianne*, Fayard, 1995, est le livre de référence pour cette partie. Voir aussi son article de synthèse « L'étrange défaite des suffragistes (1919-1939) », *in* Éliane Viennot (dir.), *La Démocratie « à la française » ou les femmes indésirables*, Presses université Paris 7, 1997, p. 234-239.

18. Rosanvallon Pierre, *Le Sacre du citoyen*, Gallimard, 1992.

gereux, que d'ailleurs la majorité des femmes ne le demandent pas, et que leur spécificité de sexe les éloigne de la politique qui est le lieu des hommes. Les femmes, plus nombreuses que ces derniers après les morts de la Grande Guerre, risqueraient de déstabiliser et de contredire le vote masculin. On le voit, les sénateurs ne font pas référence à un citoyen individu neutre exerçant le suffrage universel, mais à un citoyen de sexe masculin : il s'agit donc d'une expression sexuée du vote. Cette idéologie sexualiste est d'ailleurs commune à la droite comme à la gauche, aux partisans comme aux opposants du suffrage des femmes – ils estiment que c'est au nom de leurs caractéristiques de sexe que les femmes doivent ou ne doivent pas voter –, même si leurs arguments ne sont pas identiques. Par ailleurs, les femmes sont largement soupçonnées d'être influencées par leurs prêtres. Louise Weiss rapporte dans ses mémoires (publiés en 1946) que Jules Jeanneney, président du Sénat et maire d'une petite commune, a fait une expérience malheureuse de scrutin local où les femmes devaient voter (pour déterminer le jour de la fête patronale du village de Haute-Saône et que le curé avait convaincu ses paroissiennes de refuser de déplacer la Saint-Christophe pour ne pas offusquer le saint). Et Jules Jeanneney conclut, d'après Louise Weiss : « Est-il vraiment utile d'apporter les voix d'un tel contingent de sottes au scrutin? » L'anecdote est significative de l'argument principal avancé par les sénateurs hostiles au vote des femmes, sénateurs qui se sentent, de plus, investis de la sagesse politique de la nation et de l'ordre républicain. Le blocage institutionnel du Sénat dans toute la période est révélateur du conservatisme du monde politique, monde clos, régi par des rites et une culture misogyne (un des sénateurs parle de « scrutin vaginal » pour définir le suffrage des femmes). Cette misogynie des milieux politiques est encore très sensible aujourd'hui, alors que les femmes votent depuis plus d'un demi-siècle et que certaines ont accédé aux plus hautes fonctions ministérielles. Ceci est avéré, à l'Assemblée nationale et au Sénat, comme dans les assemblées régionales (cf. les insultes sexistes proférées à l'encontre de l'ancienne présidente de la région Rhône-Alpes – UDF – par une fraction de la droite et l'extrême droite).

La diversité des féminismes : suffragistes et suffragettes

Le mouvement suffragiste reprend de plus belle après la Première Guerre mondiale et se diversifie. Un suffragisme de droite et catholique – qu'il est difficile cependant de qualifier de féminisme – émerge vers 1925 : Andrée Butillard fonde l'Union féminine civique et sociale (UFCS). Dans l'Union nationale pour le vote des femmes on s'évertue à convaincre que le vote n'est pas incompatible avec les devoirs de la femme au foyer (Ligue de la mère au foyer en 1931). Reprenant la stratégie d'avant-guerre d'Hubertine Auclert et de Madeleine Pelletier, les suffragettes manifestent à nouveau, entraînées par Maria Vérone et les militantes de la Ligue française pour les droits des femmes : défilés en voiture à Paris et en province, stand à la Foire de Paris. Louise Weiss, journaliste, européiste convaincue, qui a fondé le journal *La Femme nouvelle* en 1934, conduit une série d'actions spectaculaires comme, par exemple, empêcher le départ d'une course de chevaux à Longchamp à laquelle assistait le président de la République ou lâcher des ballons lors de la Coupe du monde de football en 1936. Les suffragettes restent cependant très minoritaires.

Le féminisme modéré est dominant et marque une volonté certaine d'intégration aux principes de fonctionnement de la République et de la nation : « Leur discipline républicaine freine leur combativité tempère leur propos, mais rassure[19]. » Les féministes entrent dans les partis politiques, au parti socialiste comme au parti radical. Après 1935, avec la montée des périls politiques du fascisme et de la guerre, le déclin des organisations suffragistes est notable. Le Front populaire de 1936 soulève un paradoxe et provoque la déception : alors que le président du Conseil, Léon Blum, a été un des premiers soutiens du suffragisme, et que trois femmes entrent dans son gouvernement – Cécile Brunschvicg radicale, Suzanne Lacore, socialiste et Irène Joliot-Curie proche du parti communiste –, les femmes n'obtiennent pas le droit de vote (sans doute pour ne pas mécontenter les alliés radicaux). Ce refus de l'émancipation des femmes marque le dysfonctionnement de la démocratie sous la IIIe République.

En 1939, pour célébrer le cent cinquantième anniversaire de la Révolution française, le Conseil national des femmes françaises et l'Union française pour le suffrage des femmes envoient au président du Conseil, Daladier, un exemplaire de la Déclaration des droits de la femme, d'Olympe de Gouges de 1791. Avec cette ultime action du suffragisme français, la boucle est bouclée. La Seconde Guerre et l'Occupation, comme la Résistance, conduisent en 1944 à l'adoption (difficile) d'une ordonnance qui intègre, dans l'organisation des nouveaux pouvoirs à la Libération, le vote et l'éligibilité des femmes[20].

19. Bard, 1997, p. 235.
20. Voir chapitre 4.

Chapitre 3

LES GUERRES DU XXE SIÈCLE

Traditionnellement, la guerre est l'affaire des hommes, mais elle concerne tous les habitants d'un pays quels que soient leur sexe ou leur âge. Elle prend, au XXe siècle, une extension certaine avec la mobilisation de l'arrière et les exactions sur les populations civiles. La notion de « culture de guerre », développée récemment dans l'historiographie, insiste sur le poids des événements traumatiques et la « brutalisation » (George Mosse, trad. 1999) née du conflit[1] : la violence du champ de bataille, la violence sur les civils – et particulièrement sur les femmes dans les zones occupées –, la violence du vocabulaire, la violence et la frustration des relations hommes/femmes pendant la guerre laissent des traces après les combats et modèlent en partie, mais en partie seulement, les sociétés européennes dans la période appelée *rétrospectivement* et significativement l'entre-deux-guerres. Nous ne discuterons pas ici du débat sur les notions de consentement et de contrainte qui concernent essentiellement les poilus. La Grande Guerre a été perçue par les contemporains comme une période de bouleversement du rôle des femmes dans la société.

« La nationalisation des femmes » (1914-1918)[2]

En juillet 1914, le combat pour le droit de vote des femmes semble devoir rapidement triompher. Il est l'objet dans les partis d'un débat public qui dépasse l'action militante des groupes et des cercles féministes. Le 5 juillet 1914, le succès de la première grande manifestation suffragiste, devant le

1. BECKER Annette, « La banalisation et l'intériorisation de la violence de guerre permettent d'accepter durablement tous ses aspects même les plus paroxysmiques et de les réinvestir dans le champ politique de l'après-guerre », *Annales, Histoire, Sciences sociales*, 2000, p. 181. Ce point de vue ne correspond pas à la thèse d'Antoine Prost dans *Les Anciens Combattants* (1977). L'ouvrage de S. Audouin-Rouzeau et Annette Becker, *Retrouver la guerre*, est critiqué par Antoine Prost, *in* « La guerre de 1914 n'est pas perdue », *Le Mouvement social*, n° 199, avril-juin 2002, p. 95-102.
2. Le terme « nationalisation des femmes » est de THÉBAUD Françoise, *Histoire des femmes en Occident. Le XXe siècle*, 2002, p. 80.

monument à Condorcet, marque, en apparence, une étape majeure vers l'égalité politique. Dans ce processus d'émancipation et d'intégration des femmes à la vie politique du pays, quel rôle va jouer la guerre? Ne sera-t-elle qu'une parenthèse ou, au contraire, le point de départ d'une nouvelle vie, une rupture? La Grande Guerre a-t-elle bouleversé les rapports entre les sexes? Cette idée est très répandue pendant le conflit et dans l'immédiat après-guerre. Elle fut effectivement une rupture de l'ordre social et familial. Comment alors se redéfinissent dans la réalité, et aussi le symbolique, le rapport masculin/féminin? Quelles vont être les positions des féministes face à la guerre et étaient-elles préparées à l'événement qui bouleverse les sociétés européennes? « LA femme est l'amante de la paix » disait-on en se référant à la « nature féminine ». Dans une expression imagée, mais significative, une femme confie à l'historienne Françoise Thébaud à quel point la guerre avait transformé son époux de retour du front : « Je leur ai donné un mouton, ils m'ont rendu un lion[3]. » Une telle appréciation conforte les problématiques du poids du conflit sur les rapports entre les sexes. Le genre *(Gender)* apparaît bien un principe opératoire, voire un axe organisateur des politiques de guerre des États belligérants.

Dans la discipline historique deux champs ont contribué depuis une vingtaine d'années à transformer en profondeur l'histoire de la guerre : c'est successivement l'histoire des femmes et du genre et l'histoire culturelle. Françoise Thébaud a développé l'histoire des femmes pendant la guerre de 1914-1918 dans un ouvrage paru en 1986, *La Femme au temps de la guerre de 1914*, en montrant comment la guerre, cet événement remarquable, a affecté la vie des femmes dans leur diversité (y compris, phénomène peu connu alors, dans les zones occupées par l'armée allemande dans le Nord et l'Est du territoire). Dans *L'Histoire des femmes en Occident*, dont elle a dirigé le cinquième volume sur *Le Vingtième siècle* (Plon 1992), elle aborde la question des représentations du masculin et du féminin dans une perspective d'histoire du genre et de comparaison du masculin et du féminin : « Mobilisation des hommes, mobilisation des femmes », « mort des hommes, douleur des femmes », « guerre des hommes, paix des femmes », telles sont les scansions du premier chapitre de ce volume sur le XXe siècle. Elle aborde également « la sexuation des politiques de guerre » en montrant comment le genre est utilisé par les politiques dans la conduite même des événements. Cette perspective de genre est aussi présente dans un ouvrage collectif (Capdevila, Rouquet, Virgili, Voldman, 2003) qui réunit dans son titre et dans sa conception les deux guerres, donnant ainsi toute sa place à la notion de cultures de guerre : *Hommes et femmes dans la France en guerre (1914-1945)*.

Deuxième branche historiographique, l'histoire culturelle de la guerre qui s'est affirmée en France depuis une dizaine d'années en s'intéressant particulièrement à l'histoire du corps, de la douleur et de la souffrance. Un manifeste pour une histoire culturelle de la guerre est paru dans la revue *Vingtième*

3. THÉBAUD Françoise, *La Femme au temps de la guerre de 1914*, Stock, 1986, p. 193. Le titre de l'ouvrage s'intègre dans une collection dirigée par Laurence Pernoud et qui s'appelait « La Femme au temps de... ». Le livre décrit en fait la vie des femmes pendant la guerre.

Siècle en 1994 sous le titre « La guerre de 1914-1918. Essais d'histoire culturelle ». L'intérêt manifesté pour l'arrière et la mobilisation des civils – dont les femmes (« L'Autre-front », *Cahiers du Mouvement social*, Éditions ouvrières, 1977) –, s'est déplacé sur les combats et les souffrances des hommes au front. Stéphane Audouin-Rouzeau a étudié dans *L'Enfant de l'ennemi* (1995) la question du viol des femmes pendant la guerre, vu sous l'angle des représentations sociales de l'opinion sur « les enfants des boches ». Récemment Jean-Yves Le Naour a scruté les mœurs sexuelles des Français sous le titre : *Misères et tourments de la chair durant la Grande Guerre* (Aubier, 2002) en croisant histoire du genre (la virilité des hommes pendant la guerre et leurs rapports aux femmes) et histoire des sentiments et de l'intime. La perspective d'histoire culturelle d'analyse des discours ne peut cependant prendre sens que dans une confrontation avec l'expérience sociale des femmes du passé, connue par différentes sources historiques.

« La mobilisation des femmes »

Dès la mobilisation des hommes en août 1914, les féministes se déclarent prêtes à remplir leurs devoirs sacrés de défense de la patrie. Pour elles, la France mène une guerre du droit pour se défendre. La trêve décrétée par les partis et les syndicats se double de l'union sacrée entre les sexes au service de la Défense nationale. Quelques féministes, considérées comme « radicales » et très minoritaires, ont défendu jusqu'à la déclaration de guerre la « grève des ventres », c'est-à-dire le refus d'enfanter pour « faire de la chair à canon ». Comme les derniers syndicalistes et socialistes pacifistes (cf. Roger Martin du Gard, *Les Thibault*), ces voix sont isolées et impuissantes à empêcher la guerre.

Les premières manifestations sont des formes de soutien à la mobilisation dans l'espoir que cette guerre du droit sera courte et victorieuse. Le 7 août 1914, le président du conseil Viviani, lance, en direction des Françaises, un appel au ton martial pour qu'elles suppléent les hommes, pères, maris et frères dans les exploitations agricoles :

> « Debout femmes françaises, jeunes enfants, filles et fils de la patrie. Remplacez sur le champ du travail ceux qui sont sur le champ de bataille. Préparez-vous à leur montrer, demain, la terre cultivée, les récoltes rentrées, les champs ensemencés ! Il n'y a pas, dans ces heures graves, de labeur infime. Tout est grand qui sert le pays. Debout ! À l'action ! À l'œuvre ! Il y aura demain de la gloire pour tout le monde. Vive la République ! Vive la France ! »

Le 17 août, Marguerite Durand, ancienne directrice, fait reparaître le journal *La Fronde* (arrêté en 1903) pour soutenir l'union sacrée :

> « Toutes les théories féministes seront énergiquement défendues dans ce journal quand la paix sera revenue. Mais actuellement nous sommes en temps de guerre. Il nous faut subir l'adversité, donner confiance à ceux qui partent, veiller maternellement sur ceux qui restent. Il nous faut panser des blessures physiques et consoler des peines morales. Il faut nous montrer enfin, en accomplissant loyalement les devoirs que réclame de nous la société, dignes des droits que nous lui demandons. »

L'Union pour le suffrage des femmes prend une position identique : le mot d'ordre est « servir la patrie ». La mobilisation de l'été 1914 sépare cependant radicalement les sexes et donne une force nouvelle au mythe de l'homme protecteur de la mère-patrie et de sa famille. Une politique d'assistance, mise en place par le gouvernement dès le 5 août, vient en aide aux femmes des mobilisés; mais l'allocation journalière est faible et ne permet pas de faire vivre une famille. La détresse matérielle des mères de famille est réelle, d'autant plus que les secteurs traditionnels d'activité féminine (textile et habillement) connaissent le chômage. La guerre oblige à une redéfinition temporaire des identités au travail : les institutrices, les postières, les employées de banques ou de ministères prennent toute leur place, car les hommes de plus en plus nombreux sont mobilisés : 3,7 millions en août 1914, 8 millions deux ans plus tard. Une nouvelle activité féminine se développe : celle d'infirmière, ange gardien du soldat blessé. La guerre fait appel au dévouement et à l'abnégation féminine, celle en particulier des femmes et des jeunes filles des couches moyennes et aisées, coutumières des activités et des œuvres de charité. Au sein de multiples œuvres d'intérêt public, de la Croix-Rouge ou encore des services de santé militaires, 70000 infirmières bénévoles vont s'ajouter aux 20000 salariées. Le patriotisme féminin se forge une reconnaissance dans de nombreuses œuvres philanthropiques envers les familles en détresse, les réfugiés et les ouvrières au chômage.

Hommes et femmes vivent donc une chronologie différente du conflit. Quand, à l'été 1914, les premiers partent se battre contre l'ennemi, les femmes, esseulées, attendent, mises au chômage par la désorganisation de l'économie, prises partiellement en charge par l'État, qui se substitue au mari mobilisé, et invitées à servir dans des tâches féminines (nourrir, éduquer, soigner). Quand, à la fin de l'année 1914, la guerre s'enlise dans les tranchées, les femmes accèdent à l'espace public et aux responsabilités pour faire marcher la machine de guerre. La peur d'être dépossédés ou trompés fait alors naître chez les soldats l'idée que les hommes se sacrifient au front et que la vie est belle à l'arrière pour les femmes. La réalité est différente et, en tout cas, très diverse selon l'état matrimonial des femmes (célibataires ou mères de famille), leur localisation géographique (la souffrance des femmes des zones occupées dans le Nord et l'Est est plus grande) et leur situation sociale (il y a aussi des « profiteurs » comme des « profiteuses » de la guerre).

L'accélération de la guerre sur le travail des femmes

Le problème de l'influence de la guerre sur le travail des femmes est une question discutée depuis longtemps par les historiens. Longtemps, l'événement a été considéré comme une véritable rupture qui aurait représenté l'entrée des femmes dans l'industrie et les bureaux. Aujourd'hui, les historien/ne/s relativisent fortement cette rupture. Il y a bien eu transfert d'une partie de la main-d'œuvre féminine des secteurs traditionnels (textile, domesticité) vers les secteurs de production liés à la guerre (métallurgie, chimie). Certes, il y a eu augmentation de l'emploi disponible dans un premier temps pour les jeunes filles, puis pour les femmes mariées et les mères. Partout les femmes ont remplacé les hommes dans l'administration (postes, enseignement, ministères, hôpitaux, prisons). Mais, dès la fin de la guerre en novembre 1918, les femmes ont été « démobilisées » brutalement des usines de guerre (les veuves exceptées). La guerre n'aurait-elle été alors qu'une parenthèse dans l'histoire longue du travail féminin? Cette appréciation est tout aussi discutable, et on peut désormais affirmer que la guerre a été un accélérateur pour le travail des femmes dans l'industrie et dans les bureaux.

Une image très répandue – s'appuyant sur les discours des contemporains – présente la Première Guerre mondiale comme l'origine de l'entrée des femmes dans les usines métallurgiques. En réalité, elles y étaient déjà (entre 7 % et 10 % de la main-d'œuvre avant août 1914). La guerre conduit, de fait, à une modification quantitative plus que qualitative. Dans le département de la Seine (Paris), le taux de féminisation de population industrielle passe de 27,8 % en 1914, à 32,2 % en 1919 (la démobilisation est passée par là). 8000 à 9000 femmes travaillaient dans la métallurgie parisienne avant la guerre et elles sont 100000 à le faire en 1917[4]. Il en est de même dans le bassin stéphanois où les ouvrières travaillant pour la Défense nationale représentent un quart de la main-d'œuvre en 1917 (27000)[5]. La mobilisation des Françaises au service de la Défense nationale est cependant tardive, lente et reste limitée en dehors du monde des campagnes et des infirmières sur le front. Dans les usines de guerre, les « munitionnettes » (diminutif plus ou moins dépréciatif donné immédiatement aux femmes embauchées dans l'industrie de guerre) représentent le dernier recours, après l'embauche de civils, de réformés ou de « coloniaux ». Elles sont, à la fin de l'année 1917, un quart de la main-d'œuvre, un tiers en région parisienne. Les ouvrières s'adaptent aux travaux les plus divers et exécutent, soit aux machines, soit comme manœuvres, la plupart des opérations. Un travail intensif et dangereux (les accidents sont nombreux), mais mieux payé que les métiers féminins traditionnels de la couture et de l'habillement.

Le rôle de l'État

C'est aussi l'occasion pour l'État d'intervenir dans l'économie et dans la vie privée des familles. Au cours de l'année 1917, l'État s'engage dans une politique contractuelle (minima des salaires, primes de vie chère, tarifs obligatoires du travail aux pièces). Si le principe défendu par le ministère de la Guerre et par la CGT (Fédération des métaux) « À travail égal, salaire égal » est quelque peu détourné par la retenue de 17 % sur les salaires féminins

4. OMNÈS Catherine, *Ouvrières parisiennes. Marchés du travail et trajectoires professionnelles au XXe siècle*, Éditions de l'EHESS, 1997, p. 96-98.

5. ZANCARINI-FOURNEL Michelle, « Les femmes aux mains vertes : les munitionnettes de la Loire », université de Vincennes, 1979 et « Travailler pour la patrie », *in* Evelyne Morin-Rotureau (dir.), *1914-1918 : combats de femmes. Les femmes pilier de l'effort de guerre*, Autrement, coll. « Mémoires », 2004, p. 32-46.

pour contribution à la formation de la main-d'œuvre, les salaires des femmes – plus élevés dans les usines de guerre qu'ailleurs – sont garantis par les taux officiels de rémunération et par l'absence de chômage (au moins jusqu'au printemps 1918). L'enjeu national et social du travail des femmes est perçu par les dirigeants politiques et de nouvelles mesures pour la protection de la maternité sont mises en place. La bataille de Verdun en 1916 contribue à un renouveau de la réflexion sur la question des naissances et des maternités. Un Comité du travail féminin est créé pour réfléchir aux conditions de travail spécifiques des ouvrières-mères[6]. Par la loi Engerand du 5 août 1917, les chambres d'allaitement sont rendues obligatoires dans les entreprises qui emploient plus d'une centaine de femmes; un personnel féminin est chargé de l'encadrement et de la protection des ouvrières-mères : les surintendantes d'usines (mais la première promotion ne commence sa formation qu'en 1917 et ne sera opératoire qu'à la fin de la guerre). Veiller aux conditions de travail et à la santé des ouvrières-mères permettait à l'État et aux entrepreneurs de produire à la fois plus d'enfants et plus de munitions pour la France. Si l'État est intervenu dans la gestion de la main-d'œuvre, y compris dans des entreprises privées travaillant pour la Défense nationale, c'est dans le but d'une meilleure organisation de la production, mais aussi parce qu'un certain nombre de mouvements sociaux (dont les grèves) l'avaient contraint à intervenir. Les grèves féminines, qui se sont multipliées en 1917 pour les conditions de salaires et de travail, ont frappé les esprits des contemporains. La grève en temps de guerre, surtout pour des ouvrières fabriquant des munitions, apparaît comme un « coup de poignard dans le dos » des poilus sur le front. Mais les négociations entre le ministre de l'Armement Albert Thomas, les entrepreneurs et les syndicalistes de la CGT représentent une étape considérable dans une nouvelle organisation des relations sociales dans les entreprises. Les femmes, par leur action collective en 1917 et par leur présence dans le processus productif, sont au cœur de cette discussion. Lors de la discussion du bordereau de salaires adopté en juin 1917 pour les usines travaillant pour la Défense nationale, le syndicalisme contribue à définir les contours d'une classe ouvrière où sont codifiés les postes de travail et la rétribution salariale, ce qui, de fait, institue des postes sexués. C'est une reconnaissance officielle, conjoncturelle, des organisations syndicales, mais aussi de l'organisation du travail taylorisée puisque la distinction est établie entre professionnels et travailleurs aux pièces. Il n'y a aucune femme classée professionnelle (sauf dans le département de la Seine). Pour le travail aux pièces, il est précisé que, à travail égal, la rémunération doit être égale sans distinction d'âge ou de sexe. Le syndicat des métaux, qui reprend ainsi une vieille revendication, pense éviter par ce biais la concurrence féminine dont les bas salaires font pression sur le marché du travail. Pour le gouvernement, et en particulier pour le ministre socialiste Albert Thomas, l'accord

6. DUBESSET Mathilde, THÉBAUD Françoise et VINCENT Catherine, *in* Patrick Fridenson (études réunies par), *Cahier du Mouvement social*, « L'autre front », 1977, p. 188-219.

est un moyen de préserver la paix sociale. L'application du bordereau ouvre une série de revendications et de conflits, particulièrement après le changement du gouvernement à l'automne 1917. En 1917-1918, la Loire est un cas d'école : les grèves dans des ateliers de femmes en 1917 sont des mouvements revendicatifs pour les salaires bien différents de la grève générale victorieuse de décembre 1917 (contre le renvoi d'un dirigeant syndical parisien mobilisé dans une usine de guerre de la Loire et réexpédié au front par le nouveau président du Conseil, Georges Clemenceau). Le mouvement de grève générale se transforme en lutte pour la paix, puis en mai 1918 en grève quasi insurrectionnelle, action dans laquelle quelques femmes tiennent une place notable en se couchant devant les trains qui emmènent les jeunes classes au front. Dans le même temps, les représentations de la femme au travail envahissent les discours : ceux des syndicalistes CGT de la Fédération des métaux, qui passent de l'adhésion nécessaire au syndicat au refus du travail des femmes, parce que, dans cette nouvelle organisation du travail aux pièces, les femmes concurrencent les hommes et que le prix est, pour ces derniers, très cher à payer (le renvoi au front des mobilisés). Au printemps 1918, les femmes sont dénoncées comme responsables de la durée de la guerre. Le congrès de la CGT de juin 1918 énonce que « fidèle à ses conceptions d'émancipation il considère que la place de la femme est au foyer ». Les syndicalistes contribuent ainsi à définir et à figer les identités féminines et masculines dans une période où elles sont en mutation. Face à ces grèves très minoritaires, les points de vue de l'opinion publique sont repérables par les lettres aux journaux, par le contrôle postal ou dans les enquêtes pour embauches. Si dans le courrier saisi, une lassitude de la guerre est perceptible dès 1917, il n'y a pas – sauf exception minime – de soutien avéré aux grèves pour la paix. Mais, en revanche, la moralité des femmes, celles des veuves en particulier ou des femmes mariées, provisoirement seules, est montrée du doigt.

Quel bilan tirer de cette expérience de travail de guerre? Si les conditions de travail (horaires, cadences, pénibilité) ont été particulièrement dures, accentuées dans certaines régions par les difficultés de logement, de transport et d'approvisionnement, le travail pendant la guerre a constitué pour de nombreuses femmes une expérience de liberté (salaires élevés, autonomie des plus jeunes, moins de contraintes horaires). Elles ont été conduites à exercer des fonctions de responsabilités en particulier dans l'administration. La guerre a provoqué un brouillage des identités masculines et féminines, d'où les discours de l'époque déplorant la « masculinisation des femmes ». Ces discours ont pour fonction de convaincre les hommes et les femmes de la pérennité de la frontière entre les sexes et du caractère temporaire de la situation qui a vu des femmes accomplir des « métiers d'hommes ».

La démobilisation brutale en novembre-décembre 1918 a une fonction autant symbolique qu'économique : il faut réassurer les identités masculines en crise, effacer la guerre le plus vite possible et rassurer les combattants sur la place qu'ils retrouveront dans un monde restauré à l'ancienne. Cette démobilisation s'accompagne de discours critiques sur l'émancipation des femmes et un éloge de la ménagère et des mères. Le devoir de repeuplement de la France paraît urgent après les trouées laissées par quatre années de combats. L'histoire économique et sociale de l'entre-deux-guerres montre qu'en fait les femmes ont conforté leur place dans l'industrie, parallèlement au processus de taylorisation et de mécanisation, les industriels ayant découvert le bienfait des qualités dites « féminines » – sérieux, minutie, aptitude au travail répétitif – précieuses pour la nouvelle production en série (voir chapitre sur le travail). Dans les bureaux se sont développés les postes de secrétaires et de dactylographes investis par les femmes pendant la guerre.

Réalités et symbolique de la division sexuelle en temps de guerre

Comment les contemporains ont-ils donné sens à tous les bouleversements engendrés par la guerre? Comment la guerre a-t-elle redéfini le rapport masculin/féminin dans la réalité et dans le symbolique? Le projet de reconquête virile par les armes a fait long feu dès 1915. Une forme de ressentiment s'est alors développée chez les poilus, faite du soupçon d'abandon et d'infidélité de leurs épouses ou fiancées et du sentiment d'incompréhension face aux souffrances que provoquent les combats du front. La frustration affective et sexuelle des soldats a contribué à développer une misogynie qui s'est parfois exprimée avec violence et toujours dans le sens d'un conservatisme des rôles sexués. Les cartes postales illustrées, utilisées comme forme de correspondance entre le front et l'arrière, sont révélatrices de l'omniprésence des valeurs de la masculinité : la virilité du poilu, les charmes de l'aimée ou de la désirée, le dévouement et le sacrifice des infirmières, ces « anges blancs » laïques ou religieux. La mise en avant des figures consolatrices de l'infirmière comme de la « marraine de guerre », tout comme les métaphores ménagères attribuées au travail des femmes – « elles font de la métallurgie comme du tricot » ou « il reste de la ménagère dans la tourneuse d'obus » – ou encore le diminutif de « munitionnettes », par le langage et les images, soulignent la domination en remettant chaque sexe à sa place. À l'inverse, les féministes parlent de « combattantes de l'arrière », de « deuxième front » et soulignent ainsi, avec ce patriotisme, leur intégration dans la nation et le développement d'un véritable civisme féminin.

L'éloignement des hommes engendre des souffrances de guerre, des frustrations affectives et sexuelles, mais elles ne doivent pas totalement oblitérer les difficultés quotidiennes de la vie à l'arrière. La hausse des prix, l'inflation galopante et la pénurie d'approvisionnement dans certaines zones – grandes villes essentiellement – rendent très difficile la vie quotidienne pour les femmes mariées réduites souvent à vivre avec la maigre allocation des épouses des mobilisés (1,25 F par jour + 1/2 franc par enfant à charge, alors qu'une ouvrière gagnait environ 5 à 6 F par journée de travail). Les difficultés d'approvisionnement de la Seconde Guerre mondiale et de la période de Vichy ont gommé des mémoires (et souvent de l'histoire) les rationnements en charbon, sucre, farine et pain de la Grande Guerre. En 1915-1916, dans les villes industrielles, une mobilisation des ménagères sur les marchés contre la hausse des denrées (le beurre et les pommes de terre surtout) conduit à des situations conflictuelles : les paysannes sont accusées de profiter de la guerre, alors que massivement leurs maris sont au front ; inversement, les ménagères sont accusées par les vendeuses d'être des femmes de « planqués », les ouvriers mobilisés dans les usines de guerre. Ces premiers accrocs à l'union sacrée, dès 1915, sont le témoin des intérêts divergents des femmes, y compris dans les couches populaires, et nous permettent d'éviter un manichéisme explicatif[7].

Deuils

La littérature publiée pendant et après la guerre fait de la mort des soldats et du deuil des mères, épouses et fiancées, le lieu de l'héroïsme féminin. « Le deuil reste privé et mal connu car il donne rarement lieu à des mises en scène collectives » écrivait Françoise Thébaud en 1986. Aujourd'hui, un certain nombre d'études abordent ce territoire des conduites privées, de la souffrance individuelle et de l'intime. Dans *Les Fables du deuil. La Grande Guerre, mort et écriture* (2001), Carine Trévisan a étudié, en littéraire, comment se disent les deuils et comment à travers la quête des restes, du cadavre des disparus, les conduites privées visent en fait à se réapproprier le corps de l'absent. Elle cite le cas de l'écrivain Claude Simon, conçu en août 1914 dans le pressentiment de la mort, fils d'un soldat disparu dès les premiers mois de la guerre, dont l'écriture est ciselée par ce rapport étrange avec la mort dès le début de sa vie. Pour les enfants du deuil, les orphelins et pupilles de la nation qu'a étudiés Olivier Faron[8], l'État crée, en 1917, l'Œuvre des pupilles de la nation afin de seconder les femmes dans l'épreuve (il y aura environ 600 000 veuves de guerre et 1 100 000 pupilles de la nation). Le deuil est particulièrement difficile, pour les veuves comme pour les orphelins, en l'absence le plus souvent de cérémonie et de corps du disparu et le poids des 1,3 millions de soldats morts pèse sur la société française de l'entre-deux-guerres. Le culte qui leur est rendu avec la construction de monuments aux morts dans chaque ville et village contribue à entretenir le souvenir, mais dit aussi la difficulté à faire le deuil. La conduite des veuves est par ailleurs largement surveillée par l'opinion publique, les voisins et les dénonciations affluent à la police ou aux autorités municipales sur les supposés écarts à la moralité publique des veuves de guerre dénoncées comme des « veuves joyeuses ». Représentation de l'époque largement démentie par l'étude de l'historien Stéphane Audoin-Rouzeau sur *Cinq deuils de guerre* (Noesis, 2001).

7. Zancarini-Fournel Michelle, « Saint-Étienne pendant la Première Guerre mondiale », *Le XXe siècle des guerres*, Éd. de l'Atelier, 2004, p. 211-219.
8. Faron Olivier, *Les Enfants du deuil. Orphelins et pupilles de la nation de la Première Guerre mondiale (1914-1941)*, La Découverte, 2001.

Viols et violences

Dans les zones occupées du Nord et de l'Est (un département sur dix), les exactions envers les femmes ont été nombreuses. Les viols de guerre, parfois viols collectifs, sont avérés, mais ont souvent été cachés par les victimes. Lorsqu'ils ont donné lieu à une grossesse et à un enfantement, la question du sort des « enfants de l'ennemi » (Audoin-Rouzeau, 1995) se pose avec acuité : les procès pour infanticide ont souligné la détresse des femmes violées, mères coupables. Assimilés d'abord par la société à un geste d'héroïsme qui contribue à la purification du sang français, les infanticides seront condamnés plus tard au nom du natalisme. Certaines femmes seront même accusées d'avoir simulé un viol pour cacher un adultère. Un débat a lieu au sein des féministes sur le sort des enfants. Les plus modérées, qui sont hostiles à l'avortement, suggèrent un abandon, d'autres réclament une adoption. Le sort des enfants les préoccupe plus que celui des femmes. L'importance du débat national sur la pureté du sang montre à quel point les théories eugénistes avaient infiltré la société dans son ensemble. On peut ainsi souscrire à l'appréciation de Françoise Thébaud qui parle de « nationalisation des femmes » pendant la Grande Guerre. Le corps des femmes appartient à la nation et aux maris. Certains, aveuglés par la crainte d'un adultère, commettent un crime passionnel lors d'une permission. Les criminels sont régulièrement acquittés par des tribunaux fort compréhensifs (sauf s'ils ont commis pour cela une désertion des combats). En témoigne la plaidoirie en faveur d'un soldat décoré de la Croix de guerre et meurtrier de sa femme qu'il a accusée d'infidélité : « Si dans un moment d'égarement et de colère, cet homme se laisse aller à un geste blâmable, la patrie reconnaissante représentée par le jury n'en doit pas moins témoigner au héros l'indulgence la plus complète qui n'est alors qu'une forme de justice. » Le meurtrier est acquitté sous les applaudissements du public[9]. Le cas n'est pas unique.

Transgressions féminines

Le terme de transgression, emprunté à Yves Le Naour (2002), ausculte ce qui, dans l'attitude de certaines femmes, ne paraît pas conforme aux normes de genre et aux normes sociales d'une société en guerre. Aux transgressions liées à la sexualité s'ajoutent les questions plus politiques qui représentent aussi une transgression du modèle dominant, viriliste, nationaliste et belliciste.

Le Code civil de 1804 (article 19) stipulait que la femme française ayant épousé un étranger perdait la qualité de française « sans qu'elle ait le droit d'exprimer sa volonté contraire ». Il y avait là une injonction à choisir un « époux national ». Cet article prend un nouveau retentissement à la suite des contacts entre Françaises et étrangers, nés de la situation exceptionnelle. La Première Guerre mondiale a été l'occasion de rencontres, ordinairement improbables, qui ont donné lieu à des « mariages mixtes ». Il s'agit de Fran-

9. Citation *in* Le Naour, 2002, p. 236.

çaises qui se choisissent un compagnon hors de la communauté nationale des Français, que ce soit dans le contingent des Alliés (Américains surtout) ou – plus « dommageable » au regard de la « pureté raciale » selon l'idéologie et les termes de l'époque – chez les soldats coloniaux, ou « pire », enfin, auprès de l'ennemi, le « boche ». Certaines femmes entreprennent des démarches auprès des autorités militaires pour pouvoir officialiser une liaison ou une union. Après des tergiversations, le gouvernement décide en 1919 de ne pas rapatrier les indigènes qui ont contracté une union légale. Ces unions – quelques centaines tout au plus – ébranlent de fait l'ordre colonial et le prestige des Blancs. Les femmes convaincues de relations sexuelles avec l'ennemi, particulièrement dans les zones occupées du Nord et de l'Est, sont évacuées dans des camps de triage et internées administrativement à l'intérieur du territoire en dehors de toute légalité. Le département de l'Ardèche voit ainsi s'ouvrir plusieurs « camps de concentration » (terme de l'époque) pour ces personnes déplacées d'office. Elles ont subi l'opprobre général comme si leur comportement avait porté atteinte au corps national. Le corps des femmes en temps de guerre est partie prenante du corps de la nation, surprenante assimilation entre public et privé.

Une autre forme de transgression plus politique est représentée par les féministes pacifistes. Les féministes, dans leur ensemble, ont développé un civisme à toute épreuve. Elles ont prouvé leur patriotisme en s'investissant dans les œuvres philanthropiques et en développant une propagande active contre les fléaux sociaux (l'alcoolisme, la prostitution) et pour la natalité. Les plus modérées ont fait état de leur nationalisme et même de leur germanophobie. Les féministes pacifistes font, elles, preuve d'une double transgression : celle de l'intérêt national et celle due à la réserve supposée de leur sexe. Un noyau de féministes pacifistes se constitue progressivement à partir de 1915. On retrouve les pacifistes de 1914, comme Jeanne Mélin (1877-1962) qui avait dénoncé la montée du chauvinisme avant la guerre[10], une des rares à avoir apporté son soutien au Congrès international des femmes pour la paix qui se réunit à La Haye en 1915. L'action des féministes est contemporaine de celle des syndicalistes et des socialistes hostiles à la guerre qui commencent à se réorganiser en 1915. Louise Saumonneau, qui dirige le Groupe des femmes socialistes, se rend à titre personnel à la Conférence internationale des femmes socialistes de Berne (organisée par la dirigeante allemande Clara Zetkin), qui réclament une paix immédiate et le droit des peuples à disposer d'eux-mêmes. Une section française, forte d'une centaine de militantes connues du Comité international des femmes pour une paix permanente se forme à Paris et se réunit autour de Gabrielle Duchêne, malgré les obstacles et la censure de la police. La journaliste Marcelle Capy, qui avait réalisé des reportages sur les ouvrières des usines de guerre, publie en 1916 *Une Femme dans la mêlée* et participe au lancement de l'hebdomadaire syndicaliste et pacifiste *La Vague* en 1917. Elle est liée aux milieux socialistes

10. RIPA Yannick, *Les Femmes actrices de l'histoire*, SEDES, 1999, p. 97.

et syndicalistes pacifistes qui apparaissent publiquement dès la fin de 1916, et surtout en 1917 après l'écho de la révolution russe. La crise de l'année 1917 en France et la rupture de l'union sacrée favorisent le pacifisme. En novembre 1917, Hélène Brion, une institutrice, dirigeante de la Fédération CGT de l'enseignement, est arrêtée et emprisonnée avec d'autres pour avoir diffusé des brochures pacifistes. Jugée en conseil de guerre en 1918 pour « défaitisme » dans le cadre de son activité syndicale, elle proclame, en tant que féministe, son attachement à la paix et son combat contre la guerre qui est, pour elle, le triomphe de la force brutale. Dans sa défense, elle refuse à la justice de la considérer comme sujet de droit quand la loi lui refuse d'être citoyenne. Le tribunal la condamne à trois ans de prison avec sursis, verdict clément au regard de l'accusation. D'autres institutrices, Marie Mayoux et Lucie Colliard, sont également poursuivies et jugées plus sévèrement qu'Hélène Brion (deux ans de prison ferme). Voix isolées et dissonantes dans la France en guerre, elles sont le reflet du lien entre pacifisme et un certain féminisme radical et un renouveau des positions internationalistes après le coup d'arrêt de l'union sacrée de 1914. Jeanne Mélin insiste sur le rôle que peuvent jouer les femmes dans la construction de la paix, convaincue que le féminin est porteur de vie à l'inverse du masculin qui véhicule la destruction et la mort[11]. Elle met l'accent sur le suffrage des femmes et fonde en 1918 le Comité féministe, socialiste et pacifiste, renouant ainsi les fils avec la revendication suffragiste suspendue au moment de la déclaration de guerre en août 1914. L'action et les positions de Jeanne Mélin peuvent aussi être considérées comme « précurseuses » du pacifisme démocratique qui apparaît dans les années 1920, une des formes, avec la reconstitution de communautés supranationales – telle l'Internationale féministe pacifiste – de la démobilisation des cultures de guerre[12].

En situation de guerre, les rôles traditionnels attribués aux hommes et aux femmes excluent ces dernières du port des armes, même si les deux sexes partagent les mêmes valeurs (courage, sacrifice, obéissance...), déclinées cependant de façon différente au masculin ou au féminin. Nous ne reviendrons pas sur les traumatismes individuels que sont les deuils de proches qui ont pu se sublimer dans les discours publics de commémoration et de remémoration (rôle des cérémonies aux monuments aux morts). Mais, d'une façon générale, se reconvertir à la paix coûte cher pour les femmes. Michelle Perrot (1984) a souligné comment la guerre remet chaque sexe à sa place : « Dans son principe et dans son domaine elle est profondément conservatrice. » La fin de la guerre est un retour à l'ordre moral, conjugal et politique. La loi de 1920 qui interdit toute propagande pour la contraception et celle de 1923 qui correctionnalise l'avortement pour mieux le punir sont là pour marquer ce retour à l'ordre. En 1922, le Sénat refuse d'accorder aux femmes le droit de vote alors que la Chambre des députés

11. *Ibid.*, p. 101.
12. HORNE John, « Les démobilisations culturelles », *14-18, Aujourd'hui, Today, Heute*, 2002, n° 5, p. 49-59.

l'avait accepté en 1919. Cependant, dès le début des années 1920, la mode féminine dite « de la garçonne » – nom hérité du roman de Victor Margueritte qui fait scandale en 1922 –, dessine la figure d'une femme sexuellement libérée et exprime une forme d'affranchissement des contraintes pour les femmes. À la fin des années 1930, après la crise économique et les difficultés de la République, malgré l'embellie du Front populaire (1936-1937), l'entreprise de régénération morale et nationale qui culmine avec Pétain et le régime de Vichy en juillet 1940, change la donne.

Histoire de femmes dans la France de Vichy et la Seconde Guerre mondiale (1940-1945)

Avec la déclaration de guerre en septembre 1939, la situation de la Grande Guerre semble se renouveler. En réalité, la situation est très différente compte tenu de l'absence de réels combats pendant la « drôle de guerre » (de septembre 1939 à mai 1940) et la foudroyante « campagne de France » (mai-juin 1940) qui aboutit à l'« étrange défaite » (Marc Bloch) et à l'armistice demandé le 17 juin par le maréchal Pétain alors chef du gouvernement. Cependant, dans cette période de septembre 1939 à juin 1940, les hommes sont mobilisés et des femmes sont requises de nouveau pour la production de guerre. 1800000 soldats français sont faits prisonniers en mai-juin 1940 et l'absence des maris et des pères se fait cruellement sentir pendant toute la période de l'Occupation. La rupture fondamentale que représentent la défaite, l'exode et le nouveau régime mis en place à partir du 10 juillet 1940 (le maréchal Pétain, président du Conseil depuis le 16 juin obtient de l'Assemblée nationale les pleins pouvoirs et se décrète le lendemain chef de l'État français) pèse lourdement sur toute l'histoire de la période. Si le pays n'est plus en guerre ouverte, l'occupation d'une fraction du territoire national par les nazis (et secondairement par les fascistes italiens pour le sud niçois et une partie de la Savoie) et la collaboration avec les autorités d'occupation et le gouvernement de Hitler, mise en œuvre par le maréchal Pétain et son gouvernement, sont des éléments majeurs qui organisent la vie politique et sociale du pays, des hommes comme des femmes[13].

« L'esprit de jouissance l'a emporté sur l'esprit de sacrifice » déclare Pétain le 19 juin 1940. La responsabilité de la défaite est attribuée à la République, aux idéaux de 1789, à la division en classes, au féminisme moderne et aux femmes. Le passé lointain repose sur les valeurs viriles. Le passé proche – celui de la République et de la démocratie libérale – est une période dite de « dégénérescence » de la nation, qualifié de « féminine » : la liberté et l'autonomie des femmes sont dénoncées. Dès juillet 1940, l'État français, avec sa devise « Travail, famille, patrie » (qui a remplacé la trilogie républicaine

13. Voir la synthèse historique commode dans BARUCH Marc-Olivier, *Le Régime de Vichy*, La Découverte, coll. « Repères », 1996.

« liberté, égalité, fraternité »), tente d'imposer une idéologie qui développe une vision sexuée et familialiste de la société : la famille est le pivot de la société, les femmes doivent redevenir des mères au foyer et participer à l'œuvre de rédemption, d'expiation et de rachat, entreprise sous la direction du maréchal Pétain, « Père » de la nation.

Le poids de la guerre et des « années noires » a été souligné par Françoise Thébaud dès l'introduction générale du cinquième volume de *L'Histoire des femmes* consacré en 1992 au XXe siècle; la guerre et la Libération ont été aussi le sujet du premier numéro, en 1995, de la revue *Clio, Histoire, Femmes et Sociétés.* Dès 1986, Marie-France Brive avait attiré l'attention sur la question du masculin et du féminin pendant et après la guerre : « L'image des femmes à la Libération. La libération dans le midi de la France » (Eché éditions, 1986, p. 389-399). Plusieurs points de vue permettent d'aborder l'histoire de la période en prenant en compte le genre et en faisant varier les échelles :

– une « histoire d'en haut », du point de vue des politiques avec la sexuation des politiques de guerre, c'est-à-dire comment les gouvernements, les groupes et les individus ont utilisé la réalité et la symbolique de la division sexuelle;
– celui d'une « histoire d'en bas », celle de la vie quotidienne des femmes (et des hommes) ordinaires et les actions extraordinaires (= hors de l'ordinaire) dans la Résistance et dans la collaboration de femmes (et d'hommes) qui ne sont cependant qu'une minorité. Le terrain largement exploré depuis longtemps est celui des transformations dans la vie des femmes ordinaires abordé essentiellement par Dominique Veillon in *La Mode sous l'Occupation* (Payot, 1990); « La vie quotidienne des femmes », *in* Azéma et Bédarida (éd.), *Vichy et les Français* (Fayard, 1992, p. 629-639); *Vivre et survivre en France (1939-1947)* (Payot, 1995).

Des avancées notables ont été faites récemment dans trois domaines :

1) La politique nataliste et familialiste de Vichy du point de vue des discours – Francine Muel Dreyfus, *Vichy et l'éternel féminin* (Seuil, 1996) – ou des réalités : Michèle Bordeaux, « Femmes hors d'État français 1940-1944 », *in* Rita Thalmann, *Femmes et Fascismes* (Tierce, 1986, p. 135-156) et *La Place de la famille dans la France défaite* (Flammarion, 2002).
2) La place des femmes dans la Résistance : sur cette problématique, voir l'article de Laurent Douzou, « La Résistance, une affaire d'hommes? », *Les Cahiers de l'IHTP*, n° 31, octobre 1995. « Résistances et Libérations. France 1940-1945 » est le titre du premier numéro de *Clio, Histoire, Femmes et Sociétés*, dirigé par Françoise Thébaud, 1995. L'ouvrage de Margaret Collins Weitz, *Les Combattantes de l'ombre. Histoire des femmes dans la Résistance* (Albin Michel, 1997), est fondé sur les sources orales. Dernier des six colloques consacrés à l'histoire de la Résistance, *La Résistance et les Européens du Sud*, J.-M. Guillon et R. Mencherini (dir.) (L'Harmattan, 1999), fait une large place aux « résistances au féminin »; voir aussi Claire Andrieu « Les Résistantes, perspectives de recherche », *Le Mouvement social*, n° 80, 1997.
3) Les violences de guerre et le genre à la Libération. Synthétisée dans l'ouvrage collectif cité précédemment, *Hommes et femmes dans la France en guerre (1914-1945)*, la question des violences sexuées a été étudiée par Fabrice Virgili, in *La France virile* (Payot, 2000), et par Luc Capdevila dans un remarquable article « Le mythe du guerrier et la construction sociale d'un "éternel

masculin" après la guerre », *Revue française de psychanalyse*, 1998, 2, p. 607-623. Ces nouvelles approches posent des questions épistémologiques sur l'usage des discours et des représentations et sur le rapport entre sources écrites et sources orales.

Idéaux et politiques de genre sous le régime de Vichy

L'État français, nouveau régime mis en place par le maréchal Pétain en juillet 1940, définit une orientation politique, la Révolution nationale, dans laquelle les femmes occupent une place centrale dans leur rôle de diffusion des valeurs du nouveau régime. Ces valeurs prônent un retour à l'organisation sociale d'avant 1789 (contre l'individualisme et pour le retour à la terre). La famille et l'ordre familial sont les piliers de l'ordre nouveau; la nation est pensée comme une grande famille dont les liens de sang garantissent la pureté de la « race ». Le refus du « métissage » et l'exclusion de celles et ceux qui n'appartiennent pas à la « race française » en sont le corollaire (juifs, étrangers, homosexuels…). Le nouvel ordre politique s'élève sur les ruines de l'individualisme républicain : l'individu et ses droits tendent à s'effacer au profit des cellules de base que sont les familles, dont le modèle est la famille de trois enfants et plus, dirigée par le mari, chef de famille. Les femmes se doivent d'être avant tout des mères au foyer, éducatrices de leurs enfants.

L'éternel féminin est l'idéal de la Révolution nationale. L'ouvrage de Francine Muel-Dreyfus, *Vichy et l'éternel féminin*, pose la question classique de la rupture ou de la continuité, celle du régime de Vichy avec la IIIe République[14]. Si la politique de Vichy s'appuie sur le Code de la famille promulgué sous la IIIe République en juillet 1939, elle représente cependant une véritable rupture par sa promotion des idées et des valeurs archaïques et conservatrices. F. Muel-Dreyfus étudie la profusion des discours pétainistes sur les femmes et la famille, discours qui dessinent une nature féminine éternelle faite de renoncement, d'oubli de soi et de soumission. L'individu féminin, autonome, s'efface devant la figure sublimée de la mère et ses qualités éternelles de soumission, douceur, amour et charité, dévouée à sa famille et à ses enfants. Le destin social des femmes est fondé sur leur destin biologique, sur leur « nature » spécifique. On peut se demander comment (et si) l'intériorisation du modèle proposé s'est effectuée pour les femmes et pour les filles. En soulignant combien le régime de Vichy fut une période de régression politique et sociale (retour aux principes d'avant 1789) – tout en étant lié aux enjeux nouveaux du biopouvoir et de l'amélioration de la « race » –, Francine Muel-Dreyfus a bien mis l'accent sur la nature profondément réactionnaire et fascisante du régime de Vichy.

Les familles légitimes et les mères au foyer sont les deux axes des politiques vichyssoises sur les femmes : « Il y a nécessité de restaurer la famille

14. Question posée de manière iconoclaste (et mal reçue par un certain nombre d'historiens) par NOIRIEL Gérard, in *Les Origines républicaines de Vichy*, titre qui a choqué au moment de l'assomption du discours sur la République.

française dont la désagrégation est à l'origine de notre décadence et de notre défaite. » Le programme est clair; même si les structures ministérielles des politiques sur la famille changent de nom et de portefeuilles, les politiques demeurent identiques. Elles sont coordonnées à partir de septembre 1941 par le Commissariat général à la famille. La loi Gounot du 29 décembre 1942, ou Charte de la famille (équivalent de la Charte du travail de 1941 sur le plan professionnel), développe une conception d'une organisation corporative pyramidale des familles en fusionnant les associations dans l'Association nationale des familles. La famille légitime est protégée. Le mariage est encouragé et le divorce rendu plus difficile et beaucoup plus lent par la loi du 2 avril 1941. Encouragement du maintien de la mère au foyer (allocation de salaire unique dès le premier enfant en mars 1941) et droits supplémentaires au chef de famille avec le projet de vote familial accordant davantage de voix au père de famille ayant des enfants légitimes et français. La politique s'appuie aussi sur des incitations financières : primes à la première naissance, accroissement à 20 ans de l'âge limite pour les allocations familiales, augmentation des allocations familiales liées au salaire moyen départemental à partir de 1942. La politique s'appuie sur la propagande, œuvre du secrétariat d'État à l'information. Il diffuse des slogans et des dessins humoristiques : la mauvaise femme, court vêtue, fume-cigarette au bec, promène son chien qu'elle préfère aux enfants. Les fillettes sont invitées à faire leur apprentissage avec les poupées[15].

Michèle Bordeaux (2002) souligne la permanence des acteurs des politiques familiales des années 1930 de la IIIe République, de celle de l'État français de Vichy et de celle de la Libération et de la IVe République, installés dans le Conseil de la population et à l'INED jusqu'au début des années 1960. Dès le début du XXe siècle un *lobby* nataliste et populationniste s'était développé en France. Le produit le plus visible de son action est le Code de la famille, promulgué en juillet 1939. Si le régime de Vichy a prolongé cette politique, il a privilégié surtout une approche familialiste du social en rupture avec l'idéologie républicaine; les familles nombreuses ont été favorisées : « Vichy induit un familialisme nataliste à dominante moraliste et légitimiste ayant pour but la production accrue d'enfants français légitimes[16]. »

Récompenses et sanctions accompagnent cette politique. À partir de mai 1941, la fête des Mères devient fête nationale. Des récompenses sont données aux familles nombreuses, légitimes et françaises; des prix et des médailles existaient auparavant comme le prix Cognacq-Jay, d'autres sont créés comme le prix Schlumberger (1941) destiné aux familles ouvrières et paysannes pauvres et dignes, ayant plus de quatre enfants légitimes; le prix Nestlé (1943), à destination des familles parisiennes, et le prix Sully (1943), fondé par le maréchal Pétain lui-même (et payé sur sa cassette) à destination des familles paysannes. Si une continuité répressive (en particulier de l'avor-

15. Voir *La Propagande sous Vichy 1940-1944*, catalogue de la Bibliothèque internationale contemporaine, 1990.
16. BORDEAUX, 2002, p. 78.

tement, mais aussi de l'abandon de famille) est une constante depuis 1923, le régime de Vichy connaît une répression civile et pénale paroxystique contre les familles et les individus ne suivant pas l'idéologie de la Révolution nationale. Des sanctions juridiques nouvelles sont prises contre les contrevenants et appliquées rigoureusement : l'avortement est particulièrement pourchassé. Pour avoir conseillé des femmes enceintes, médecins et sages-femmes sont poursuivis, interdits d'exercice et parfois même emprisonnés. Par l'acte du 15 février 1942, l'avortement devient un crime de haute trahison relevant des sections spéciales du tribunal d'État. Deux condamnations à mort sont prononcées : l'un des condamnés est gracié ; l'autre, une « faiseuse d'anges », Marie-Louise Giraud, de Cherbourg, est exécutée en juillet 1943 pour avoir, selon l'acte d'accusation, pratiqué 26 avortements. Pétain refuse sa grâce. Au-delà de ce cas exceptionnel, les condamnations pour avortement augmentent : 1225 en 1940, 3831 en 1942, 4055 en 1943. La sévérité des tribunaux a marqué les mémoires : en 1985, quarante ans après, des sages-femmes interrogées refusent encore, alors que l'IVG a été légalisée en 1975, de dire si elles ont pratiqué ou aidé à faire des avortements[17].

Les politiques éducatives visent aussi à former des femmes et des hommes nouveaux. Dans *La Revue des deux mondes* du 15 août 1940, Pétain, dans un article programmatique, dénonce la IIIe République et son « école d'individualisme » liée au civisme républicain : l'école primaire doit être réformée. Institutrices et instituteurs sont considérés comme des propagandistes des idées républicaines. La défaite de 1940 a été, pour l'Église, un « châtiment de Dieu » à l'égard de cette France républicaine laïque et a provoqué une virulente réaction cléricale. La mesure la plus symbolique a été, par la loi du 18 septembre 1940, la suppression des Écoles normales d'instituteurs et d'institutrices ; désormais maîtres et maîtresses sont formés, dans une école technique, aux travaux manuels ou ménagers, selon leur sexe. Les femmes apprendront la couture, le repassage et le lavage, la cuisine et l'économie domestique. Conservatrices de la tradition parce qu'elles enseignent « la race et les mœurs », car elles sont avant tout mères, elles devront répondre ainsi aux exigences de la nation. L'école primaire doit être à vocation professionnelle : métiers virils pour les garçons (forgeron, menuisier, maçon) ; préparation aux tâches ménagères pour les filles. Le gouvernement de Vichy encourage la non-mixité des écoles. La loi du 18 mars 1942 rend aussi obligatoire pour les jeunes filles « l'enseignement ménager familial », dans les lycées et collèges (une heure par semaine) dans les écoles professionnelles, techniques (100 heures par an pendant trois ans). Cette loi est saluée comme une avancée décisive dans la formation d'une identité féminine par l'apprentissage d'un habitus corporel sur la base des principes d'imitation. La formation des garçons se prolonge dans les Chantiers de jeunesse. Conséquences de ces rôles inculqués aux garçons et aux filles : les formations techniques destinées aux filles s'effondrent, alors que celles destinées aux gar-

17. Dubesset et Zancarini-Fournel, 1993.

çons se développent et sont regroupées dans ces centres spécifiques. De ce point de vue, Vichy représente bien une cassure[18]. L'éternel féminin, modèle de la Révolution nationale, est très proche du modèle familial catholique. Cette politique trouve aussi des soutiens chez certaines féministes : ainsi la fondatrice de l'École des parents, Védrine, écrit en 1941 : « Le rôle le plus sublime et le plus difficile : créer, élever des hommes nous a été dévolu à nous les mères. » Mais le soutien vient surtout du féminisme chrétien. En effet, l'Église catholique est le pilier sans faille du régime (au moins jusqu'aux rafles de 1942, condamnées par certains évêques). Or il existe une affinité particulière entre les femmes et l'Église – « la femme est plus religieuse que l'homme » écrit en 1941 un prêtre proche de Pétain. L'Église prend appui sur les œuvres féminines catholiques et leurs dirigeantes pour glorifier la nouvelle place accordée aux femmes. La création en 1941 du Mouvement populaire des familles donne même une place au catholicisme social. L'Union féminine civique et sociale (UFCS) se félicite de la présence de conseillères municipales, représentant les œuvres d'assistance dans les conseils municipaux (alors que les élections ont été supprimées pour les villes et bourgs de plus de 2000 habitants). Cette participation féminine aux associations et aux organismes de gestion municipale a pu représenter pour les femmes, selon certains historien/ne/s, une forme d'apprentissage de la politique; ce qui peut paraître étonnant en l'absence de droits politiques de citoyenneté.

Le poids du quotidien des femmes sous Vichy

La prise en considération des civils et pas seulement des militaires (officiels ou clandestins) dans l'histoire générale de la guerre donne de la force à l'angle d'approche de la vie quotidienne. Travail, rationnement, nationalisation de la fonction maternelle sont les éléments de cette histoire du quotidien des temps de guerre, où l'importance démesurée prise par les choses banales, mais vitales, instaure une véritable dictature mentale et physique du quotidien. Par leur traditionnelle fonction nourricière, les femmes sont les premières à être concernées. L'alimentation grève 80 % des budgets ouvriers urbains, selon Dominique Veillon (1995). Les cartes de rationnement instituées en octobre 1940 sont la source d'un important « marché noir ». Comme les produits alimentaires de première nécessité, le cuir, les tissus sont rationnés; la mode s'adapte aux pénuries (semelles de bois compensées par exemple). La vie est particulièrement difficile pour les 800000 compagnes de prisonniers.

Toutes les femmes n'ont pas eu la même expérience sociale au cours des « années noires » : différences sociales, géographiques et politiques – vie à la campagne ou à la ville, dans la zone occupée ou dans la zone non-occupée (jusqu'en novembre 1942) –, de nationalité française ou étrangère, différences culturelles et religieuses (persécutions des femmes juives et des

18. Voir chapitre 5.

enfants). Toutes les femmes n'ont pas eu non plus la même attitude face au régime de Vichy et à l'Occupation : différentes formes du consentement, du refus, très minoritairement de la Résistance ou, plus majoritairement, de l'accommodation aux difficultés du temps[19].

La question du travail des femmes est un bon point de vue pour examiner les contradictions entre les volontés politiques et idéologiques du régime de Vichy et les nécessités historiques qui révèlent son opportunisme. La loi du 11 octobre 1940 prévoit que les femmes mariées et les femmes de plus de 50 ans seront exclues du service public. Le départ des jeunes filles pour se marier est encouragé par un pécule, forme de dot de l'État. Les décrets d'application de la loi sont très stricts et contrôlés. Dans le secteur privé, la non-embauche, voire le débauchage des femmes, a été préconisée, après le conseil donné dès le 8 octobre 1940 de favoriser l'embauche des pères de famille et des hommes démobilisés. Il s'agit bien, plus que d'une mesure conjoncturelle pour résorber le chômage dû à l'arrêt des combats, de la volonté de voir revenir les femmes au foyer.

Mais cette politique est remise en cause au début de 1942. Par un retournement opportuniste, la loi du 11 octobre 1940 est suspendue : l'heure est en effet à la mobilisation de la main-d'œuvre au service de l'Allemagne (politique de la Relève, avant l'adoption du STO – service du travail obligatoire – en février 1943). Dès 1941, on manque de main-d'œuvre spécialisée dans les usines travaillant pour l'Allemagne. En 1942, les femmes de 18 à 35 ans (jusqu'à 45 ans en 1944) n'ayant pas d'enfant légitime sont astreintes au travail obligatoire. Au total, volontaires ou contraintes, 44835 Françaises travaillent en Allemagne en juin 1944.

Les Résistantes : un rôle longtemps sous-estimé

Depuis une dizaine d'années, l'histoire de la Résistance s'est considérablement renouvelée. Dépassement des mythes, pluralité des approches, mise à jour de géographies et de chronologies multiples, et rapports entre la Résistance et la société, tels sont les chemins récemment explorés. La transgression et la rupture définissent l'acte de résister. La quotidienneté de la Résistance est faite de la participation active des femmes et d'abord dans leurs tâches ordinaires et familières d'entretien, de nourriture et de soins. Elles sont aussi souvent à l'origine de la vie de réseaux d'entraide et de proximité, dans l'ombre le plus souvent.

Un constat s'impose : la Résistance n'est pas seulement une affaire d'hommes, même si la participation des femmes à la Résistance a été un phénomène longtemps occulté à l'exception de quelques figures élevées au rang d'héroïnes ou de martyrs (Lucie Aubrac, Danielle Casanova, dirigeante de l'Union des jeunes filles de France, déportée à Auschwitz, Bertie Albrecht,

19. Concept avancé par BURRIN Philippe, *La France à l'heure allemande, 1940-1944*, Seuil, 1995.

féministe responsable du mouvement Combat, Marie-Madeleine Fourcade, gaulliste, chef du réseau Alliance). La résistance, c'est aussi résister au quotidien contre les pénuries. Certaines femmes, proches du PCF, organisent des distributions de tracts et même des manifestations dans les queues devant les magasins (rue de Buci à Paris, en 1942). Dans les mouvements et les réseaux de la Résistance, les femmes occupent le plus souvent des positions qui correspondent au rôle traditionnel des femmes : assurer la logistique, le ravitaillement, les liaisons. Plus rarement, elles portent les armes ou dirigent un groupe. Quelques-unes vont jusqu'à fabriquer des explosifs (Jeanne Bohec) suscitant l'incrédulité de leurs camarades masculins. Certaines femmes sont cependant intégrées dans les corps d'armée (sections féminines) et pas seulement comme infirmières, assistantes sociales ou secrétaires, mais comme combattantes[20]. Mais dans le programme du CNR (Conseil national de la Résistance), préfiguration d'une France nouvelle en 1943, aucune indication sur la place des femmes : il n'y a pas eu de reformulation des rôles respectifs des hommes et des femmes, pas de modèle alternatif, alors que la période de la guerre, par les situations exceptionnelles qu'elle engendre, est un temps de remise en cause des identités de genre. Le rôle des résistantes est resté longtemps sous-estimé. Les études quantitatives fondées sur la reconnaissance officielle et les décorations après la guerre soulignent la sous-représentation féminine : six femmes (dont quatre à titre posthume) à côté des 1024 hommes sont « compagnons de la Libération ». Par leur silence et leur réserve modeste – la plupart d'entre elles reprirent le cours de leur vie ordinaire –, les résistantes ont, dans une certaine mesure, contribué à l'effacement de leurs actions des mémoires et de l'histoire. À la Libération, c'est la fonction maternelle et le rôle traditionnel d'épouse et de mère qui sont valorisés dans la reconstruction de la nation.

Pour les femmes quelle Libération ?

La question est iconoclaste, mais mérite d'être posée et l'a été par Françoise Thébaud[21]. La Libération a-t-elle fondamentalement changé les codes de genre en France? Bien sûr, comme les hommes, les femmes se sont réjoui massivement de la Libération et de la défaite nazie (sauf les collaboratrices avérées). Mais la Libération a-t-elle contribué à l'émancipation des femmes? Luc Capdevila (1998) a étudié la construction du mythe du guerrier et de l'éternel masculin après la guerre. Il souligne que, à la Libération, y compris dans les discours du général de Gaulle, l'association entre virilité et redressement national a été constante. La Libération est en fait un moment de reconstruction de l'identité masculine dans l'épanouissement d'une culture

20. Capdevila Luc, « La mobilisation des femmes dans la France combattante », *Clio, Histoire, Femmes et Sociétés*, n° 12, Leora Auslander et Michelle Zancarini-Fournel (dir.), « Le genre de la nation », 2000, p. 57-80.
21. Dans l'éditorial du premier numéro de la revue *Clio, Histoire, Femmes et Sociétés*, n° 1, 1995.

guerrière et dans la mise en scène de la différence sexuelle. Cette hégémonie du masculin est prégnante dans toutes les représentations figurées de l'époque : affiches, films, photographies. À la Libération, l'identité masculine se reconstruit sous la figure du travailleur, du guerrier et du père nourricier et l'identité féminine sous celle de la mère.

Le recouvrement de la souveraineté et le rétablissement de la République se sont faits à l'aide aussi de l'épuration. Le phénomène, sorte de catharsis nationale, a permis de tourner la page du pétainisme et du régime de Vichy. Les femmes ont représenté une part notable de la population épurée, et ont subi des violences et une répression spécifiques. Pour les femmes, comme pour les hommes, l'épuration immédiatement dès la Libération a été dans un premier temps extrajudiciaire (elle a été qualifiée de « sauvage ») et dans un deuxième temps est passée par une procédure de justice qui fut cependant, dans certains cas, un peu rapide. Dès la Libération, 454 exécutions extrajudiciaires (sur 2150 recensées) concernent des femmes accusées de collaboration, pour des relations intimes avec l'occupant ou pour appartenance à la Milice ou à la Gestapo. À l'échelle nationale, les femmes fournirent 25 % des personnes déférées devant les tribunaux spéciaux (chambres civiques et cours de justice) qui menèrent l'épuration civile, alors qu'en temps ordinaire elles forment environ 10 % des personnes condamnées. En Bretagne, Luc Capdevila a comptabilisé 40 % de femmes condamnées dans les départements bretons qui semblent avoir été particulièrement répressifs ; 199 femmes sur 382 hommes en Bretagne, soit 34 % du total des exécutés dont 40 femmes pour relations sexuelles avec les Allemands. Dans les Ardennes, on compte quatre femmes sur neuf exécutions sommaires. Au 1er janvier 1946, 21 % des détenus pour collaboration sont des femmes (6091 détenues dans des prisons ou camps réservés aux femmes, condamnées aux travaux forcés et à la dégradation nationale). En 1952 elles sont encore 478.

Violences de guerre et différence des sexes

Entre 1943 et 1946 – et surtout dans les mois de libération du territoire en 1944-1945 –, 20000 Françaises environ (pour la plupart jeunes et célibataires) ont été tondues et humiliées publiquement. *Collaboration horizontale, collaboration intime, collaboration sentimentale*, les termes varient pour désigner l'objet du délit. Fabrice Virgili (2000) a montré qu'il s'agit d'un phénomène de masse dans la quasi-totalité des départements, même s'il n'y a pas eu d'appel national, pas de texte officiel, pas de politique publique déclarée des tontes. On trouve cependant des appels précoces à la flétrissure dans des journaux clandestins de la Résistance, tel celui publié en 1942 dans *Défense de la France* : « Vous serez tondues, femelles dites françaises qui donnez votre corps à l'Allemand, tondues avec un écriteau dans le dos : "vendues à l'ennemi". Tondues vous aussi petites sans honneur qui minaudez avec les occupants, tondues et cravachées. Et sur vos fronts, au fer rouge, on imprimera une croix gammée » ou encore, en janvier 1944, dans *Femmes françaises*, journal des femmes communistes :

> « Mères françaises défendez vos fils contre les femelles de la Gestapo. Les mères ne voient pas toujours grandir leurs enfants et quand il s'agit de nos fils nous ne discuterons pas toujours le moment où ils deviennent des hommes le moment douloureux pour nous où la tendresse maternelle ne leur suffit pas. Cet âge de la puberté présente pour eux en temps de paix les dangers que l'on sait. En période de guerre, il en est d'autres [...]. Il faut les [ces chiennes de la Gestapo] corriger sévèrement, leur couper les cheveux ras et, enfin, leur prendre leur carte d'identité. »

Cette violence a été exercée essentiellement contre des femmes (quelques cas d'hommes tondus ont été recensés, assimilés ainsi au sexe féminin, forme de double dégradation). L'explication des origines de cette violence symbolique et sexuée est complexe. Serait-ce une persistance ethnologique du charivari – pratique traditionnelle de contrôle par le groupe de jeunes de la « normalité » des conduites sexuelles – qui perdure dans la France rurale jusqu'au début du XXe siècle et parfois au-delà dans le Sud-Ouest? Sans doute le vieux fond culturel a-t-il permis aux tontes de s'épanouir car elles s'inscrivaient dans un code symbolique traditionnel. Mais il s'agit surtout d'une intervention dans la vie privée de femmes à l'encontre d'une sexualité considérée comme anormale : les amours perçues comme illégitimes entre Françaises et Allemands. Ces femmes sont mises au ban de la communauté après une mise en scène qui prend le visage d'une exécution symbolique touchant aux cheveux, à la dignité et à la féminité. Forme de violence sexuée, c'est, dans une conjoncture précise, un mode d'expression de la domination masculine. Dans le présent de la Libération, l'acte a été intégré et assumé par la société de l'époque. Pour les autorités, il s'agit d'« excès inévitables ». Pour les femmes tondues, l'humiliation publique se pérennise dans le local et marque les mémoires. Elle se prolonge donc dans le futur (une femme tondue est restée cloîtrée chez elle jusqu'en 1983). Ces femmes ont été condamnées pour avoir disposé d'elles-mêmes et de leur corps; le corps des femmes est considéré comme symbole du corps de la nation : « Dans une sorte de glissement l'image de la femme s'apparente à celle de Marianne et donc à la Nation, ces femmes sont finalement accusées d'avoir permis la souillure du pays par celle de leur propre corps[22]. » Certaines femmes parties d'Europe occidentale pour travailler en Allemagne pendant la guerre sont de même considérées collectivement comme des prostituées.

Réappropriation du corps des femmes par les vainqueurs, reconstitution de l'identité nationale et réassurance de la virilité des hommes, telle est l'analyse de ce phénomène massif à la Libération. Il montre que, au moment où les femmes ont obtenu l'égalité politique en 1944 (voir chapitre suivant), les résistants représentant l'ordre nouveau contestent, au nom des valeurs de la République, le droit aux femmes d'avoir une vie privée autonome.

22. VIRGILI Fabrice, « Les tontes de la Libération en France », *Les Cahiers de l'IHTP*, n° 31, p. 64.

Cette conclusion nous invite à approfondir la question des variations historiques des identités de genre, du genre attribué à la nation et des permanences ancrées dans des traits culturels de longue durée, comme les changements introduits par l'événement dans une conjoncture spécifique, celle de la guerre et de l'Occupation. Sur la longue durée, l'histoire des guerres du siècle passé peut apparaître plus comme une force conservatrice du point de vue des relations entre les sexes que comme une force de transformation, car les changements apportés par les événements exceptionnels sont digérés et compensés par un appui (au moins provisoirement) sur la tradition.

Chapitre 4

DU DROIT DE VOTE ET D'ÉLIGIBILITÉ (1944) À LA PARITÉ (1999)

Sur le plan du politique, la France a une triple singularité :
– un suffrage féminin tardif inscrit dans l'ordonnance du 21 avril 1944 après un siècle de revendications féministes;
– un décalage de près d'un siècle entre suffrage masculin et suffrage féminin (1848-1944);
– une très faible place des femmes dans la représentation politique de la Libération à aujourd'hui : moins de 6 % de députés en 1946, moins de 12 % en 2002 et ce malgré la mise en œuvre de la parité dans la réforme constitutionnelle de 1999.

La France reste à l'avant-dernière place en Europe pour la place des femmes dans la représentation politique. Comment expliquer cette difficile insertion des femmes dans la vie politique, et de ce qu'il faut bien appeler un retard français[1]?

L'ordonnance de 1944 et sa mise en œuvre : une citoyenneté inachevée

Les mémoires (et parfois les manuels) ont retenu l'image d'un suffrage accordé par le général de Gaulle pour récompenser les femmes de leur action dans la Résistance et la France libre. L'acquisition des droits politiques par « les filles de Marianne » (Christine Bard, 1995) est maintenant bien cernée par de nombreuses recherches qui ont relativisé le rôle du général de Gaulle et restitué le parcours difficile de l'obtention du droit de vote revendiqué depuis un siècle. La chronologie est établie, même si elle est parfois citée de façon

1. Ce n'est pas le point de vue de l'historienne Syan Reynolds qui récuse ce point de vue – mais pour la période de l'entre-deux-guerres – dans « Le sacre de la Citoyenne? Réflexions sur le retard français », *in* Yolande Cohen et Françoise Thébaud (dir.), *Féminismes et identités nationales*, Lyon, Centre Jacques-Cartier, CNRS, 1998, p. 71-84.

erronée dans les ouvrages de référence : 21 avril 1944 pour l'ordonnance qui établit le suffrage universel, 29 avril et 13 mai 1945 pour la première participation des femmes à des élections (municipales). Mais il faut se demander si le suffrage universel a fait des Françaises des citoyennes à part entière comme le proclame en 1946 dans son préambule la constitution de la IVe République?

L'histoire de l'obtention du suffrage par les femmes en 1944 est relativement récente mais bien établie, même si son interprétation varie selon les auteurs[2]. L'obtention du droit de vote a été souvent analysée sous la forme d'un droit accordé par le général de Gaulle pour services rendus à la Résistance. Analyse réductrice, parfois au mépris même de la chronologie et des faits historiques comme le montre l'exemple qui suit. Dans une publication à usage des enseignants (et des élèves), il est écrit : « L'ironie du sort voulut que le droit fût accordé en 1945 [*sic*] grâce à une décision largement personnelle du général de Gaulle et non à la suite d'une délibération parlementaire ou d'un débat de l'opinion que la IIIe République avait amorcé à plusieurs reprises, mais échoué à conclure[3]. »

De Gaulle a-t-il octroyé le droit de vote aux femmes ?

La question est de savoir si le suffrage universel est le produit d'une longue histoire et de plusieurs décennies de revendications suffragistes – c'est d'ailleurs un peu le point de vue du général de Gaulle qui écrit dans ses *Mémoires* que « l'ordonnance de 1944 mettait un terme à des controverses qui durait depuis 50 ans » – ou si c'est un suffrage-récompense accordé aux femmes pour participation à la Résistance. Cette interprétation ne coïncide pas avec l'occultation du rôle des femmes dans la Résistance et sa redécouverte récente. Il est vrai que la France libre s'est engagée par deux fois à assurer l'égalité politique des deux sexes après la Libération : dans une déclaration du général de Gaulle du 23 juin 1942 reprise dans les journaux clandestins de la Résistance et dans une émission de la BBC *Honneur et patrie* animée par Robert Schuman, notamment le 16 décembre 1943.

Cependant, la réalité de la décision d'instaurer le suffrage universel a été plus difficile à obtenir qu'il n'y paraît et tous les délégués gaullistes de 1944 ne s'y sont pas ralliés. À Alger, où siègent les institutions provisoires qui préparent le retour à la République, le Comité français de libération nationale et l'Assemblée consultative provisoire formée de délégués des mouvements de Résistance et des partis de feu la IIIe République, la commission de réforme de l'État discute, entre décembre 1943 et mars 1944, au moins une dizaine de fois, du vote des femmes sans parvenir à un accord. Le président de l'Assemblée, le radical corse Paul Giacobbi, dans la continuité des positions du parti radical de la IIIe République, est très réticent à accorder le droit

2. Thébaud Françoise (dir.), *Clio, Histoire, Femmes et Sociétés*, n° 1, « Résistances et libérations », 1995 et Guéraiche William, *Les Femmes et la République*, Éd. de l'Atelier, 1999.
3. Rousselier Nicolas, « La République sous la IIIe », *Documentation photographique*, bimestriel n° 7003, février 1991, La Documentation française, p. 8.

de vote aux Françaises et évoque des problèmes de procédure (surnombre des femmes pour la première élection si les hommes prisonniers de guerre ne sont pas rentrés). Il oppose ainsi suffrage masculin et suffrage féminin (crainte du péril clérical) loin d'une conception universaliste du suffrage. Deux délégués jouent un rôle décisif en proposant des amendements favorables en séance plénière : le démocrate-chrétien Robert Prigent et le communiste Fernand Grenier; ce dernier propose le libellé suivant : « que les femmes soient éligibles et électrices dans les mêmes conditions que les homes ». L'amendement mis aux voix est accepté par 51 délégués (socialistes, communistes et une partie des gaullistes) sur 67 votants et devient l'article 17 de l'ordonnance du 21 avril 1944, sur l'organisation des pouvoirs publics à la Libération, signée par le général de Gaulle, en tant que chef du gouvernement provisoire de la République française.

Pour Pierre Rosanvallon (*Le Sacre du citoyen*, 1992), il s'agit de l'aboutissement d'un long processus qui conduit la femme à devenir un sujet politique juridiquement autonome. Ce point de vue ne correspond guère au déroulement des opérations (succès très conjoncturel de l'obtention du droit de vote), ni aux opinions des contemporains exprimées lors des premières élections d'après la guerre. Étudiées par Bruno Denoyelle et Virginie Martin, les réactions des Français à l'acquisition de la citoyenneté par les Françaises sont mitigées : il ne s'agit pas d'un événement considéré comme majeur dans la période « douze millions de femmes deviennent électrices à leur insu » écrit Bruno Denoyelle[4]. Associations, partis et Églises encadrent les premiers votes des femmes. Une véritable pédagogie du suffrage leur est appliquée, accompagnée d'une injonction au civisme. Le père ou le mari sont les intermédiaires culturels de cette socialisation civique. L'opinion publique, la presse et même les politologues considèrent que les femmes ne relèvent pas de l'universel-citoyen, mais ont des caractéristiques identitaires spécifiques. Une peur s'exprime : leur participation à la vie politique ferait-elle perdre leur féminité aux électrices? Le journal du Mouvement de libération nationale conseille le 29 mai 1946 à ses lectrices : « Si à la sortie du bureau de vote vous arrangez votre bouche ou maniez votre poudrier, votre mari sera rassuré. » Le ton dans la presse va donc de la bienveillance amusée à une satire plus féroce comme le montrent les caricatures du *Canard enchaîné*, qui conjugue misogynie et anticléricalisme : les électrices sont croquées sous la forme de bigotes, religieuses, ménagères bornées ou jeunes filles galantes, autant de représentations de l'incompétence politique des femmes. L'isoloir est comparé à une cabine d'essayage de vêtements féminins. On attend cependant des femmes une régénération de la vie politique et une contribution par leurs qualités spécifiques à l'« ordre nouveau » de l'après-Libération. Les premières élections montrent que l'enjeu n'est pas négligeable pour les

4. DENOYELLE Bruno, « Des corps en élections. Au rebours des universaux de la citoyenneté : les premiers votes des femmes (1945-1946) », *Genèses*, n° 31, juin 1998, p. 76-98. MARTIN Virginie, « Les premiers votes des femmes. Vécu et schèmes des représentations 1944-1946 », *Les Femmes et la politique*, L'Harmattan, 2000, p. 57-80.

partis politiques. L'épiscopat français invite les femmes catholiques à voter « pour le redressement de la France ». L'union féminine civique et sociale (proche du MRP) et l'Union des femmes françaises, proche du PCF, invitent les femmes à « bien » voter.

Le thème des compétences féminines spécifiques en matière d'éducation et de santé sert à légitimer l'éligibilité des femmes. Le domaine de la maternité relève de la sphère privée, mais il est à l'honneur dans un contexte nataliste, y compris chez les communistes. C'est le discours des partis politiques et aussi des associations féminines, catholiques ou communistes, reprenant une rhétorique de certaines féministes du premier XXe siècle, « les féministes maternalistes ». Les professions de foi des candidates aux premières élections mentionnent toujours leur nombre d'enfants, histoire de rassurer le corps électoral. Près de 10 000 conseillères municipales sont élues en mai 1945. Aux premières législatives où les femmes votent, plus d'une trentaine de femmes sont élues à l'Assemblée nationale (5,6 % des députés), mais seulement 3,6 % d'élues au Sénat. La plupart sont issues de la Résistance et parfois veuves d'un résistant (Mathilde Péri, Gilberte Brossolette). Ce sont les communistes qui ont le plus d'élues, suivis par le MRP, puis la SFIO.

Au gouvernement, la présence des femmes est exceptionnelle. Une sous-secrétaire d'État à la jeunesse et aux sports pendant six mois en 1946, une ministre (la première à porter ce titre) – Germaine Poinso-Chapuis, marseillaise démocrate-chrétienne – désignée comme titulaire du ministère de la Santé en 1947, tels sont les fruits de la Libération en matière de représentation des femmes dans la vie politique. Dans la première enquête de sociologie électorale sur la participation des femmes au politique, Maurice Duverger, politologue, pointait déjà en 1955 que la participation des femmes se heurtait à un « barrage masculin ». L'éviction de la Résistance comme force politique, le reflux du MRP et du PCF, le durcissement des clivages politiques de la « guerre froide », le retour à un fonctionnement traditionnel de la vie politique hérité de la IIIe République, tous ces éléments, auxquels s'ajoute une classique misogynie, font que la porte s'avère fort étroite pour les femmes en politique. Le monde politique reste un univers masculin.

La non-inclusion des femmes dans le domaine politique est très souvent le fait des partis politiques qui fonctionnent comme des pourvoyeurs d'investiture. Les femmes y adhèrent peu et elles ont encore moins l'occasion d'y exercer des responsabilités. Dans les trois principaux partis issus de la Libération – PCF, SFIO et MRP – existent des structures consacrées aux questions féminines. Mais les directions elles-mêmes sont fortement, voire uniquement, masculines. Pour le RPF gaulliste, la question n'est même pas posée. Une exception cependant, le MRP où la participation des femmes aux associations et mouvements familiaux chrétiens, tout comme aux commissions féminines de la CFTC, est plus favorable à l'intégration de femmes à la politique : la première femme ministre est d'ailleurs démocrate-chrétienne[5]. Les

5. GUÉRAICHE William, « La "question femmes" dans les partis (1946-1962) », *Historiens-Géographes*, n° 358, juillet-août 1997, p. 235-248.

mouvements féministes suffragistes qui se sont réorganisés après la rupture de la guerre et de l'Occupation ne réussissent pas à promouvoir des candidatures féminines et à peser sur la vie politique.

Des Françaises non-citoyennes

En France, il est paradoxal (et peu connu) qu'un certain nombre de femmes soient exclues du suffrage après 1945 : c'est le cas des autochtones des pays colonisés. Dans l'Empire français, il faut faire une place particulière à l'Algérie, à cause de son statut spécifique. Depuis mars 1944, les Algériens et Algériennes d'origine métropolitaine possèdent les mêmes droits électoraux que les métropolitain/e/s. Les autochtones sont des nationaux français, mais ne sont pas tous citoyens. Contrairement à une idée couramment répandue, le découplage entre nationalité et citoyenneté est constant dans l'histoire du suffrage de la IIe à la IVe République et la distinction s'applique essentiellement – mais pas seulement, comme le montre l'exemple de l'Algérie – aux femmes. Le 20 septembre 1947, la promulgation du statut organique de l'Algérie organise une assemblée composée de deux collèges séparés. L'article 4 de ce statut stipule : « Les femmes d'origine musulmane jouissent du droit de vote. Une décision de l'assemblée algérienne fixera les modalités de l'exercice du droit de vote. » Mais il faut attendre le décret du 3 juillet 1958, soit onze ans, pour que cet article soit mis en actes. Les termes par lesquels sont désignées les différentes catégories de femmes dans les rapports ou textes officiels ont leur importance : elles sont dites « d'origine musulmane » ou « Algériennes musulmanes » ou « statut civil local », contrairement aux « Algériennes de statut civil français » ou « de souche européenne ». Mais les femmes autochtones d'Algérie ne sont pas toutes musulmanes, même si ces dernières représentent la grande majorité (il est aussi des femmes juives, chrétiennes ou athées).

Alice Sportisse, députée communiste d'Oran, est la première à proposer un décret concernant le droit de vote des musulmanes. Le texte, remanié, a été adopté par le gouvernement qui en a cependant délégué la mise en œuvre à la future Assemblée algérienne : cette dernière, à plusieurs reprises, a renvoyé le débat en commission. Le gouverneur général de l'Algérie se préoccupe épisodiquement – en vain – de l'application de cet article 4 soit pour contrer les revendications des opposants (communistes ou socialistes), soit pour faire pièce aux demandes de l'ONU d'améliorer le sort des femmes dans les colonies. En 1956, à titre expérimental, des Algériennes autochtones ont le droit de participer à un scrutin local dans les Aurès. Le général de Gaulle, dernier président du Conseil de la IVe République, annonce, dans un discours radiodiffusé à Alger le 3 juillet 1958, l'organisation d'un scrutin avec un collège unique et l'inscription des femmes sur les listes électorales. Le décret 58-568 du 3 juillet est publié au *Journal officiel de l'Algérie* le 8 juillet. Après onze ans d'attente, les Algériennes autochtones obtiennent donc le droit de voter par décision unilatérale du général de Gaulle. C'est la volonté de mettre en place les fondements de la démocratie sur tout le territoire algérien pour tenter d'enrayer les progrès de la rébellion nationaliste, mais aussi, plus prosaïquement, pour assurer le succès du prochain référendum sur la nouvelle constitution (octobre 1958). L'armée française développe ainsi une active campagne de propagande par l'image (affiches) pour faire voter en masse les Algériennes en faveur du oui. L'émancipation des femmes (le vote est couplé dans la propagande à l'abandon du voile) est ainsi liée à la présence française.

En Algérie, c'est donc l'initiative audacieuse d'une communiste, Française d'Algérie, membre d'une organisation féminine, qui fait inscrire formellement le droit de vote pour les Algériennes autochtones. Mais les comportements dilatoires des politiques et le refus ou le désintérêt des élites musulmanes retardent l'application de ce droit. Et c'est, en fin de compte, le général de Gaulle qui octroie, pour des raisons utilitaristes, un droit qui était défendu par fort peu de monde en Algérie, si l'on excepte les organisations féministes.

Les femmes antillaises des DOM (qui ont obtenu la citoyenneté avec le statut de départementalisation) et, en Afrique occidentale française, les femmes des « quatre communes » sénégalaises (Saint-Louis, Gorée, Rufisque et Dakar), qui ont en même temps que les hommes obtenu la citoyenneté en 1916, votent pour la première fois – comme les métropolitaines – en 1945. Dans le reste de l'AOF (Afrique occidentale française), le droit de vote est étendu en 1952 – conception fort peu universaliste – aux mères de deux enfants.

En 1946, sur tout le territoire national, de la métropole ou des colonies, malgré le préambule de la nouvelle constitution qui proclame l'égalité des sexes, les femmes restent des mineures civiles, soumises à un code inégalitaire et dépendant de leur époux, chef de famille qui a des pouvoirs considérables sur la personne et les biens de sa femme et de ses enfants. Ce n'est que dans les années 1960-1970 qu'une véritable « révolution juridique » fait entrer l'égalité civile des hommes et des femmes dans le droit.

De 1946 à 1993 : 6 % au plus de députées. La « République mâle »

L'implication des femmes dans la vie politique a été essentiellement étudiée à partir des élections nationales, conformément aux pratiques de la sociologie électorale, fleuron de la science politique française. Les politologues ont scruté la spécificité du vote féminin et ont mis en évidence une chronologie particulière. Le comportement électoral des Françaises a beaucoup changé en cinquante ans de citoyenneté. Avec Janine Mossuz Lavau, on peut distinguer :

– une période d'apprentissage qui s'étend jusqu'à la fin des années 1960 marquée par un chiffre supérieur d'abstentions et un vote conservateur plus important;

– une période de décollage dans les années 1970 avec une réduction des écarts (participation identique à celle des hommes, mais décalage encore en faveur de la droite); aux élections présidentielles de 1974, 53 % des hommes et 46 % des femmes ont voté pour le candidat de gauche (non élu) François Mitterrand;
– une période d'autonomie à partir de 1981 : participation et vote en faveur de la gauche quasi identiques, 1986 étant la date charnière; en 1988, les femmes votent plus à gauche que les hommes (les femmes actives, jeunes; beaucoup moins les femmes âgées). Cependant, demeurent certaines spécificités du « vote féminin » qui privilégient le vote écologiste, tout en minorant le vote pour les extrêmes, Front national et parti communiste. La participation des femmes à la représentation politique s'est étiolée de 1946 à 1958, desservie par la possibilité du panachage sur les listes de candidatures du scrutin à la proportionnelle. Dans la Ve République, née en octobre 1958 – la « République des mâles », selon l'expression de Mariette Sineau –, être femme politique relève d'un destin d'exception. Comme pour l'obtention du suffrage, on peut qualifier de retard français la faible participation des femmes à la vie politique par comparaison avec d'autres pays européens[6].

« Le privé est politique » : le MLF, nouveau féminisme des années 1968

Dans les « années noires » du régime de Vichy et de l'Occupation, les associations féministes de l'entre-deux-guerres disparaissent ou déclinent. Les mouvements suffragistes qui survivent à la Libération ne parviennent pas à conforter le nombre d'élues. Après 1945-1950, c'est « le creux de la vague », période étudiée par Sylvie Chaperon, dans *Les Années Beauvoir* (Fayard, 2000). Si l'on excepte la publication du *Deuxième sexe* de Simone de Beauvoir qui fait grand bruit à sa sortie en 1949 (mais dont l'influence se fera sentir surtout dans les décennies suivantes)[7], c'est l'étiage du mouvement féministe.

Le renouveau vient, à partir de 1955-1956, de l'intérêt pour « la condition féminine » que discute entre autres le mouvement protestant Jeunes Femmes et du début d'un mouvement pour la contraception pris en charge par un certain nombre d'associations féminines (voir chapitre suivant).

Sur le plan politique, l'intervention de femmes dans les manifestations et les organisations favorables à l'indépendance ou à la paix en l'Algérie transforme les conditions du militantisme. En 1960, Gisèle Halimi, avocate d'une militante du FLN qui a été victime de tortures et de sévices sexuels, monte un comité de soutien avec Simone de Beauvoir et l'ethnologue, ancienne

6. Mossuz-Lavau Janine, « Le vote des femmes en France (1945-1993) », *Revue française de science politique*, 1993, vol. 43, n° 4, p. 673-689. Sineau Mariette, *Profession : femme politique. Sexe et pouvoir sous la Cinquième République*, Presses de Sciences-Po, 2001.

7. Voir le récent colloque sur le Cinquantième anniversaire du *Deuxième sexe*, publié aux éditions Syllepse, sous la direction de Christine Delphy et Sylvie Chaperon, 2002.

déportée, Germaine Tillion. En novembre 1960, des femmes connues (Simone de Beauvoir, Marguerite Duras, Florence Malraux, Christiane Rochefort, Nathalie Sarraute, Simone Signoret...), et d'autres moins connues, signent avec de nombreux hommes le « manifeste des 121 » pour le « droit à l'insoumission ». Quelques femmes participent au réseau Jeanson, réseau de « porteurs de valises », qui aident les militants du FLN. Certaines sont emprisonnées à la Petite-Roquette à Paris, dont l'historienne Christiane Klapisch-Zuber, alors jeune sévrienne, qui avait hébergé un dirigeant du FLN[8]. Lors de la manifestation de Charonne en février 1962 contre l'OAS et pour la paix en Algérie, trois femmes sont parmi les neuf personnes tuées lors de l'intervention brutale de la police parisienne, dirigée alors par Maurice Papon. Cette nouvelle forme de militantisme égalitaire d'une minorité de femmes, engagées dans des mouvements mixtes, perdure jusque dans les années 1968, avec la volonté de non-mixité du Mouvement de libération des femmes.

En 1965-1966, un nouveau groupe féministe, mixte, intitulé Masculin, féminin, Avenir, se forme dans le sillage du Mouvement démocratique féminin (proche du parti socialiste) et discute de sexualité. Présent dans la Sorbonne occupée à partir du 13 mai 1968, ce groupe est à l'origine d'une des rares paroles concernant spécifiquement les femmes dans le mouvement étudiant de mai-juin 1968. Dans certaines entreprises en grève, les salariées revendiquent la parité des salaires masculins et féminins; les secteurs féminisés comme les chèques postaux ou les grands magasins participent activement à la grève générale des salariés[9]. L'expérience des manifestations et des occupations a contribué à former à la politique une génération de filles et de femmes. Expérience réinvestie dans la « seconde vague » du féminisme qui éclôt en 1970.

L'année 1970 représente-t-elle une rupture dans l'histoire des féminismes et de l'affirmation du sujet-femme? Ce point de vue est celui des actrices qui publient à l'automne 1970, dans la revue *Partisans*, intitulée « Libération des femmes, année zéro », le premier manifeste du Mouvement de libération des femmes (MLF). Cette histoire, en partie revue et corrigée, fait dès lors table rase du passé – en particulier de la bataille pour la contraception engagée, dès le début des années 1960, par des associations et des mouvements de femmes, comme des combats féministes suffragistes du passé – et nie aussi tout rapport avec les événements de mai-juin 1968. L'événement le plus souvent présenté comme fondateur du MLF a lieu le 26 août 1970 à l'Arc de Triomphe, monument emblématique de la nation, avec le dépôt d'une gerbe dédiée « à la femme du soldat inconnu encore plus inconnue que lui ». Cet acte inaugure les formes d'action du mouvement : des actions spectaculaires visant à provoquer l'éclosion, la mise à nu d'un problème, introduisant une radicalité nouvelle par rapport à l'activité des mouvements féminins antérieurs. Les transformations sociales et culturelles des années 1960 sont le ter-

8. Voir son témoignage dans *Lignes*, 1999.

9. ZANCARINI-FOURNEL Michelle, « Genre et politique : les années 1968 », *Vingtième Siècle. Revue d'histoire*, 2002, p. 133-143.

reau de ce nouveau mouvement féministe, qui est loin d'être circonscrit au MLF, mais que ce dernier a initié publiquement. La rupture théorique par rapport aux mouvements féminins antérieurs qui se sont battus pour la contraception réside dans le fait de considérer la lutte pour l'avortement comme préalable, avec la conviction que la libération effective de la contraception passait par la lutte pour l'avortement et, par ailleurs d'affirmer la non-mixité du Mouvement. Le MLF a été ensuite relayé dans le combat pour l'avortement et la contraception par une série d'autres associations : Choisir, créée par l'avocate Gisèle Halimi pour se battre sur le terrain juridique; le Mouvement pour la liberté de l'avortement et de la contraception (MLAC), né en 1973, qui en coordonnant l'action des médecins et des militantes a réalisé effectivement des avortements[10]; le Planning familial, qui a évolué par rapport à ses positions de départ centrées sur la diffusion de la contraception. Ces associations ont également contribué à la transformation de la législation; mais c'est la volonté expresse du nouveau président de la République en 1974, Valéry Giscard d'Estaing et de celle de sa ministre de la Santé, Simone Veil, qui a permis la promulgation des lois de décembre 1974 (contraception) et 1975, loi sur l'interruption volontaire de grossesse (IVG). Le vote de la loi a signé l'arrêt ou la mise en veilleuse d'un certain nombre de groupes féministes (dont le MLAC), alors que, de fait, la loi ne reprenait qu'une partie de leurs revendications.

L'apport considérable du MLF a été, outre de réunir les femmes entre elles, de proclamer que « le privé est politique » en faisant du combat pour la liberté de l'avortement et de la contraception, affaire privée s'il en fût, une affaire d'État. Mais la méfiance des militantes à l'égard du pouvoir politique explique leur retrait relatif au moment où le nouveau président de la République, François Mitterrand, crée en 1981 un ministère des Droits de LA femme, confié à Yvette Roudy. Elle va mettre en œuvre, non sans difficulté, une forme de féminisme d'État dont le bilan est controversé[11]. C'est en fait le mouvement pour la parité des années 1990 qui arrivera à transformer l'essai, au moins sur le plan constitutionnel.

Le féminisme institutionnel et la parité : le renouveau des années 1990 et la révision constitutionnelle

Le bilan de ce qu'on a parfois appelé, à tort, le « féminisme d'État » sous les deux septennats de François Mitterrand (1981-1995) est discuté : les politologues, Jane Jenson et Mariette Sineau, concluent à un « rendez-vous manqué » entre François Mitterrand et les Françaises. L'historienne Françoise

10. ZANCARINI-FOURNEL Michelle, « Histoire(s) du MLAC (1973-1975) », *Clio, Histoire, Femmes et Sociétés*, n° 18, 2003, p. 241-252.

11. THÉBAUD Françoise, « Promouvoir les droits des femmes : ambitions, difficultés et résultats », *François Mitterrand. Les années du changement (1981-1984)*, Perrin, 2001, p. 567-600.

Thébaud, s'appuyant sur le dépouillement de nouvelles archives (Institut François-Mitterrand), nuance le propos. Quant à l'actrice principale, Yvette Roudy, première ministre des Droits de la femme, elle souligne « qu'aucune femme ne fut oubliée ». Au total, si les difficultés ont été réelles et si en fin de compte, après 1986, le droit de la famille a pris le pas sur le droit des femmes, le bilan législatif est important : la loi sur l'égalité professionnelle de 1983 (même si elle connaît des difficultés d'application) et la loi sur la réforme du régime successoral en 1985 sont notables et changent la vie d'un certain nombre de femmes. C'est surtout sur le plan du symbolique que le résultat a été décisif : la célébration du 8 mars, initiée en 1982 comme Journée des femmes, est la manifestation la plus durable de cette action. Yvette Roudy a permis, par sa constance et son opiniâtreté, que la question des droits des femmes, qui se traduit en politique par la revendication de la parité, intègre la démocratie française. Au vu de ses difficultés, l'expression « féminisme institutionnel » paraît donc plus conforme que celle de « féminisme d'État ».

Au début des années 1990 a été avancé le mot d'ordre revendiquant la parité, c'est-à-dire un pourcentage égal d'hommes et de femmes dans la représentation politique. Le débat n'est pas nouveau : il s'était déployé sur le thème des quotas au cours du premier septennat de François Mitterrand (réforme refusée par le Conseil d'État). Au début des années 1990, le débat est resté cantonné, dans un premier temps, aux cercles féministes, puis il éclate sur la place publique en 1995, pour se conclure par une réforme constitutionnelle sous le gouvernement Jospin. Par la loi constitutionnelle du 8 juillet 1999 « relative à l'égalité entre les hommes et les femmes », les articles 3 et 4 de la Constitution ont été révisés (à propos de la souveraineté et des partis politiques) avec le texte suivant : « La loi favorise l'égal accès des femmes et des hommes aux mandats électoraux et à la fonction élective. » La loi du 6 juin 2000 fait obligation aux partis de présenter au moins 50 % de candidats de chaque sexe au scrutin de liste (en alternance ou par tranche de six), sous peine de pénalités financières.

Au regard des décennies de l'histoire du suffragisme, l'obtention de la parité au moins dans les textes, a été rapide. C'est en 1992 que paraît le livre de Françoise Gaspard, Claude Servan-Schreiber et Anne Le Gall, au titre percutant et mobilisateur, *Au pouvoir citoyennes ! Liberté, égalité, parité*, qui marque le début de la campagne publique. Le « Manifeste des 577 pour une démocratie paritaire » est publié dans *Le Monde* en 1993. Le succès de la revendication paritaire s'explique par un consensus apparent sur le sujet entre les deux candidats, Jacques Chirac et Lionel Jospin, lors de la campagne pour l'élection présidentielle de 1995. La démocratie paritaire est également un des axes politiques de l'Union européenne. La mobilisation a regroupé des femmes de diverses tendances politiques, de gauche comme de droite : Roseline Bachelot (RPR), Simone Veil (UDF) Yvette Roudy, Françoise Gaspard ou Gisèle Halimi (PS ou apparentées). Elle était soutenue par une série d'associations et par un mouvement d'opinion bien relayé par les médias. Le Premier ministre en 1995, Alain Juppé, crée l'Observatoire de la parité ; en 1997, l'engagement fort du Premier ministre, Lionel Jospin (avec l'accord de Jacques Chirac) fait aboutir la modification constitutionnelle.

La parité a cependant divisé les partis politiques comme les féministes. Les anti-paritaires invoquent la défense des principes de l'universalisme français, par crainte de l'exaltation du différencialisme et le développement du communautarisme. Les paritaires répondent que les femmes ne sont pas une communauté, que la parité est un élément fondamental de rénovation de la vie politique et que l'humanité est constituée de deux sexes différents. Geneviève Fraisse, qui se refuse à admettre la valeur heuristique de la parité dans la théorie politique, la voit comme un révélateur de l'inégalité des sexes. La philosophe élargit la notion de parité au partage du pouvoir, politique mais aussi domestique, civil, économique et social. La parité devient alors un formidable outil pratique et tactique pour poser la question du pouvoir. Utopie réaliste, cette conception s'éloigne de la revendication paritaire originelle. On peut se demander si le modèle de la parité résoudra les problèmes de la mise en œuvre pleine et entière de la citoyenneté pour les femmes ou bien s'il s'agit, pour un petit nombre de femmes, de la revendication d'une place à prendre dans le monde essentiellement masculin de la politique. La parité permet cependant de relier le politique et le social et de s'interroger sur les différences qui existent entre la participation politique « de femmes ordinaires », et une intégration à la sphère politique d'une minorité « par le haut[12] ». Il est donc indispensable, on le voit, de déconstruire la catégorie « femmes » et de s'interroger sur la diversité des conditions et des pratiques.

Le faible nombre des femmes en politique s'explique d'abord par une situation de subordination qui perdure du fait de la « domination masculine » (titre du livre de Pierre Bourdieu en 1998). Ce sont les élites féminines urbaines et surdiplômées qui s'investissent dans la politique, quand ce n'est pas par tradition familiale (cela est particulièrement vrai – mais pas seulement – dans les partis de droite ou d'extrême droite où les veuves de… et filles de… sont nombreuses). Ces femmes surdiplômées sont arrivées au pouvoir par nomination, au regard de leurs compétences, comme Édith Cresson, première Française à être nommée au poste de Premier ministre en 1991. Mais elles éprouvent plus de difficulté à passer par l'élection, la représentation, acquise par le suffrage universel. La raison essentielle est la structure et les modes de fonctionnement du monde politique et en particulier le fonctionnement oligarchique des partis politiques, de gauche comme de droite. Les partis restent des organisations fermées aux femmes (comme aux jeunes). Le mode de scrutin majoritaire à deux tours ou le suffrage indirect pour le Sénat, comme le cumul des mandats, ne facilitent pas l'émergence de candidatures nouvelles.

Après la révision constitutionnelle de 1999, les élections municipales de mars 2001 ont cependant largement féminisé les conseils municipaux, plus

12. MOSSUZ-LAVAU Janine, *Femmes/Hommes pour la parité*, Presses de la FNSP, 1998. Point de vue contradictoire dans LAGRAVE Marie-Rose, « Une étrange défaite. La loi constitutionnelle sur la parité », *Politix*, vol. 13, n° 51, p. 113-141.

dans les petites villes que dans les grandes. 40 femmes sont à la tête d'une ville de plus de 15000 habitants, alors que Catherine Trautman est, en 1989, la première femme maire d'une ville (Strasbourg) de plus de 100000 habitants ; elle a été battue aux dernières élections municipales… par une femme.

Dates	1983	1989	1995	2001
Communes de moins de 3500 habitants	12,9	16,3	21	28,6
Communes de 3500 à 9000 habitants	21	21,4	25,1	47,4
Communes de 9000 à 30000 habitants	22	23	26,3	47,3
Communes de plus de 30000 habitants	22,8	23,6	26,9	48
Ensemble des communes	14 %	17,2 %	21,7 %	31,7 %

Part des femmes parmi les conseillers municipaux selon la taille de la commune.
Source : *Femmes et hommes. Regards sur la parité*, INSEE, 2004.

Au printemps 2002, la crise de la représentation politique (lisible dans le pourcentage élevé d'abstentions au premier tour de la présidentielle et dans l'importance du vote protestataire d'extrême droite) a révélé le *gender gap*[13] analysé depuis longtemps par certaines politologues. Si les électrices seules avaient voté, Jean-Marie Le Pen n'aurait pas été qualifié, alors qu'il serait arrivé en tête si les hommes seuls avaient voté. Plusieurs modèles explicatifs rendent compte de l'évolution du *gender gap* : analyse socioéconomique (salarisation et tertiarisation des emplois) et analyse culturelle (déclin des valeurs religieuses, émergence de valeurs égalitaires et libertaires). Mariette Sineau préfère parler de *gender-generation-gap* qui prend en compte les différences de prises de position des femmes en fonction de leur âge (les femmes les plus âgées sont plus conservatrices, plus catholiques et donc aussi antilepénistes que les jeunes femmes des catégories socioprofessionnelles supérieures). Les grands partis ont préféré payer les amendes infligées pour non-respect du pourcentage de femmes prévues par la loi. Même si les femmes sont l'espoir d'un renouvellement du politique, les hommes au pouvoir ne sont pas prêts à céder leur place. Aux élections régionales de 2004, une seule femme se retrouve à la tête d'une région : Ségolène Royal en Poitou-Charentes. Mais la représentation féminine dans les conseils régionaux est quasi paritaire (47,6 % d'élues).

•

Nous avons, dans cette première partie consacrée aux femmes et à la politique, défini la citoyenneté comme la participation aux affaires de la Cité, visible dans l'obtention du suffrage universel, sans que cet élément suffise à établir durablement la place que peuvent réellement occuper les citoyennes, comme le prouve l'histoire de la vie politique en France depuis 1945. La citoyenneté, depuis la Révolution française, est avant tout politique, elle est participation au souverain et au droit de représenter la nation.

13. SINEAU Mariette, « Vote et participation politique », *in* Margaret Maruani, *Femmes, genre et sociétés*, La Découverte, 2005, p. 299-306.

Mais avec le développement des États providence depuis la fin de la Seconde Guerre mondiale, une autre acception de la notion de citoyenneté a été avancée : c'est la citoyenneté sociale. C'est en 1950 que l'expression « citoyenneté sociale » apparaît sous la plume d'un sociologue, T. H. Marshall. L'auteur, qui s'appuie sur l'histoire anglaise pour sa démonstration, distingue trois étapes dans la citoyenneté : la citoyenneté civile au XVIIIe siècle (droits garantissant la liberté des personnes), la citoyenneté politique au XIXe siècle et enfin, au XXe siècle, la citoyenneté sociale qui concerne à la fois les droits sociaux et les droits à l'éducation. Cette chronologie ne convient ni à l'histoire des femmes en France ni à l'histoire des femmes en Grande-Bretagne. L'intérêt du modèle vient cependant de ce qu'il déconstruit la notion de citoyenneté.

Jusqu'en 1944, les femmes françaises ont été exclues de la citoyenneté alors que, dans le même temps, depuis la fin du XIXe siècle, elles étaient incluses dans la nation par leur devoir maternel, ce que d'aucuns nomment la « citoyenneté sociale ». Yvonne Knibiehler écrit que « la fonction maternelle organise ou conditionne la citoyenneté des femmes[14] ». Il faudrait s'interroger dans cette appréciation sur l'adéquation et l'équivalence entre la catégorie « femmes » et la catégorie « mères ». Sont-elles donc citoyennes parce que mères, ou mères plus que citoyennes? Bien avant l'invention du terme « citoyenneté sociale », le féminisme républicain et égalitaire du XIXe siècle, qui voulait intégrer les femmes dans la cité et la démocratie a coexisté avec un féminisme maternaliste qui considérait la maternité comme une fonction sociale et qui revendiquait l'extension des droits liés à cette fonction[15]. Dans l'entre-deux-guerres, le féminisme égalitariste radical est marginalisé au sein des différents courants féministes et le basculement se fait vers la lutte pour une citoyenneté différentialiste (Bard, 1995). L'ordonnance de 1944 sur l'organisation des pouvoirs publics à la Libération accorde le droit de vote aux Françaises, donc leur fait accéder de plein droit à la citoyenneté, alors qu'elles n'ont pas encore obtenu ni tous les droits sociaux ni l'égalité civile. Mais cette égalité des droits politiques, revendiquée depuis un siècle, n'équivaut pas à une place laissée aux femmes (ou prise par elles) dans le monde politique et l'espace public. *A contrario,* les mères ont été des prestataires et des bénéficiaires du système de protection sociale, plus que dans tout autre pays européen, compte tenu du consensus familialiste et nataliste en France. Il faut noter cependant que les fruits de la protection sociale ne sont pas réservés aux seuls citoyen/ne/s puisque la Sécurité sociale, créée en 1945, est fondée sur des cotisations liées à l'emploi et les allocations familiales sont, elles, attribuées sans distinction de nationalité. Le civisme demandé aux Françaises, comme aux étrangères, est d'abord un civisme démographique. Ce sera l'objet de la deuxième partie.

---

14. KNIBIEHLER Yvonne, *La Révolution maternelle depuis 1945. Femmes, maternité, citoyenneté,* Perrin, 1997, p. 13.
15. ROCHEFORT Florence, « Démocratie féministe contre démocratie exclusive ou les enjeux de la mixité », *Démocratie et représentation,* 1995, p. 181-202. COVA Anne, *Maternité et droits des femmes en France (XIXe-XXe siècle),* Anthropos, 1997.

Deuxième partie

LES FEMMES
DANS LA SOCIÉTÉ FRANÇAISE

Chapitre 5

ÉDUCATION ET FORMATION DES FILLES

Ségrégation, séparation, mixité

Dans *L'Éducation des filles au XIXe siècle*, Françoise Mayeur écrit : « Beaucoup de livres de pédagogie sont rédigés de telle sorte qu'on pourrait croire que les filles n'existent pas. L'élève n'est pas abstrait pour autant : il est masculin voilà tout[1]. » La citation pourrait tout autant s'appliquer au siècle suivant.

Le sous-titre indique la problématique de ce chapitre – de la ségrégation à la mixité – et les principales étapes chronologiques concernant l'éducation des filles. Dans les deux premiers tiers du XIXe siècle, cette dernière se caractérise par la ségrégation et par le rôle joué par l'Église. Entre 1867 et 1904, avec la concurrence entre l'Église et l'État, marquée par la laïcisation des établissements et des postes d'enseignement, le modèle est celui de la séparation des sexes, que ce soit dans l'enseignement primaire obligatoire ou dans les établissements pour les élites (pensionnats, lycées et collèges). Des pratiques de mixité – qui ne sont que des écarts à la norme de séparation des sexes opérante jusqu'à la fin des années 1950 – ont lieu dans les écoles de hameaux et dans les écoles rurales dans l'entre-deux-guerres et l'après Seconde Guerre mondiale. Mais la mixité ne s'impose vraiment qu'après 1968 (elle est inscrite dans la loi seulement en 1976 – décrets d'application de la loi Haby). On est alors dans une phase caractérisée par la massification scolaire avec la secondarisation, puis l'universitarisation (années 1990-200...) qui aboutit à un retournement quantitatif des inégalités sexuées des carrières scolaires des filles. À l'aspect purement chronologique il faut ajouter la distinction longtemps opérante entre les deux ordres d'enseignement, primaire à deux degrés (avec le « post-primaire ») et le secondaire, qui correspond aussi largement, au moins jusqu'aux années 1960, à une ségrégation sociale. Il faut également préciser que si le terme éducation (et non scolarisation ou enseignement) a été choisi, c'est parce qu'il désigne, dans un sens large, à la fois l'acquisition et la maîtrise des connaissances, et la préparation à une

1. Mayeur Françoise, *L'Éducation des filles au XIXe siècle*, Hachette, 1979 (citation p. 8).

vie d'adulte par l'apprentissage des gestes, des normes et des principes moraux. La problématique est donc centrée tout autant sur les actrices (et les acteurs sociaux) que sont les élèves, leurs parents et les professeurs que sur les politiques publiques qui organisent l'enseignement, liées à l'histoire de l'enfance et de l'adolescence des XIXe et XXe siècles.

Avant d'entrer dans le vif du sujet, il est sans doute utile de rappeler quelques acquis concernant l'histoire de l'éducation[2]. Jules Ferry, pas plus que Charlemagne, n'a inventé l'école : il faut, ici comme ailleurs, éviter le mythe des origines. On se méfiera de la dichotomie de l'avant et l'après Jules Ferry : les ruptures n'ont pas été aussi décisives. Même si la chronologie et les modalités sont différentes pour les garçons et pour les filles, l'alphabétisation et la scolarisation des Français progressent bien avant Jules Ferry, selon des processus complexes différenciés selon les régions, les sexes et les milieux sociaux, processus étudiés par François Furet et Jacques Ozouf (1977). En revanche, proclamer le rôle fondateur de Jules Ferry est un mythe intéressant forgé par la conscience républicaine (cf. les discours actuels sur l'« âge d'or » de l'école d'autrefois). L'histoire relativise le mythe : même si les lois scolaires de 1881-1882 ont rendu l'école primaire laïque et obligatoire pour les filles et les garçons jusqu'à 13 ans, la fréquentation scolaire est restée aléatoire au moins jusqu'à la guerre de 1914. Autre exemple, l'usage des anciennes mesures (la livre...) perdure malgré l'apprentissage constant du système métrique à l'école primaire. Il faut également se garder de généralisations abusives : il n'y a pas de situation nationale uniforme. Les réalités éducatives sont diverses, qu'il s'agisse des différences entre les filles et les garçons, entre fils et filles du peuple ou de bourgeois, ou encore des différences entre les campagnes et les villes.

Dans *L'Histoire de l'enseignement en France, 1800-1867*[3] (une des premières synthèses en histoire de l'éducation), Antoine Prost a souligné dans une étude chronologique, législative et quantitative l'inégalité des sexes à l'école primaire du XIXe siècle et la spécificité jusqu'en 1924 d'un enseignement secondaire féminin. Il montre à la fois le rattrapage scolaire des filles au début de la Troisième République où « les deux sexes se trouvent à égalité » (p. 104) et pour le secondaire, « rien ne sépare plus alors l'enseignement masculin et féminin » après les arrêtés de 1925 qui établissent des programmes et des horaires identiques (p. 261-265). Dix ans plus tard, en 1979, Maurice Crubellier insiste dans *L'Enfance et la jeunesse dans la société française, 1800-1950*[4] sur le poids des autres lieux de socialisation et d'éducation : la famille et la communauté villageoise ou urbaine (le quartier). Pour les filles, l'école, malgré avec un décalage chronologique avec les garçons, représente le terrain

---

2. MAYEUR Françoise, *Histoire générale de l'enseignement et de l'éducation*, tome III, 1981, « La ségrégation des filles », p. 120-158 (synthèse fondamentale, mais jusqu'en 1914). LELIÈVRE Claude et Françoise, *Histoire de la scolarisation des filles*, Nathan, 1991 (point de vue institutionnel).
3. PROST Antoine, *L'Histoire de l'enseignement en France, 1800-1867*, Colin, coll. « U », 1968.
4. CRUBELLIER Maurice, *L'Enfance et la jeunesse dans la société française. 1800-1950*, Colin, coll. « U », 1979.

de l'égalité, voire de la « confusion des sexes ». En 1979, Françoise Mayeur publie une synthèse, *L'Éducation des filles au XIXe siècle*, dans laquelle elle montre qu'à la ségrégation sexuelle s'ajoute une ségrégation sociale : filles du peuple et bourgeoises ne fréquentent pas les mêmes bancs. Elle souligne que les catholiques et les républicains se sont affrontés pour conquérir les élites et leurs filles, mères potentielles, éducatrices des futurs citoyens. Dans *L'Histoire générale de l'éducation*, Françoise Mayeur précise que c'est à la fin du XIXe siècle que le retard de l'alphabétisation des filles se comble et que, dans ce processus, le rôle des congrégations avait été très important. Entretemps, deux livres très différents avaient fait bouger les problématiques. En 1979, Françoise Mayeur dans sa synthèse avait déplacé le curseur avant les lois républicaines d'obligation et de laïcité, en démontrant que l'histoire de l'alphabétisation était moins subordonnée à l'évolution du réseau scolaire qu'à l'histoire du développement social (p. 351, tome 1) : les élites urbaines sont entrées dans la culture écrite au XVIIe siècle, les paysans et les ouvriers urbains au XIXe. La séparation des filles et des garçons est « plus qu'une règle, une obsession » de la part des gens d'Église et de pouvoir (p. 84, tome 1). Le second livre est celui d'une Italienne E. Belotti, traduit en 1974, *Du côté des petites filles*, succès de librairie à l'époque, qui fonde la problématique du sexisme à l'école – c'est-à-dire la discrimination envers le sexe féminin. L'auteur insiste sur la reproduction par les mères et les institutrices d'un modèle féminin synonyme de soumission et de passivité. Le succès de cette thèse a été favorisé par celui des théories de la reproduction sociale à l'école (Pierre Bourdieu et Jean-Claude Passeron, *Les Héritiers*, Minuit, 1964), socle de la réflexion pédagogique autour de 1968. À partir de cette réflexion se sont développées des études sur les discours et stéréotypes véhiculés dans les manuels scolaires, dont l'impact est difficile à mesurer sans analyse précise de l'usage de ces manuels dans les classes. En revanche, des enquêtes d'ethnologues (Yvonne Verdier et Daniel Fabre) ont montré comment certaines pratiques étaient en fait l'apprentissage d'une identité sexuelle (la marquette pour les filles au point de croix rouge, le dénichage des oiseaux pour les garçons, condamné dans les manuels, mais transformé, euphémisé dans les classes par l'usage des abécédaires illustrés ou dans l'exaltation de la plume). Ces recherches originales cachent l'essentiel : l'historiographie de l'éducation, guidée et parfois piégée par les sources officielles, a emprunté deux voies principales, celles du quantitatif et de l'institutionnel (statistiques, textes réglementaires et discours normatifs). Jean-Noël Luc a montré comment les statistiques avaient sous-estimé l'enseignement privé réservé aux filles dans le premier XIXe siècle et surestimé les « progrès » du dernier quart du siècle. La statistique abonde dans les manuels, mais elle ne peut être considérée que comme un indicateur. Enfin, plus récemment, une socio-histoire des professions (des professeurs du secondaire essentiellement) et des carrières scolaires des élèves a renouvelé le bilan que l'on pouvait faire de l'égalité des filles et des garçons et de la mixité dans l'espace éducatif. Ces études montrent que, pour cerner l'importance d'un phénomène, il est nécessaire d'entreprendre des études comparatistes entre les pays comme entre les sexes.

L'éducation des filles « sur les genoux de l'Église » au XIXe siècle

L'Église catholique détient de longue date la responsabilité de l'éducation des filles : elle prône une scolarisation différenciée avec une stricte séparation entre filles et garçons. L'édifice des écoles chrétiennes, ébranlé au cours de la période révolutionnaire par la suppression des congrégations, se reconstitue progressivement à partir du Premier Empire.

La ségrégation scolaire des filles

Deux principes organisent l'enseignement : la séparation des sexes et la spécificité de l'instruction des filles astreintes « aux travaux de leur sexe » (travaux d'aiguille). L'ordonnance du 29 novembre 1816 stipule que « les garçons et les filles ne pourront jamais être réunis pour recevoir l'enseignement »; une ordonnance de 1819 interdit aux femmes de faire la classe aux garçons. Ces deux textes deviennent la norme, même si des exceptions sont tolérées, par nécessité. La loi Guizot de 1833 fonde un enseignement d'État et rend obligatoire une école de garçons dans les communes de plus de 500 habitants, autorise les petites communes à regrouper garçons et filles à condition d'avoir une séparation matérielle permanente entre le côté filles et le côté garçons, les sorties des unes et des autres ayant des horaires décalés (la cloison est supprimée dans les textes par la loi Goblet de 1886). Le maître est perché sur une chaire pour dominer les deux parties de la classe.

Au cours du premier XIXe siècle, les congrégations féminines se développent, particulièrement les congrégations enseignantes : la dispense du brevet de capacité, nécessaire en principe pour enseigner, favorise cet essor, officialisé et accentué avec l'adoption en 1850 de la loi Falloux sur l'instruction primaire. Les communes de plus de 800 habitants sont tenues alors d'avoir une école de filles. L'instruction morale et religieuse est, pour toutes, essentielle. Jusqu'en 1859, l'Église et le nouveau régime (Second Empire) s'accordent sur une politique scolaire commune (le « divorce » a lieu à cause de la politique italienne de Napoléon III). L'accélération de l'essor des congrégations féminines est alors notable : la majorité des écoles sont, en 1865, dirigées par des congréganistes. Le succès des congrégations au cours du siècle tient à ce qu'elles ont su s'adapter avec souplesse aux différents milieux sociaux en proposant une offre diversifiée selon les ordres. Par exemple, les sœurs Saint-Charles et les sœurs Saint-Joseph se chargent des filles du peuple; les Ursulines ou les sœurs de Notre-Dame des filles de la bourgeoisie. Deux filles sur trois sont sous leur influence. Plus de 80 % dans certains départements de l'Ouest et du sud-est du Massif central (dont la Loire et la Haute-Loire).

L'esprit du siècle est à la ségrégation des sexes. Elle est fondée sur la place spécifique accordée aux femmes dans la société : elles doivent être mères, épouses, ménagères ou maîtresses de maison selon leur rang social. Pour la hiérarchie catholique, une éducation fondée sur la morale et la religion doit régénérer la société par le biais des femmes (importance du rôle de Monseigneur Dupanloup auteur de la formule, éduquer les filles « sur les genoux de l'Église »). Cependant, dans la société de la première moitié du siècle, l'instruction n'est pas considérée comme très utile, singulièrement pour les filles des milieux populaires qui sont requises à la maison, aux champs, ou à l'atelier. Leur fréquentation de l'école est discontinue, quelques mois par an et encore de façon irrégulière. En ville, l'offre de travail industriel a un double effet : si elle pousse les femmes à travailler à l'extérieur de leur foyer, donc à placer les jeunes enfants à l'école (d'où, à partir de 1827, le développement de salles d'asile pour les plus jeunes enfants, devenues écoles maternelles en 1881, toujours mixtes)[5], elle conduit aussi très précocement les filles comme les garçons à l'usine, à la mine ou dans l'atelier; les lois de 1841 (interdiction de travail avant 8 ans) et celle de 1874 (limitation horaire du travail des enfants et des jeunes filles) sont un témoignage de cette nécessité, dans le cadre d'un revenu familial : femmes comme enfants sont requis à l'ouvrage par les dures réalités quotidiennes. Après leur première communion, les filles peuvent être mises au travail dans des espaces contrôlés par les religieuses : les couvents et les usines-internats. Ces deux formes particulières d'institutions témoignent à la fois de ces nécessités économiques dans les couches populaires et de la volonté de l'Église d'encadrer et de former les filles : celle des couvents-ouvroirs et celle des béates.

Les Béates sont une particularité régionale, développée surtout dans le Massif central, en Haute-Loire particulièrement : en 1880, plus de 800 Béates instruisent 12 000 filles du département. Instrument de christianisation des campagnes et de certains quartiers urbains, ces laïques, qui ont fait souvent leur noviciat, enseignent le catéchisme et la dentelle aux filles. « Femmes qui aident » dans les villages, elles sont les auxiliaires des curés, disent les vêpres, s'occupent de médecine et de pharmacie et enterrent les morts. Avec la confection de la dentelle, vendue au profit de l'Église, lecture et catéchisme sont les axes fondamentaux de l'apprentissage dispensé, mais la lecture tient plus de la récitation que de la compréhension. Plus généralement, l'éducation chrétienne inculque une certaine discipline du corps et de l'esprit : les prières, les cantiques, la confession visent à développer l'humilité envers Dieu, la douceur et la tempérance des émotions et des désirs. La discipline (et le travail d'aiguille) fait le reste. Le culte de Marie, femme vierge et mère, qui se développe au milieu du siècle, galvanisé par la proclamation de l'Immaculée Conception en 1854, connaît un âge d'or et a contribué à forger un univers féminin spécifique[6]. Le terme normal de l'éducation chrétienne est la première communion, rite d'initiation et rite de passage, faite à 10 ans au début du siècle, à 12 ans à la fin, qui célèbre la virginité (robes blanches). Elle sert de borne pour la mise au travail précoce. Dans les cou-

5. LUC Jean-Noël, *L'Invention du jeune enfant au XIX*e *siècle : de la salle d'asile à l'école maternelle*, Belin, 1997.

6. Voir sur ce point le chapitre 6 de MICHAUD Stéphane, *Muse et Madone. Visages de la femme de la Révolution française aux apparitions de Lourdes*, Seuil, 1985.

vents-ouvroirs, dont certains, comme le Refuge, sont consacrés à la rééducation et la régénération morale, les filles, confiées aux sœurs par leurs parents travaillent dans le silence absolu entrecoupé seulement par les prières et les cantiques. L'influence de ces couvents-ouvroirs perdure jusqu'à la fin du siècle. Ils se substituent à la puissance paternelle instituée par le Code civil. Les filles représentent 41 % des mineurs (74000) qui subissent, entre 1846 et 1914, la « correction paternelle », dans laquelle se sont spécialisés les couvents du Refuge : l'exemple est exceptionnel, mais paradigmatique. La pratique tombe en désuétude au début du XXe siècle. Le rôle des religieuses s'amenuise. Avec la scolarisation obligatoire, l'État a pris le relais et la succession du père pour le châtiment de l'inconduite des filles ; la loi de 1912 institue les tribunaux pour enfants. Les ouvroirs qui subsistent, ou qui sont créés, après 1882, ont pour but de moraliser la famille ouvrière, y maintenir la tradition chrétienne et éviter les embauches précoces.

De la ségrégation à la séparation des sexes

À partir de 1863, le monopole clérical est contesté en particulier par les républicains. Ils trouvent une oreille attentive auprès de Victor Duruy, nouveau ministre de l'Instruction publique de Napoléon III, qui propose un projet d'école laïque et obligatoire, refusé par le gouvernement, mais qui rend cependant obligatoire en 1867 une école de filles dans les communes de plus de 500 habitants. Les préfets sont invités à contrôler les communes de leur département et à favoriser la formation d'un personnel féminin par la création d'écoles normales pour les filles. En 1875, au moment de l'instauration de la IIIe République, il y a presque autant de filles scolarisées que de garçons (2316000 filles contre 2401000 garçons). Dès le milieu du XIXe siècle, les progrès numériques de la scolarisation montrent que le principe d'une instruction pour les filles se diffuse dans l'ensemble du corps social. La différence entre les deux sexes porte sur la nature des écoles : les filles sont-elles instruites par des laïques ou des congréganistes ? dans une école publique (qui peut être dirigée par des congréganistes) ou dans une école privée (qui peut être dirigée par des laïques) ? La majorité des filles fréquente les écoles congréganistes et l'enjeu devient important pour les républicains. Dans un célèbre discours de 1870 (avant la chute de l'Empire), Jules Ferry prône la nécessité de s'intéresser à l'éducation féminine : « Les évêques le savent bien ; celui qui tient la femme, celui là tient tout, d'abord parce qu'il tient l'enfant, ensuite parce qu'il tient le mari... Il faut que la démocratie choisisse sous peine de mort. Il faut que la femme appartienne à la science ou qu'elle appartienne à l'Église. »

Au XIXe siècle, l'enfance est très lentement constituée en classe d'âge, dont le temps est progressivement découpé selon des rythmes quotidiens, hebdomadaires et annuels qui lui sont propres, le temps scolaire[7]. Les filles sont

7. LEVI Giovanni et SCHMITT Jean-Claude (dir.), *Histoire des jeunes en Occident. L'époque contemporaine*, Seuil, 1996 (en particulier l'article de Jean-Claude Caron, « Les jeunes à l'école »,

les dernières parmi les enfants à ne plus dépendre seulement de leurs familles. L'incorporation des rites et des habitudes liés à ce temps scolaire ne se fera que lentement (de même que le temps industriel pour les jeunes et les adultes). L'école est le lieu assigné à cet âge de la vie, avec une séparation par âge et par sexe.

De la séparation des sexes à la mixité (1882-1957)

Comme le montrent les propos de Jules Ferry, avec l'installation de la République, la scolarisation des filles devient un enjeu politique. La politique de sécularisation des écoles primaires avait commencé dès la fin du Second Empire (1852-1870) dans des municipalités acquises aux idées libérales et anticléricales. C'est le cas à Saint-Étienne (Loire) : la municipalité stéphanoise d'opposition « républicaine et anticléricale », élue en en 1865, met en place une politique scolaire offensive à l'encontre des congrégations religieuses, en exigeant le brevet de capacité (90 % des institutrices congréganistes ne l'ont pas à cette date) et en ouvrant des écoles laïques en particulier pour les filles. Les 3/4 d'entre elles sont, en 1871, éduquées par les religieuses et formées à leur rôle de mère et de chrétienne, à travers un savoir-faire domestique et une éducation religieuse poussée[8]. Dans ces écoles, on se préoccupe de développer une éducation fondée sur la morale, la discipline et la bonne tenue, alors que les laïques se préoccupent surtout du savoir, de l'instruction et de la formation professionnelle. Notables républicains et inspecteurs primaires dénoncent continûment – à tort ou à raison – la faible qualité de l'enseignement des congréganistes.

En 1879, la République est consolidée, Jules Ferry devient ministre de l'Instruction publique. À cette date, 76 % des garçons sont inscrits dans le public laïque et 56 % des filles sont éduquées par les congréganistes (dans le privé ou dans le public). Première des grandes lois républicaines sur l'école, la loi Paul-Bert (souvent passée sous silence) est promulguée le 9 août 1879; elle rend obligatoire l'entretien par les départements d'une école normale de filles pour former les institutrices, dans un « corps enseignant » dévoué à l'État. Il faut souligner cependant que le texte toujours cité de Jules Ferry sur la neutralité scolaire et la laïcité s'intitule « Lettre aux instituteurs » (et non aux institutrices oubliées dans cette adresse solennelle). Mais, si les écoles normales se multiplient dans la décennie suivante, le recrutement des institutrices est très diversifié et l'influence congréganiste sur l'éducation des filles ne décroît que lentement. En 1881 est adoptée la loi sur la gratuité, en mars 1882, celles sur l'obligation et la laïcité. Des écoles de filles sont systématiquement

p. 143-207). BECCHI Eglge et JULIA Dominique (dir.), *Histoire de l'enfance en Occident du XVIIIe à nos jours*, Seuil, 1998 (tome 2). ROLLET Catherine, *Les Enfants au XIXe siècle*, Hachette, coll. « La vie quotidienne », 2001.

8. CURTIS Sarah, *L'Enseignement au temps des congrégations dans le diocèse de Lyon (1801-1905)*, Lyon, PUL, 2003, p. 144.

construites à côté des écoles de garçons dans une symétrie architecturale, visible encore aujourd'hui, qui témoigne à la fois de la volonté d'égalité de l'instruction entre les sexes, mais aussi de leur séparation indispensable. En 1883, les communes ont l'obligation de construire des écoles dans les hameaux : ces écoles pourront être mixtes, en raison du faible nombre d'élèves inscrits. Dans ce cas, filles et garçons doivent être séparés dans la classe :

> « Les garçons pourront par exemple occuper les bancs les plus rapprochés et les filles ceux du fond de la classe. Un intervalle de 0,80 m sera réservé entre eux, la cour étant divisée par une claire-voie, et les préaux distincts [...]. Dans toutes les écoles mixtes les latrines doivent toujours être en vue de l'estrade du maître et divisées en deux cabinets distincts et isolés l'un de l'autre[9]. »

L'enseignement congréganiste – qui se transforme en employant des religieuses plus jeunes et mieux formées – connaît une très lente érosion de ses effectifs, malgré la loi Goblet de 1886 sur la laïcisation du personnel, et ce, jusqu'à la loi de juillet 1904 qui interdit l'enseignement à toutes les congrégations. Pour pendre un exemple de la lenteur du processus de laïcisation, il faut souligner que la dernière école primaire de filles n'est laïcisée qu'en 1909 dans le département de la Loire.

L'étude des effets de la loi sur l'obligation scolaire est intéressante à plus d'un titre : on constate à la fois, grâce aux registres d'appel remplis par les institutrices et instituteurs, demi-journée par demi-journée, l'irrégularité de la fréquentation scolaire, non seulement dans les campagnes, mais aussi dans certains quartiers populaires urbains : les filles sont employées pour faire des courses dans le quartier, remplacer la mère au travail ou malade auprès des tout-petits (et les garçons, eux, sont envoyés dans la campagne proche à la belle saison pour faire les foins ou garder les vaches). Progressivement, on constate l'intérêt croissant dans les familles populaires – et particulièrement des mères – pour l'instruction des filles, surtout quand elles sont encouragées par des institutrices ou des directrices d'école au vu de leurs résultats scolaires. En effet, le rattrapage des garçons par les filles est aussi qualitatif : à la fin du XIXe siècle, les filles réussissent autant que les garçons au certificat d'études primaires. La concurrence entre enseignement congréganiste et enseignement laïque a finalement favorisé, en un quart de siècle, la scolarisation des filles. Ce sont les lois scolaires de la IIIe République qui contribuent à constituer une nouvelle catégorie, l'adolescence – dont la borne est marquée par la fin de l'obligation scolaire –, âge intermédiaire entre l'enfance et la jeunesse : pour les filles des classes populaires, la période de l'adolescence sera prise en compte au XXe siècle seulement.

Des apprentissages spécifiques sont prévus dans les programmes de 1882 : exercices militaires pour les garçons, travaux à l'aiguille pour les filles. De plus, les travaux manuels sont distincts pour chacun des deux sexes (tricot, couture et économie domestique pour les filles). Cependant, il faut se garder de l'illusion produite par les textes normatifs. En 1909, la Ligue de l'en-

9. Instructions ministérielles de 1880, citées par DUBESSET et ZANCARINI-FOURNEL, 1993, p. 45-46.

seignement constate que les directives sur l'enseignement ménager ne sont pas appliquées par les institutrices. Les injonctions répétées des inspecteurs primaires dans les conférences pédagogiques montrent que l'application des textes officiels, en ce domaine, est difficile. Dans les écoles construites dans l'entre-deux-guerres, la salle prévue à cet effet pour l'éducation domestique (cuisine, etc.) est régulièrement transformée en dépôt de fournitures. Les institutrices, qui se sont battues pour avoir l'égalité de traitement avec les hommes (obtenue en 1919), ont fait en sorte que l'égalité des savoirs soit aussi réelle pour les filles que pour les garçons. Figures fortes d'identification, ces institutrices sont pour les filles une sorte de modèle et de vecteur des aspirations à l'ascension sociale. Cependant, l'égalité de scolarisation dans le primaire ne signifie pas forcément l'émancipation. L'apparent égalitarisme de la formation scolaire se heurte souvent aux nécessités sociales et familiales qui conduisent les filles (comme les garçons) des milieux populaires au travail dès la fin de la scolarité obligatoire. Si la séparation des sexes est la norme jusqu'en 1957, la ségrégation sous la IIIe République (1875-1940) et sous la IVe (1946-1958) est avant tout sociale.

Coéducation et mixité

Si le principe de la coéducation – éducation des deux sexes ensemble avec une pédagogie égalitaire – a été discuté dans des minorités actives de féministes et d'enseignantes au tournant des XIXe et XXe siècles, la mixité ou co-instruction – la présence côte à côte de filles et de garçons sans pédagogie spécifique – est un fait avant d'être un principe défendu et explicité. En effet, l'introduction de la mixité n'a jamais été faite au nom des principes, mais par nécessité économique. La mixité était déjà tolérée dans les écoles primaires de garçons créées à la suite de la loi Guizot (1833) ; elle était également présente en 1884 dans les écoles de hameaux, avant-postes de la République dans les campagnes. Dans les villages de l'entre-deux-guerres, les « écoles géminées » rassemblaient garçons et filles dans la même classe, là où les effectifs d'enfants étaient insuffisants pour maintenir des classes différentes, les institutrices étant chargées de l'enseignement aux plus petits [10]. Après la Seconde Guerre, l'introduction de la mixité se fait partout où s'érigent de nouvelles constructions d'écoles, de collèges ou de lycées, en particulier dans les zones reconstruites de l'Ouest de la France. En 1957, elle est étendue par circulaire dans tout le secondaire avec l'arrivée en sixième des classes pleines du *baby boom*. L'introduction de la mixité est donc un processus complexe et non uniforme sur le territoire. Il est piquant de constater que la mixité semble aujourd'hui être une évidence et un principe intangible de la République, alors qu'il s'agit d'une construction historique sous la pression de la conjoncture démographique. Et d'une histoire fort récente.

---

10. ZANCARINI-FOURNEL Michelle, « Coéducation, gémination, mixité, débats dans l'Éducation nationale », *in* Rebecca Rogers (dir.), *La Mixité dans l'éducation. Enjeux passés et présents*, Lyon, ENS Éditions, 2004, p. 25-32.

L'éducation des élites : couvents, cours secondaires, lycées

Au XVIIIe siècle, un vif débat a eu lieu sur les rôles respectifs de l'État, de l'Église et de la famille dans l'éducation. Au siècle des Lumières, un double mouvement avait transformé l'éducation des filles des élites sociales : d'une part, l'éducation par la mère est valorisée au détriment de celle du couvent et, d'autre part, les pensionnats s'ouvrent sur l'extérieur avec l'introduction des « arts d'agréments » (musique, dessin, danse) qui serviront aux jeunes filles à se conduire dans le monde[11]. Au XIXe siècle, se fait progressivement le passage entre une éducation chrétienne et une éducation d'État. Deux exceptions dès le début du siècle : l'enseignement secondaire pour les garçons est organisé par Napoléon Ier avec la création des lycées (1802). Pour certaines filles, les orphelines de ses valeureux soldats, l'Empereur crée des maisons de la Légion d'honneur, la principale étant celle de Saint-Denis, et en confie la direction à la congrégation de la Mère de Dieu qui se charge de donner à ces orphelines, une bonne éducation avant une solide instruction[12].

« Passer de la maison paternelle à la maison conjugale »

En 1836, un député (cité par Gabrielle Houbre[13]) résume, par cette expression, la situation des jeunes filles de la bonne société. Pour elles, le mariage précoce (entre 16 et 19 ans alors qu'il est à 25-26 ans dans les autres catégories sociales) s'explique par la politique des alliances matrimoniales. En effet, l'éducation des filles des élites bourgeoises et aristocrates est avant tout conçue pour les préparer à leur fonction d'épouse et de mère. L'offre d'éducation est diversifiée. Le choix de la rupture avec l'environnement familial, d'usage chez les garçons, ne s'impose pas toujours pour les filles. L'éducation maternelle, essentiellement morale, est complétée par l'intervention du confesseur et par des leçons particulières. Traditionnellement, un certain nombre de filles vont encore, avant le mariage, au couvent, où leur éducation est faite par des religieuses. Un emploi du temps strict, plus de dix heures de cours, des exercices de piété, pas de sortie : cet apprentissage de dressage du corps et de l'âme a pour fonction de calmer les ardeurs juvéniles. Les pensions et institutions laïques sont nombreuses également, particulièrement à Paris. En 1840, un courant réformateur critique l'éducation secondaire des jeunes filles qui passent dix ans de leur vie, entre 8 et 18 ans, dans des pensionnats. En 1846, plus de 13487 élèves sont inscrites dans 226 établissements (alors que les institutions religieuses n'accueillent à cette date qu'environ 1600 jeunes filles[14]). Couvents et pensionnats isolent les filles

---

11. JULIA Dominique, *Atlas de la Révolution française*, 1989.
12. ROGERS Rebecca, *Les Demoiselles de la Légion d'honneur*, Plon, 1992.
13. HOUBRE Gabrielle, *La Discipline de l'amour, L'éducation sentimentale des filles et des garçons à l'âge du romantisme*, Plon, 1997.
14. ROGERS Rebecca, « Le professeur a-t-il un sexe? Les débats autour de la présence des hommes

dans un univers unisexué où la pédagogie de l'ignorance est appliquée pour réguler les désirs et les conduites amoureuses. L'exaltation de la pureté, vertu individuelle cultivée par le recours à la confession, construit le modèle de la perfection virginale. Le journal intime, qui devient un rituel de l'adolescence, est à la fois le confident de ces émotions bridées et l'exercice qui contribue à les mâter; les journaux sont souvent surveillés par les mères[15]. On traque aussi, particulièrement dans les internats, les « risques » d'homosexualité féminine. Ainsi, Aurore Dupin (dite George Sand, 1804-1876) placée de 14 à 16 ans au couvent des Augustines anglaises à Paris :

> « La grande erreur de l'éducation monastique est de vouloir exagérer la chasteté. On nous défendait de nous promener à deux, il fallait au moins être trois; on nous défendait de nous embrasser; on s'inquiétait de nos correspondances innocentes, et tout cela nous eût donné à penser si nous eussions eu en nous-mêmes non seulement le germe des mauvais instincts que l'on nous supposait apparemment[16]. »

Après la loi Falloux de 1850, les pensionnats et les institutions laïques de jeunes filles déclinent au profit des établissements congréganistes.

Se cultiver ou acquérir un métier pour les filles de la bourgeoisie

Dans la seconde moitié du XIXe siècle, les familles bourgeoises deviennent de plus en plus réfractaires à l'internat. Les pensionnats font place à des « cours », en externat, qui ne coupent pas les filles de leur milieu familial (voir l'exemple du cours Désir fréquenté par Simone de Beauvoir et décrit dans *Mémoires d'une jeune fille rangée*). Jules Simon en fait le constat en 1867 (au Corps législatif à la fin du Second Empire) :

> « Les filles, même dans les pensionnats les plus élevés, reçoivent une éducation futile, incomplète, toute d'arts d'agréments [...]. Nous voulons faire des femmes les compagnes intellectuelles de leurs maris, et il n'est personne qui puisse nier que l'instruction qu'on leur donne aujourd'hui ne les prépare pas à ce rôle[17]. »

Une innovation institutionnelle permit de satisfaire ces nouvelles conceptions éducatives. Victor Duruy incite (et soutient financièrement) l'ouverture, à l'initiative de municipalités, de cours secondaires payants, dont les horaires et les obligations seraient souples et adaptés aux occupations des familles bourgeoises (migrations d'été dans les maisons de campagne, les stations balnéaires ou les villes d'eaux). Dès le départ, Duruy conçoit ces cours comme un enseignement « spécial », à l'imitation de celui institué pour les garçons en 1865 (sans langues mortes). Des cours de littérature, de sciences,

---

dans l'enseignement secondaire féminin, 1880-1940 », *Clio, Histoire, Femmes et Sociétés*, n° 4, Gabrielle Houbre (dir.),« Le temps des jeunes filles », 1996, p. 224-225.

15. Lejeune Philippe, *Le Moi des demoiselles. Enquête sur le journal de jeune fille*, Seuil, 1993.
16. Sand George, *Histoire de ma vie*, citée par G. Houbre, 1997, p. 179.
17. Mayeur, 1984, p. 140.

de langues vivantes, de dessin et d'histoire sont dispensés aux jeunes filles. Il n'y a ni contrôle d'assiduité ni obligation de faire les exercices, mais, en fait, la « mode du brevet » se répand sous le Second Empire et les cours permettent d'accéder, par ce biais, au métier d'institutrice. Certaines villes rendent les cours gratuits. La résistance catholique est immédiate et ample. Monseigneur Dupanloup résume dans une formule percutante le but essentiel de cette institution, qui représente une véritable concurrence pour les établissements congréganistes et pour l'éducation chrétienne : « Les jeunes filles sont élevées sur les genoux de l'Église; faisons-les passer à bas prix dans les bras de l'Université. »

Développés dans une quarantaine de villes, ces cours permettent de fait à un petit nombre (quelques milliers) de filles de la moyenne bourgeoisie (les élites aristocratiques et de la haute bourgeoisie s'en détournent) d'échapper à la tutelle de l'Église. Pour le ministre Duruy (remercié cependant en 1869), l'éducation morale et religieuse est du domaine du privé des familles. Sans visée professionnelle explicite, ces cours représentent une forme souple d'éducation des filles de la « bonne société » et ils survivent, comme cours privés, au-delà même de la Seconde Guerre mondiale. Avant la fondation d'un enseignement secondaire féminin d'État, créé par les républicains au pouvoir, les pensionnats laïcs, comme les congrégations, de même que les cours Duruy, ont fortement contribué, dans les villes, à l'éducation des filles de la bourgeoisie.

Un enseignement et des enseignantes spécifiques dans les lycées de filles

« La République instruit les vierges, futures mères des hommes. » Cette citation de Camille Sée, est celle d'un homme politique relativement isolé dans le personnel républicain : il a eu du mal d'une part à trouver une majorité pour faire passer sa loi créant les lycées de jeunes filles (1880) et ensuite à la faire appliquer. Le réseau des lycées de filles ne se constitue que lentement : 32 en 1896, 46 en 1907, 78 en 1838[18]. La loi de 1880 organise donc un enseignement secondaire féminin avec des programmes et des horaires spécifiques, différents de ceux des lycées de garçons. Si le premier enseignement est la morale (détachée ainsi de la religion), les filles n'ont droit ni à la philosophie ni aux humanités (pas de grec, le latin est facultatif). Les filles n'ont qu'une initiation aux sciences (arithmétique, géométrie, chimie et histoire naturelle) réputées pour dessécher les esprits. Étaient prévus cependant des cours de droit usuel, et des cours d'économie domestique (peu ou pas dispensés en réalité), des travaux à l'aiguille, du dessin et du chant. Mais ces derniers enseignements étaient mal considérés et sous-payés. Dès le début s'établit donc un enseignement féminin à forte dominante littéraire et

18. Prost Antoine, « Les grandes étapes de l'histoire des lycées de 1802 à 2002 », *Mémoires de lycées. Archives et patrimoine*, Direction des Archives de France/INRP, 2003, p. 9-15.

linguistique, une hiérarchie et un « genre » des disciplines : tendance de longue durée qui perdure aujourd'hui. Les filles ne peuvent, dans un premier temps, passer le baccalauréat. Des pionnières, avec beaucoup de difficultés, sont cependant parvenues à y accéder. Tel a été le cas de la première bachelière, Julie Daubié, qui, après de nombreux refus, réussit en 1861, à 37 ans, à passer le baccalauréat dans l'académie de Lyon[19]. Quinze bachelières seulement y parviennent de 1861 à 1873 (dont cinq en 1873)[20]. Le baccalauréat conditionne l'entrée dans l'enseignement supérieur et les étudiantes ne seront pendant longtemps que des exceptions.

Dès le départ, Camille Sée met en place une formation pour les enseignantes et crée l'École normale de jeunes filles de Sèvres (loi du 26 juillet 1881). Pour accéder aux concours de l'enseignement, des voies différentes se mettent en place pour les garçons et pour les filles. Il n'y a pas d'agrégation de philosophie, de sciences ou de géographie et les filles sont alors admises à passer les concours masculins. Il y a une agrégation de lettres spécifiquement féminine (sans humanités classiques) et des agrégations de langues. Il serait trop complexe ici d'évoquer le maquis de l'histoire des agrégations masculines et féminines (les agrégations ne sont devenues totalement mixtes qu'en 1976). En 1938, il y avait seulement 104 agrégées masculines qui représentaient 8 % des agrégés et 2,6 % du corps professoral féminin[21]. La loi de 1904 sur l'interdiction des congrégations joue un rôle déterminant pour le transfert des filles vers l'enseignement laïc. En 1881, 6000 filles fréquentent le secondaire féminin; elles sont 12000 en 1891 et 35000 en 1914 (les garçons sont deux fois plus).

Il faut signaler la création en 1880 de l'École normale de Fontenay-aux-Roses, destinée à former les professeurs qui enseigneront dans les écoles normales d'institutrices. Si le mode de fonctionnement est identique à celui de Sèvres, un « couvent laïque », la création de l'École normale de Fontenay-aux-Roses pour les filles (et de Saint-Cloud pour les garçons) est explicitement liée à la pédagogie de l'enseignement primaire. L'École normale de Sèvres organise un enseignement supérieur féminin complètement indépendant de l'université (les élèves ne passent pas la licence), sanctuaire des humanités modernes. Les élèves, internes, étudient dans le recueillement d'un noviciat laïque, la laïcité étant le fondement de la morale et la nouvelle « religion ». Les directrices ont été très attachées au développement de la personnalité des élèves, initiées également aux charges de maîtresse de maison. Le régime des études est strict : 20 heures de cours, 6 heures d'exercices écrits, 30 heures de travail personnel par semaine, une sortie par semaine à Paris (jusqu'à 19h30) et l'autorisation de se promener dans le parc. L'École normale de Sèvres passe, sous l'action de ses directrices successives, de

19. « Julie Daubié », *Cahiers du Centre Pierre Léon*, 1993, 2-3.
20. MAYEUR, 1984, p. 123.
21. EFHTYMIOU Loukia, « Le genre des concours », *CLIO, Histoire, Femmes et Sociétés*, n° 18, Françoise Thébaud et Michelle Zancarini-Fournel (dir.), « Coéducation et mixité », 2003, p. 91-112.

« l'égalité dans la différence », voulue par les créateurs de l'enseignement secondaire féminin, à « l'égalité dans l'identité » qui affirme une identité féminine pointée par Simone de Beauvoir : « Je ne tenais pas à m'enfermer hors de Paris avec des femmes[22]. » Sèvres est destinée à former des professeurs du secondaire, des fonctionnaires dévouées et disciplinées qui transmettent, mais ne créent pas. De 1881 à 1939, 1621 Sévriennes ont été formées et ont passé un certificat d'aptitude à l'enseignement secondaire[23]. Dans l'entre-deux-guerres, une partie de l'élite des élèves des classes préparatoires se détourne de la préparation à Sèvres et préfère le concours d'Ulm et les préparations masculines. Sèvres ne s'adapte que très progressivement : le latin, facultatif en 1919, devient obligatoire en 1928. La composition de morale et de psychologie se transforme en épreuve de philosophie. Sèvres se rapproche d'Ulm jusqu'au décret de 1937 qui prévoit l'égalité entre les deux ENS... et l'interdiction aux filles de passer le concours masculin d'Ulm (comme Simone Weil l'a fait en 1928 par exemple). Les Sévriennes ne préparaient pas l'agrégation – qui donnait le titre de professeur de lycées –, mais la passait parfois comme promotion interne dans les premières années d'enseignement. En 1927, un arrêté d'Édouard Herriot les autorise cependant à la passer (sans avoir la licence préparée seulement dans les universités). L'École de Sèvres a été rattachée longtemps à l'enseignement secondaire (jusqu'en 1937) et non, à la différence de l'ENS d'Ulm, à l'enseignement supérieur. La directrice d'alors, Eugénie Cotton, est la première à être docteur ès sciences et non directrice de lycée. C'est elle qui modernise l'École et la conduit à obtenir l'égalité avec l'École normale supérieure de garçons. Il faut cependant s'interroger sur les effets de cet apparent égalitarisme, puisque les filles ne sont plus autorisées à se confronter aux garçons dans les préparations aux concours et sont de nouveau cantonnées « entre elles ». La guerre, l'Occupation et le régime de Vichy ne permettent pas d'évaluer les résultats de ce changement institutionnel qui apparaît en fait comme une forme de régression des possibles pour les individues.

L'enseignement secondaire féminin a longtemps été conçu comme un enseignement spécifique en raison des « qualités » attribuées au sexe féminin. C'est ainsi que, dans les lycées, l'horaire hebdomadaire des cours n'était que de 20 heures pour préserver la période délicate de puberté féminine (arrêté du 28 juillet 1884). Les études, organisées en deux cycles, se terminent par un « diplôme de fin d'études secondaires » qui n'est ni le brevet (à finalité professionnelle) ni le baccalauréat (qui demande des efforts disproportionnés par rapport aux finalités de l'enseignement féminin). En effet, ce qui prime ce sont les études dites « désintéressées ». Mais sous la pression de ce que les sociologues appellent la « demande sociale » et la volonté des filles (essentiellement issues de la petite bourgeoisie) fréquentant les lycées de passer des examens pour exercer une profession, le baccalauréat rem-

22. BEAUVOIR Simone de, *Mémoires d'une jeune fille rangée*, p. 221.
23. MARGADANT Jo BUR, Madame le professeur, *Women Educators in the Third Republic*, Princeton University Press, 1990.

place progressivement le brevet au début du XXe siècle (la réforme de 1902 du baccalauréat ouvre de nouvelles possibilités à condition de faire des cours supplémentaires et payants de latin). En 1905, le collège Sévigné, privé et laïque, crée une préparation au baccalauréat, avec apprentissage accéléré du latin. Le modèle se diffuse dans les lycées de jeunes filles où l'on emploie les professeurs des lycées de garçons pour enseigner le latin. En 1912, 450 candidates sont reçues à la première partie du bac et 289 à la seconde partie. Le Conseil supérieur de l'Instruction publique reconnaît aux femmes l'égalité d'accès aux grades universitaires et en 1913 autorise les cours de latin dans les lycées de jeunes filles. À la veille de la guerre de 1914, les structures sont quasiment en place pour une égalitarisation des cursus. L'enseignement secondaire féminin est assimilé à l'enseignement masculin par le décret Bérard du 25 mars 1924. Dès 1925, programmes et horaires sont identiques dans les lycées de filles et les lycées de garçons. La préparation au diplôme de l'enseignement secondaire devient marginale. Reste la question des professeurs et de la mixité des établissements.

Les expériences de mixité de l'entre-deux-guerres

Nous avons déjà évoqué le cas des jeunes filles préparant les concours d'Ulm dans des classes préparatoires masculines, mais elles ne sont que quelques dizaines. En 1922, les filles sont autorisées à suivre les classes de philosophie et de mathématiques élémentaires des lycées de garçons. À partir de 1932, par mesure d'économie, un certain nombre de classes de terminales de lycées de filles (inférieures à cinq élèves) sont supprimées et regroupées dans les lycées de garçons. Depuis l'origine des pensionnats laïcs, il y avait déjà des professeurs hommes dans les établissements féminins. Dans les cours Duruy, puis dans les lycées (pour les cours de latin en particulier), la pratique avait perduré. Pendant la Grande Guerre, les professeurs femmes avaient enseigné dans les lycées et les collèges de garçons. Mais la coéducation d'élèves, filles ou garçons, est une nouveauté de l'entre-deux-guerres. Elle correspond aussi à des expériences de mixité vécues dans la société civile. L'historienne anglaise Syan Reynolds a pointé les différents lieux de cette nouvelle mixité, en particulier dans les organisations de jeunesse, mais aussi dans les associations, les colonies de vacances, ou encore sur les terrains de sport ou d'aviation[24]. Citons également l'exemple du lycée Marcellin-Berthelot à Saint-Maur, le premier lycée mixte de France en 1937[25].

Il ne faut cependant pas oublier que l'enseignement secondaire – payant jusqu'en 1930 – reste, jusqu'aux années 1960, l'apanage d'une minorité sociale. Quelques personnalités brillantes, aidées par le système des bourses d'État et par une forte volonté familiale, nuancent ce schéma d'ensemble,

24. REYNOLDS Syan, *France Between the Wars : Gender and Politics*, Rootledge, 1996.

25. HOCHARD Cécile, « Une expérience de mixité dans l'enseignement secondaire à la fin des années 1930 : le lycée Marcelin Berthelot à Saint-Maur-des-Fossés », *CLIO, Histoire, Femmes et Sociétés*, n° 18, « Coéducation et mixité », 2003, p. 113-124.

mais ce ne sont que parcours individuels qui ne changent pas l'évolution générale. Proportionnellement, le nombre de filles scolarisées dans les lycées reste identique : elles étaient 35000 contre 69200 garçons en 1914; elles sont 50000 pour 100000 garçons en 1930 : l'écart numérique entre les deux sexes ne s'amenuise qu'après la Seconde Guerre mondiale. Dans l'entre-deux-guerres, les filles sont plus facilement orientées, vers l'enseignement général dans les Écoles primaires supérieures qui conduisent au brevet et qui mènent aux carrières de professeurs, d'institutrices et d'employées.

Les formations post-primaires pour les filles

L'enseignement primaire supérieur organise un enseignement prolongé, au-delà de la scolarité obligatoire et du certificat d'études, dans le cadre de l'enseignement primaire. Gratuites, installées dans les locaux d'une école primaire ou dans un bâtiment autonome, les Écoles primaires supérieures (EPS) rencontrent un succès grandissant auprès de familles des couches populaires. À la veille de la Seconde Guerre mondiale, le nombre de filles entrant dans les EPS est supérieur au nombre de garçons. Le cycle de trois ans de scolarité permet de préparer le brevet élémentaire, ainsi que le concours d'entrée à l'École normale d'institutrices. Le brevet est un des objectifs majeurs des poursuites d'études pour une part notable des élèves. Avec deux années supplémentaires de scolarité, elles peuvent passer le brevet supérieur (préparé ordinairement dans les Écoles normales de filles). Une part importante des institutrices de l'entre-deux-guerres a été recrutée par ce canal, les Écoles normales d'institutrices ne suffisant pas. Il y a effectivement féminisation du corps des instituteurs à cause de la laïcisation des écoles après 1904, des trouées de la guerre de 1914-1918, et de la mixité des écoles rurales de l'entre-deux-guerres (où sont prioritairement nommées les institutrices).

Année scolaire	Instituteurs	Institutrices	% ensemble
1900-1901	57847	50080	46,4
1911-1912	65900	89026	57,5
1921-1922*	47405	74652	61,2
1937-1938	50955	98948	66

Nombre d'instituteurs et d'institutrices dans le premier XXe siècle.

Source : *Annuaire de la Statistique générale de la France (1890-1938).*

* Inclus les départements d'Alsace-Lorraine. Écoles maternelles et écoles primaires.

Les EPS se développent à cause de la nécessité de recruter des institutrices, de la concurrence entre public et privé et des initiatives locales (en particulier des élites protestantes qui favorisent cette scolarisation prolongée). Une des explications de leur succès est le nombre d'établissements offerts aux élèves; une autre témoigne de la volonté des familles de faire accéder leurs filles à une profession valorisante.

Effectifs	Filles	Garçons
Cours complémentaires	67578	56864
Écoles primaires supérieures	54478	50755
Technique	15279	44632
Secondaire	63000	133940
Ensemble	200335	286191

Nombre et répartition des élèves dans les différents types d'enseignement public en 1938.
Source : d'après Briand et Chapoulie, *Les Collèges du peuple*, 1992, p. 18-19.

Les formations techniques proprement dites sont moins développées et moins suivies dans un premier temps, car consacrées aux « métiers féminins » de la couture essentiellement. À la différence des garçons, dont les écoles techniques forment les ouvriers qualifiés et les contremaîtres de l'industrie, les familles préfèrent placer les filles en apprentissage (chez une couturière par exemple), ou les faire accéder à une formation générale dans les Écoles primaires supérieures. Ce sont, dans un premier temps, des cours privés (fabricants de machines à écrire, chambres de commerce) ou des cours du soir municipaux qui forment aux nouveaux métiers du tertiaire. Cependant, entre 1919 (loi Astier) et 1939, les cours de formation technique conduisent à des CAP (certificats d'aptitude professionnelle) de plus en plus nombreux et diversifiés[26].

Survivance et cas-limite

Il faut noter la survivance de pratiques anciennes d'éducation des filles dans des couvents ou des pensionnats pour les filles des classes socials supérieures. L'école Notre-Dame-des-Oiseaux, dans le XVIe arrondissement de Paris[27], recrute les filles d'industriels de banquiers, de cadres administratifs supérieurs pour les préparer à un rôle de mère de famille heureuse et comblée ; 1 500 élèves se répartissent entre le primaire mixte et le secondaire féminin. L'école est un véritable cocon, réservée à un milieu social (le XVIe sud « plus familial, des familles nombreuses et moins mondain »), où l'on fait l'apprentissage des bonnes manières et de la charité chrétienne. Les résultats scolaires ne sont pas négligés puisque 80 % des élèves réussissent au baccalauréat, mais l'instruction est subordonnée à l'éducation. Les anciennes élèves exercent souvent un emploi, le plus souvent à mi-temps, après avoir continué des études dans les filières féminines (école de langues, de relations publiques, écoles privées de commerce...). Elles pratiquent aussi le bénévolat (voire l'humanitaire, pour les plus hardies), qui concilie idéal religieux et vie dans le monde. L'école est devenue mixte en 1989, après accord de la majorité des parents, en commençant par les petites classes, mais en

26. Castets Jean, « Genre et mixité des certifications professionnelles d'une guerre à l'autre », *Clio, Histoire, Femmes et Sociétés*, n° 18, « Coéducation et mixité », 2003, p. 143-153.
27. De Saint-Martin Monique, *Ethnologie française*, 1990, p. 62-70.

conservant cependant des classes non mixtes. Notre-Dame-des-Oiseaux permet à une fraction de la haute bourgeoisie et de l'aristocratie de reproduire la division sexuelle et l'organisation familiale traditionnelles. C'est un cas limite de préservation et de la survivance d'un enseignement féminin spécifique.

De l'exception à la majorité (1971), les étudiantes

> « Si on me demandait quelle est la plus grande révolution à laquelle nous avons assisté de nos jours, depuis la guerre, je ne dirais pas que c'est la mode des cheveux coupés et des jupes courtes, mais l'invasion de l'Université par les femmes, où rarissimes au temps de ma jeunesse il y a trente ans, elles ont été d'abord un tiers, puis moitié, puis les deux tiers, au point qu'on se demande avec inquiétude si, après avoir été jadis nos maîtresses, elles ne vont pas devenir nos maîtres[28]. »
>
> Gustave Cohen, professeur de lettres à la Sorbonne,
> *Les Nouvelles Littéraires*, 4 janvier 1930.

Jusqu'au début de la IIIe République, filles et femmes n'avaient pas accès à l'enseignement supérieur, ni aux facultés. C'est au début des années 1880 que, à la Sorbonne, des étudiantes sont acceptées dans les cours. Les premières bachelières suscitent curiosité et étonnement. Julie Daubié – nous l'avons vu – est la première femme à obtenir le bac en 1861; elle est licenciée ès lettres à la faculté de Paris en 1871. En 1863, Emma Chenu a obtenu le baccalauréat ès sciences à la faculté de Paris; elle est licenciée en mathématiques en 1868. Des romans et des essais sont consacrés aux premières bachelières; elles y sont parfois comparées à des « monstres ». Les pionnières, parfois des femmes d'âge mûr, pénètrent dans des espaces uniquement masculins; ces premières expériences de la mixité semblent avoir été une véritable épreuve. Les facultés ne leur sont ouvertes que très lentement entre 1880 et 1900 : les étudiantes y viennent, dans un premier temps, accompagnées de leurs mères ou d'une domestique et s'assoient sur des bancs réservés, à l'écart des hommes. La réforme du baccalauréat de 1902 fait augmenter le nombre de lauréates et crée selon une observatrice de l'époque « des habitudes de coéducation supérieure ». La faculté des lettres semble être – tradition de l'enseignement féminin – le lieu des études « désintéressées » avant la guerre de 1914, un nombre très faible des inscrites obtient la licence. Le processus ne s'inverse qu'après la Grande Guerre.

Si la première inscrite à l'université est de nationalité française, les premières étudiantes en nombre sont des étudiantes étrangères, russes, polonaises et roumaines, fuyant les pogroms tsaristes de l'empire russe pour s'inscrire dans les universités françaises. En 1901 est fondée l'Association générale des étudiantes, espace intellectuel de solidarité féminine.

28. Notez l'humour grivois et l'inquiétude qui conduit ce professeur en Sorbonne à tronquer les statistiques.

Le premier doctorat en médecine est obtenu par Mme Brès en 1875 ; la première Française docteur en droit est Jeanne Chauvin en 1892, mais elle ne pourra exercer sa profession d'avocate qu'en 1900, après le vote d'une loi proposée par le socialiste René Viviani. Le premier doctorat de sciences physiques est de Marie Curie en 1902. C'est en 1914 que deux candidates sont reçues docteurs à la faculté des lettres de Paris. Jusqu'à 1914, pour les étudiantes, c'est l'âge des pionnières.

Après la Grande Guerre, le nombre d'étudiantes augmente considérablement et elles ne sont plus considérées comme des « bêtes curieuses ». Les facultés les plus restrictives sont celles de droit et de pharmacie. Si les étudiantes en lettres sont nombreuses, subsiste cependant l'idée d'une formation culturelle générale qui n'est pas forcément professionnalisante. Christophe Charle souligne que les professeurs d'universités en lettres sont restés masculins et que, pour les filles, de nouveaux modèles ne pouvaient fonctionner, à la différence de la physique : Marie Curie devient enseignante à Sèvres, puis à la Sorbonne. Le processus est identique en histoire et perdure : 21 % des diplômes du DES (première étape d'un parcours de recherche) sont attribués à des femmes en 1919, 39 % en 1938 et pourtant, en 1965, il n'y avait que cinq femmes professeurs d'histoire dans les universités françaises[29]. C'est dans cette discipline que l'agrégation restera le plus longtemps spécifique au sexe masculin (il existe une agrégation féminine d'histoire et de géographie tournée uniquement vers l'enseignement secondaire jusqu'en 1976). Globalement et quantitativement les effectifs des étudiantes progressent, avant même l'explosion universitaire des années 1965-1968. Il y a une lente, mais sûre progression des filles à la fois en nombre et en pourcentage ; la province grignote son décalage avec Paris, ce qui rend compte de l'évolution des mentalités. En 1971, il y a plus d'étudiantes que d'étudiants ; les filles ont rattrapé et dépassé les garçons : 78 705 bachelières contre 65 024 bacheliers[30].

En un siècle, il y a donc eu renversement complet du paysage des scolarités féminines. Après l'exclusion des savoirs du début du premier XIXe siècle, puis d'un accès retardé et spécifique par rapport aux hommes, à la fin du XXe siècle, elles devancent les garçons au lycée et à l'université, y compris dans les troisièmes cycles universitaires. Cependant, cette réussite n'a pas complètement renversé les clivages sexués : si les filles sont majoritaires dans les disciplines littéraires et la médecine, elles sont minoritaires dans les disciplines scientifiques (sauf en biologie). Leur progression est lente dans les écoles d'ingénieurs prestigieuses (14 % de filles à Polytechnique, alors que la première est entrée – major – en 1972)[31].

---

29. DUMOULIN Olivier, « Archives au féminin, Histoire au masculin. Les historiennes professionnelles en France, 1920-1965 », *Une histoire sans les femmes est-elle possible ?*, Plon Perrin, 1998, p. 343-356.

30. BAUDELOT Christian et ESTABLET Roger, *Allez les filles*, Seuil, 1992 (voir graphique de l'évolution du nombre de réussites au bac, différenciées selon le sexe p. 29 de l'édition de poche 1998).

31. MARRY Catherine, « Filles et garçons à l'école », *in* Van Zanten (dir.), *L'École, l'état des savoirs*,

Conclusion : la massification et la mixité

Si aucune réforme de structure ne fut accomplie sous la IVe République (1946-1958), l'école est profondément transformée pour les filles (comme pour les garçons) par la croissance des effectifs, tant dans le primaire que dans le secondaire, pour deux raisons qui tiennent à l'évolution de la société française. La première est d'ordre démographique : 1947 est l'année maximum de ce qu'on a appelé le *baby boom*, croissance démographique due essentiellement à une natalité qui avait commencé à remonter, dès 1942, après un siècle de stagnation. En 1957, l'examen d'entrée en 6e est supprimé, ce qui ouvre généreusement les portes des établissements secondaires : la génération qui arrive est la plus élevée de tous les temps (1/3 d'élèves en plus par rapport à l'année précédente). La seconde raison est liée à l'extension de la scolarisation; non seulement par l'application de la scolarité obligatoire de 12 à 14 ans (mesure prise par le gouvernement de Front populaire en 1936), puis à 16 ans (décret Berthoin en 1959, applicable à partir de 1967), mais aussi par la prolongation volontaire de la scolarité dans l'enseignement secondaire : l'idéologie de la mobilité sociale est forte pendant la période dite des Trente Glorieuses et elle passe par l'éducation. Le phénomène est particulièrement notable pour les filles. Chaque ordre, primaire, secondaire et technique avait son propre corps enseignant, son administration, ses débouchés, ses normes pédagogiques et ses catégories sociales d'élèves. L'ordre du technique avait été le plus modifié par les centres de formation professionnelle créés sous Vichy. Mais les filières d'apprentissage pour les filles sont limitées (couture, secrétariat, aide sociale). En 1963, la réforme Fouchet crée les collèges d'enseignement secondaire mixtes. Les lycées, eux, deviennent mixtes très diversement : les nouveaux établissements le sont dès leur création. Les plus anciens gardent leur organisation séparée au-delà de 1968 : les filles portent encore une semaine les blouses roses, une semaine les blouses bleues, dans maints lycées de province jusqu'au début des années 1970. La loi Haby en 1975, qui crée le collège unique, supprimant les filières, inscrit la mixité dans la loi pour la première fois dans l'histoire scolaire de la France. Les Écoles normales supérieures sont les derniers établissements à devenir mixtes en 1986.

Malgré le retournement historique de la scolarisation des filles, la mixité n'est pas l'égalité; il y a persistance des inégalités sexuées dans les orientations et les formations. Si le renversement historique des inégalités sexuées est un constat acquis, il ne s'agit pas cependant d'une évolution linéaire. La progression de la scolarisation des filles n'a pas effacé les inégalités entre hommes et femmes, filles et garçons, y compris à l'école. Actuellement, la répartition sexuée des filières (plus littéraires pour les filles, moins techniques et scientifiques) est une donnée massive. Mais les interprétations de ces données sont divergentes (anticipations de l'avenir liées au contexte profes-

---

La Découverte, 2000. MARRY Catherine, *Les Femmes ingénieurs : une révolution respectueuse*, Belin, 2004.

sionnel, effet de la domination masculine ou, au contraire, refus de la compétition et d'un surinvestissement dans la carrière et autre aspiration existentielle globale). Il semble que le poids des stéréotypes sexués soit lourd et relève tout autant des familles que de l'école. L'expansion scolaire a par ailleurs accru les différences entre les diplômé/e/s et ceux et celles qui le sont moins, différence encore plus flagrante dans le cas des femmes au travail (voir chapitre 8).

Chapitre 6

FEMMES, RELIGIONS ET LAÏCITÉ

À la question posée par Bruno Dumons en 2002 « Une histoire des femmes sans la religion est-elle possible? », il faut assurément répondre par la négative et ce chapitre va s'efforcer de le démontrer[1]. Mais on pourrait aussi retourner la question et se demander : une histoire religieuse sans les femmes est-elle possible? L'examen de l'historiographie pourrait, dans nombre de cas, conduire à une réponse positive. Pourtant, la première thèse d'État soutenue en « histoire des femmes », depuis l'apparition de ce champ de recherches, est celle de Claude Langlois, *Le Catholicisme au féminin. Les congrégations françaises à supérieure générale au XIXe siècle*[2], qui démontre la féminisation du catholicisme au XIXe siècle – ce que l'on nomme le « dimorphisme sexuel » (c'est-à-dire la différence de pratique religieuse selon le sexe), avec son apogée au début du XXe, moment où 2/3 à 3/4 des personnes fréquentant les églises sont des femmes. Comme l'écrit Ralph Gibson : « La Séparation (de 1905), votée par des hommes, a été en partie imposée à des femmes[3]. » En partie seulement, et la remarque introduit le second volet de ce chapitre qui concernera le « genre de la laïcité[4] », où nous examinerons le rôle des femmes (et des hommes) – protestantes, protestants et libres-penseurs essentiellement – dans le processus de laïcisation. Si le XIXe siècle est celui de la philanthropie, le XXe siècle est plutôt celui de l'associationnisme, du militantisme et de l'engagement, qu'il soit chrétien ou laïc, avec cependant une permanence du dimorphisme sexuel[5] (même s'il s'atténue à

1. DUMONS Bruno, « Histoire des femmes et histoire religieuse de la France contemporaine : de l'ignorance mutuelle à l'ouverture », *CLIO, Histoire, Femmes et Sociétés*, n° 15, Mathilde Dubesset (dir.), « Chrétiennes », 2002, p. 147-157.
2. LANGLOIS Claude, *Le Catholicisme au féminin. Les congrégations françaises à supérieure générale au XIXe siècle*, Le Cerf, 1984.
3. Cité par FOUILLOUX Étienne, « Femmes et catholicisme dans la France contemporaine », *CLIO, Histoire, Femmes et Sociétés*, n° 2, Agnès Fine et Claudine Leduc (dir.), « Femmes et religions », 1995, p. 319-322.
4. « Genre, laïcité(s), Religions 1905-2005 » est le titre d'un colloque organisé en mai 2005 par Florence Rochefort et Michelle Zancarini-Fournel. Actes à paraître en 2006.
5. LANGLOIS Claude, « "Toujours plus pratiquantes". La permanence du dimorphisme sexuel dans

la fin du siècle), et également de la professionnalisation du secteur médical, à l'initiative de protestantes[6]. Enfin, dans le très contemporain, la question du rapport entre filles, femmes et religions s'est déplacée vers l'islam devenu la seconde religion pratiquée en France et pose le problème de l'expression religieuse dans la sphère publique, réinterrogeant de ce fait la laïcité. Une double problématique articulera donc ces trois moments : dans quelle mesure les femmes sont-elles les actrices de leurs croyances et de leurs pratiques? et comment le diptyque contrôle/émancipation se présente-t-il et s'articule-t-il pour les femmes?

Femmes et religions du XIXe au XXe siècle

« Le catholicisme du XIXe siècle s'écrit au féminin » affirme Michela di Giorgo qui dresse le portrait de la « bonne catholique » dans le tome IV de *L'Histoire des femmes en Occident*[7]. Mais auparavant il a fallu, pour les catholiques, digérer le choc de la Révolution.

Le choc de la Révolution

Même si les événements révolutionnaires ont profondément transformé le paysage religieux de la France, la seconde moitié du XVIIIe siècle avait déjà enregistré un reflux de la pratique, surtout chez les hommes, de moins en moins pascalisants (qui font leurs Pâques), particulièrement dans les villes, mais aussi dans certaines campagnes où s'estompe le tissu paroissial. L'Église, la superstition, l'héritage judéo-chrétien sont rejetés par les philosophes des Lumières. Les poursuites contre les jésuites (1762-1764) et la fermeture de leurs collèges, comme la légalisation de l'état civil des protestants (1787), contribuent à la désacralisation de la religion d'État et au transfert de sacralité vers d'autres valeurs profanes : la nation, la propriété, les droits de l'homme.

La crise financière de l'automne 1789 contribue à déplacer l'autorité sur l'Église, de la royauté vers l'Assemblée qui nationalise les biens ecclésiastiques et supprime les vœux de religion (octobre 1789), puis les congrégations (février 1790). À cette date, selon un état dressé pour la Constituante en 1790, près de 37 000 religieuses sont dispersées dans 1 800 communautés de femmes[8]. La plupart d'entre elles (sauf les carmélites et les bénédic-

le catholicisme français contemporain », *Clio, Histoire, Femmes et Sociétés*, n° 2, « Femmes et religions », 1995, p. 229-260.

6. Cadier-Rey Gabrielle (études réunies par), « Femmes protestantes aux XIXe-XXe siècles », *Bulletin de la Société de l'histoire du protestantisme français*, tome 146, janvier-mars 2000, p. 9-201. Sur la professionnalisation de l'action sociale, voir chapitre 8.

7. Di Giorgo Michela, « La bonne catholique », *L'Histoire des femmes en Occident, le XIXe siècle*, Geneviève Fraisse et Michelle Perrot (dir.), tome IV, 1991, p. 169-197.

8. Murphy Gwénaël, « Destins de religieuses pendant la Révolution française : l'exemple du diocèse de Poitiers », *Clio, Histoire, Femmes et Sociétés*, n° 15, Mathilde Dubesset (dir.), « Chrétiennes », 2002, p. 111-122.

tines) se consacrent aux soins, à l'assistance ou à l'enseignement. Elles doivent se disperser en septembre 1792. Accommodement, refus, résistance passive, mariage, suicide, toutes les attitudes individuelles existent face à la détresse financière et à la sécularisation, subie ou volontaire, dans lesquelles les plongent les événements révolutionnaires. La laïcisation de l'état civil le 20 septembre 1792 supprime le caractère religieux de tous les actes fondamentaux de la vie (naissances, mariages, décès). Une vague de déchristianisation en 1792-1794 provoque une véritable révolution culturelle, marquée symboliquement par l'adoption d'un nouveau calendrier et par l'occupation et le changement de destination, ou la destruction, de nombreux bâtiments religieux. Cependant des résistances se font jour et sont le fait essentiellement de femmes qui, en l'absence de prêtres, préparent la communion, enseignent le catéchisme et fondent de nouvelles congrégations d'Enfants de Marie[9]. Le concordat de 1801, signé par Bonaparte et le pape Pie VII, rétablit la paix religieuse et fait du catholicisme « la religion de la majorité des Français »; mais l'état civil reste laïque, premier seuil de laïcisation selon Jean Baubérot. Les hospitalières renaissent cependant en 1798 et les enseignantes entre 1806 et 1808. Ultérieurement, au XIXe siècle, la résistance sera héroïsée et la révolution diabolisée dans les récits des religieuses.

Au XIXe siècle, « Dieu changea de sexe » (Michelet)

Dans la France bourgeoise du XIXe siècle, une sorte de division des rôles se met en place et domine les représentations : à l'homme, l'époux, les affaires publiques, à la femme, épouse et mère, les affaires religieuses et domestiques. Journaux intimes, mémoires et autobiographies semblent confirmer cette dichotomie. Le modèle féminin catholique de l'épouse et de la bonne mère s'impose progressivement, parallèlement à la « féminisation de la religion » (Claude Langlois). Après la tourmente révolutionnaire, les curés se plaignent de l'absentéisme des hommes aux offices (les messalisants) et à la communion (les cénalisants). Une des raisons invoquées est le refus masculin de contrôle de la sexualité : les hommes – qui pratiquent le coït interrompu interdit par l'Église pour son usage contraceptif – désertent le confessionnal. Les catholiques pratiquants sont surtout des pratiquantes, même s'il existe de fortes disparités régionales. Le dimorphisme sexuel est net, y compris dans les diocèses les plus déchristianisés. L'exemple du diocèse d'Orléans est significatif : dans la première moitié du XIXe siècle, 4 % des hommes et 22 % des femmes font leurs Pâques. Trente ans plus tard (après l'action de Mgr Dupanloup, évêque d'Orléans), l'augmentation est plus importante pour les femmes que pour les hommes : 4,7 % de pascalisants et 25,4 % de pascalisantes en 1883. Les pèlerinages, nationaux ou locaux, sont suivis essentiellement par les femmes. Mais le phénomène le plus remarquable se situe

9. CHOLVY Gérard, *La Religion en France de la fin du XVIIIe siècle à nos jours*, Hachette, coll. « Carré Histoire », 1998, p. 162.

au niveau du clergé, et non des laïcs, avec une spectaculaire croissance des femmes membres des congrégations religieuses.

Claude Langlois a fait une étude quantitative des congrégations féminines à supérieure générale, c'est-à-dire regroupant des « sœurs » qui ont une vie active d'enseignantes ou d'hospitalières (sont exclues les religieuses contemplatives)[10]. Quantitativement, les chiffres sont impressionnants : entre 1808 et 1880, le nombre de femmes membres de congrégations a décuplé, il passe de 13000 à 130000. À l'origine d'une partie des nouvelles congrégations, il y a à la fois de fortes personnalités et une expérience de sociabilité féminine à des fins d'entraide. Claude Langlois a étudié l'origine sociale des fondatrices : 20 % viennent de la noblesse, 45 % de la bourgeoisie et 35 % des milieux populaires. Certaines sont des personnalités hors du commun, telle Anne-Marie Javouhey, fille d'un cultivateur aisé de Côte-d'Or, propagandiste de l'enseignement mutuel qui part évangéliser les colonies. Pauline Jaricot à Lyon a créé l'œuvre du Rosaire; ou encore Jeanne Jugan, ancienne domestique, qui fonde les Petites Sœurs des pauvres très populaires dans les milieux ouvriers urbains. La vie dans une congrégation est une vie à la fois active à l'extérieur (enseignement, soins, assistance) et très réglée, dans un espace non mixte : horaires stricts, vœux de chasteté et d'obéissance à Dieu et à la supérieure.

Le modèle connaît une version protestante, les diaconesses, qui ne prononcent pas de vœux, mais qui manifestent leur piété par des activités caritatives et sociales. Le mouvement naît en Allemagne en 1832 pour apporter des soins aux pauvres et aux malades. À Paris, la maison des Diaconesses de Reuilly ouvre en 1841. Après un an de noviciat, on devient diaconesse et on prend l'engagement de se dévouer à l'humanité souffrante. Les « sœurs » restent célibataires et vivent entre elles en communautés. Leur vie n'est pas totalement conforme à l'ethos protestant selon lequel il n'est pas nécessaire de mener une vie spécifique pour être proche de Dieu – les pasteurs sont souvent mariés; « c'est Rome sans le voile! », dit-on dans certains cercles protestants[11]. On peut rapprocher de ces diaconesses, les Béates de Haute-Loire, qui ont fait aussi un noviciat sans prononcer de vœux et qui se chargent de l'éducation des filles dans les campagnes (voir chapitre 5).

Quel effet sur la dévotion et les pratiques des fidèles cette féminisation de l'encadrement religieux a-t-elle eu? Claude Langlois parle de « féminisation de la piété[12] ». Une chose est sûre : l'idée d'une affinité de « nature » entre femme et religion s'impose; Michelet affirme en 1860 : « La femme est religion. » Le sentimentalisme religieux qui se manifeste par l'expression des émotions féminines dans les prières ou les larmes augmente, et peut aller jusqu'à prendre la forme de la transe (c'est vrai particulièrement dans les

10. Voir référence note 2.
11. Malgré les critiques, les diaconesses ont survécu : elles tiennent aujourd'hui une des cliniques parisiennes d'accouchement parmi les plus renommées pour le sérieux et le suivi des accouchées.
12. Langlois, 1984, p. 14.

Églises protestantes dissidentes). Les autorités religieuses se méfient de cette religiosité lacrymale et d'une sentimentalité excessive, mais se méfient encore plus des mauvaises lectures (comme les romans ou les feuilletons, par exemple). Le contrôle sur les lectures des filles et des femmes est constant : les livres de dévotion, les livres édifiants, la « bonne presse » sont conseillés par les confesseurs. La pratique de la confession devient d'ailleurs largement féminine et donne aux curés et aux prêtres un pouvoir particulier sur l'intimité des femmes.

Au cours du XIXe siècle se développe le culte marial et Marie devient « la grande consolatrice de la France » et surtout des femmes[13]. Le culte de Marie est très populaire comme le manifeste la floraison des sanctuaires, chapelles, autels, ex-votos, pèlerinages, processions... Notre-Dame-du-Puy, Notre-Dame-de-la-Garde à Marseille, Notre-Dame-de-Fourvière à Lyon restent des témoignages ostentatoires de ce culte marial qui déferle sur la France. Les chapelets, les images pieuses, les fêtes calendaires, les sources ou les pierres miraculeuses sont d'autres signes d'un engouement religieux épris de merveilleux. L'image consolante et maternelle de la Vierge Marie remplace progressivement celle du Christ souffrant et rédempteur du premier XIXe siècle. Le dogme de l'Immaculée Conception sacralise la dévotion populaire : le 8 décembre 1854, par la bulle *Ineffabilis Deus*, le pape Pie IX consacre Marie « préservée pure de toute souillure du péché originel ». C'est l'assomption de la pureté, de la virginité, du blanc (des communiantes, des robes de mariées). C'est aussi la multiplication des apparitions, expression de la ferveur de la piété populaire. Les apparitions de la Vierge se succèdent : en juillet 1830, à Paris, déjà Catherine Labouré avait promu ses médailles miraculeuses contre le choléra; les apparitions de 1846 à la Salette en Dauphiné, comme en 1858 à Lourdes (où la Vierge se montre à Bernadette Soubirous et lui parle en occitan) constituent l'extraordinaire dans une vie ordinaire de catholiques des milieux populaires. Mais l'Église devient réticente devant ce foisonnement des apparitions et la canonisation n'est pas certaine : trois seulement sont reconnues officiellement; à partir de 1880, Lourdes et sa grotte miraculeuse s'affirme comme le premier lieu de pèlerinage en France.

Modèles et contrôles

Au-delà du culte marial, Marie devient un modèle de vierge pure et de mère dévouée. Sacrement, le mariage confère à la femme sa dignité; son vrai sens est l'enfantement et le sacrifice à l'époux et aux enfants. Si l'épouse doit se soumettre au « devoir conjugal », la famille catholique, centrée sur la maternité, repousse la sexualité suspecte de péché. Marie en donnant naissance au Christ a racheté le péché d'Ève, la tentatrice : c'est donc d'une maternité rédemptrice qu'il s'agit. Cet idéal féminin de la maternité n'est pas exclusif

13. BOUTRY Philippe, « Marie, grande consolatrice de la France au XIXe siècle », *L'Histoire*, n° 50, novembre 1982, p. 30-39.

du catholicisme, même si ses fondements religieux sont spécifiques. La même éthique de l'accomplissement et du dévouement maternel existe dans les autres religions, protestante ou juive. Mais si l'impureté est un thème récurrent dans la religion juive (très présente dans les rites), si l'accent n'est pas mis sur la virginité dans la religion protestante, l'obsession de la morale et de la vertu est partout présente.

Le rôle domestique de la mère est la transmission de la foi. Une bonne catholique doit gérer l'espace et le temps avec rigueur et austérité : ordre, règle et refus de l'ostentation sont ses codes. La mère est en charge de l'instruction religieuse, des prières quotidiennes, des confessions de ses enfants. Les manuels de dévotion insistent sur l'amour de Dieu et non sur la crainte. Le modèle catholique développe aussi l'éloge de la pureté et l'obsession de la virginité. Le mois de Marie – le mois de mai – est propice à la lutte contre les tentations qui éclosent avec les fleurs et le printemps. La vertu est exaltée et les rosières récompensées (voir chapitre 7). Ces codes normatifs de comportement et de morale sont parfois transcendés par celles qui exaltent la supériorité des femmes en relisant les textes sacrés à l'aune d'une exégèse qu'on peut qualifier rétrospectivement de féministe. La religion seraitelle alors un tremplin vers l'émancipation?

La religion, voie de l'émancipation?

La sphère religieuse a été au XIXe siècle un espace d'expression et d'affirmation individuelle et collective pour les femmes. En effet, la société française laisse peu de place aux femmes, sauf à l'intérieur du foyer. Le mariage, s'il confère une dignité et un statut aux femmes, en fait – jusqu'à 1938 – d'éternelles mineures sous la tutelle de leur mari. À cela, les femmes des classes populaires ajoutent la double journée, entre travail industriel, domestique ou agricole et travail ménager (dont l'importance, au vrai, est relative du fait de l'exiguïté des appartements). On comprend alors que des dizaines de milliers de femmes aient préféré la vie dans une congrégation qui leur offre, travail, respectabilité et sécurité, avec des conditions de vie austères certes, mais avec le sentiment d'être utiles à la société et parfois d'assumer des responsabilités qu'elles ne pourraient obtenir ailleurs. C'est le cas des supérieures qui sont, parfois très jeunes, de vrais chefs d'entreprise : mère Saint-Claude est supérieure d'un hôpital de Bourg-en-Bresse à 29 ans, après avoir fait, à 20 ans, son noviciat et avoir dirigé l'École normale formant les institutrices de sa congrégation à 22 ans. Elle devient supérieure générale à 39 ans et, vingt ans plus tard, gère la vie de 1700 sœurs dans 237 maisons en France, Suisse et Amérique du Nord. Yvonne Turrin conclut que ces supérieures générales sont des féministes[14], ce qui est sans doute excessif car elles ne remettent jamais publiquement en cause le statut dominé des femmes, même

14. TURRIN Yvonne, *Femmes et religieuses au XIXe siècle. Le féminisme en religion*, Éditions Nouvelle Cité, 1989.

si elles-mêmes ont de l'autorité et une liberté d'action. Le préfet de l'Ain dit même de mère Saint-Claude que « c'est le premier homme de mon département », ce qui est un compliment et une belle analyse de genre.

Cependant les sœurs sont également, par leur action sociale et morale, dans la droite ligne du rôle maternel traditionnel en prodiguant soins et dévouement pour les autres. Les communes sont très demandeuses d'institutrices congréganistes pour garder et instruire les enfants des mères ouvrières, solution peu onéreuse pour les édiles municipaux. L'enseignement est le domaine où les sœurs ont été le plus actives : le rattrapage, dans la première moitié du siècle, du retard de l'alphabétisation des filles est en partie leur œuvre. Elles ont été servies par la loi Falloux en 1850 qui les dispensait du brevet de capacité pour enseigner (la lettre d'obédience suffisait). Un autre cadre d'intervention des religieuses a été les couvents-usines ou usines-internats, particulièrement dans le Sud-Est de la France, où elles ont été employées par les patrons soyeux pour encadrer une main-d'œuvre de jeunes filles venues parfois de très loin et logées à proximité des ateliers. La religion est alors un moyen d'inculquer l'obéissance, le silence, la docilité et les cadences de travail. Certaines congrégations comme les Petites Sœurs des pauvres se consacrent aux actions charitables, à l'assistance et au soulagement de la misère et recueillent de nombreux dons (en particulier immobiliers). Si ces femmes restent dans les rôles féminins prescrits par la culture dominante et les autorités de l'Église, les religieuses subvertissent une partie des codes traditionnels : alors que l'enfermement domestique est la norme, elles acquièrent une sorte de professionnalisation; elles sortent et se déplacent dans l'espace public, parfois au-delà des frontières et des océans. La contradiction n'est qu'apparente entre le respect de la place traditionnelle des femmes et l'engagement à l'extérieur : soit elles renoncent au monde mais pas à celui de la misère et de la souffrance, soit elles agissent, sans forcément le revendiquer en paroles, comme les supérieures des congrégations.

Rapports du féminisme et du christianisme autour de la question sociale

À la fin du XIXe siècle, des premiers contacts ont lieu entre des féministes et des femmes chrétiennes par le biais de la question sociale. Le ferment égalitaire au sein des religions se marque surtout dans le protestantisme qui apparaît, grâce à la désacralisation du mariage et de la virginité, au contact direct avec les textes et à la valorisation de la conscience individuelle, comme un terrain favorable pour la rencontre avec celles qui revendiquent pour le droit des femmes. Les minorités protestantes adhèrent aux principes républicains, mais ne sont pas toujours favorables à la revendication de l'égalité entre les hommes et les femmes. Protestante, Mlle Delpech lance en 1879 un journal, *La Femme*, qui s'inscrit dans un projet de moralisation et d'apprentissage des devoirs domestiques pour contrer l'éducation des couvents et les effets pervers pour les jeunes filles de la lecture des romans. Deux axes organisent la philanthropie protestante : l'éducation et la lutte pour l'abolition de la prostitution, combat qui est une forme de moralisation féministe de la sexualité. L'initiative, venue de l'Anglaise Joséphine Butler et soutenue en France par Sarah Monod, est centrée sur un point de vue moraliste. Des femmes juives sont aussi actives sur ce terrain en aidant les jeunes filles qui fuient les pogroms de l'Est de l'Europe et qui se trouvent parfois entraînées dans la prostitution. Elles soutiennent les étudiantes qui s'inscrivent dans les universités pour suivre des études supérieures. Les femmes protestantes ont été elles aussi très actives dans l'instruction des filles. La fondation des écoles maternelles doit beaucoup à Émilie Mallet, née Oberkampf (1794-1856), et à Pauline Kergomard. Les premières directrices de Sèvres et de Fontenay qui forment les professeurs sont toutes protestantes et, en 1900, le quart des directrices de lycées publics le sont. Elles ont également encouragé les formations techniques et l'apprentissage d'un métier pour les filles. Les catholiques ne sont pas en reste.

Dans le sillage de l'encyclique *Rerum novarum* du pape Léon XIII en 1891 s'élabore une doctrine sociale de l'Église en même temps que le ralliement à la République. Les catholiques sociaux se penchent sur le sort des ouvrières (voir le rôle d'Albert de Mun dans l'adoption de la loi limitant le travail de nuit pour que la travailleuse puisse s'occuper de son foyer[15]). Ils soutiennent des syndicats de salariées, comme en Isère, et des cercles d'études sociales qui prônent la paix sociale à l'encontre de la lutte des classes[16]. Par ailleurs, des mouvements de femmes se préoccupent de la rechristianisation de la classe ouvrière et s'efforcent d'impulser un féminisme catholique pour arracher le monopole du féminisme aux libres-penseurs : Marie Maugueret écrit en 1896 « le féminisme chrétien notre programme »; mais l'affaire Dreyfus provoque une dérive vers un nationalisme antisémite et marginalise le féminisme chrétien. Plus efficace est la philanthropie catholique étudiée par Anne Cova[17] : à la suite de *Rerum novarum*, de nombreuses associations veulent promouvoir l'action sociale et rassemblent des milliers de femmes catholiques, comme la Ligue des femmes françaises, créée à Lyon en septembre 1901, active surtout au moment de l'adoption de la loi sur les associations (1901) et l'interdiction d'enseigner pour les congrégations (1904). Plusieurs milliers de femmes du monde, provenant surtout des milieux nobiliaires et de la bourgeoisie catholique, s'engagent au nom d'une stratégie commune visant à défendre l'Église et à construire une contre-société. Elles évoluent progressivement vers une œuvre spirituelle et une organisation d'action sociale, se détachant peu à peu du champ politique[18].

15. ZANCARINI-FOURNEL Michelle, « Archéologie de la loi de 1892 », *Différence des sexes et protection sociale*, Saint-Denis, PUV, 1995, p. 75-92.
16. RATTO Martine et GAUTIER Andrée, « Les syndicats libres féminins de l'Isère 1906-1936 », *CLIO, Histoire, Femmes et Sociétés*, n° 3, « Métiers, corporations, syndicalismes », 1996, p. 117-139.
17. COVA Anne, *Au service de l'Église, de la patrie, et de la famille. Femmes catholiques et maternité sous la IIIe République*, L'Harmattan, 2000.
18. Voir communication de Bruno Dumons au colloque *Genre et laïcité* (actes à paraître).

Genre et laïcité

La grande question politique au tournant des XIXe et XXe siècles, parallèlement à l'affirmation de la République, a été la question de la laïcité. La première occurrence du mot – qui désigne la séparation du religieux et du politique – est repérée dans une délibération de 1871 du conseil général de la Seine, où elle figure en italique. Le néologisme est ensuite recensé en 1873 dans l'*Encyclopédie* de Pierre Larousse et dans le *Dictionnaire Littré* en 1877. Pourtant, dès le début du XIXe siècle, la France avait franchi ce que Jean Baubérot appelle le « premier seuil de laïcisation », c'est-à-dire une place réduite de l'espace social laissé à la religion (état civil laïcisé et mariage civil préalable). L'autorisation du culte protestant et de la religion juive organise la pluralité religieuse, même si la religion catholique est considérée comme celle de la « majorité des Français » par le concordat de 1801. Le fondement juridique de l'État français, établi dans le Code civil de 1804, est laïque.

Les modèles sociaux mis en œuvre dans la République naissante sont ceux d'une stricte séparation des sexes et des sphères entre le public (pour les hommes) et le privé (pour les femmes). Celles-ci sont considérées, par nature, comme des mères effectives ou potentielles et inaptes à la citoyenneté. Mais, pour les républicains, arracher les femmes à l'emprise de la religion est une nécessité pour construire une République et un État modernes. Par ailleurs, ils sont aussi soucieux de ne pas trop développer les possibilités d'autonomie des femmes. L'enjeu principal est d'abord celui de l'éducation pour le futur. La Ligue de l'enseignement, fondée en 1866 par Jean Macé, sert de point d'appui au processus de laïcisation et à un regroupement politique républicain contre le bonapartisme. Mais la guerre de 1870 et la Commune provoquent un reflux. Les femmes sont des éléments clés de la laïcisation, mais elles peuvent paradoxalement apparaître comme des ennemies potentielles, du côté des religieux ou du côté laïque en revendiquant leurs droits. Il faut dire d'abord que l'idéologie et la pratique des républicains au pouvoir – marqués par la philosophie d'Auguste Comte, le positivisme – consiste à considérer que les femmes doivent assumer un rôle d'auxiliaires des citoyens à travers leurs fonctions dites « naturelles » d'épouses et de mères. Les républicains au pouvoir sont en contradiction avec les utopies républicaines qui rêvent d'une République mixte et égalitaire, qui lutterait contre les discriminations subies par les femmes et particulièrement par l'inégalité fondamentale du Code civil.

Dès sa renaissance à la fin du Second Empire, le républicanisme est en effet travaillé par ces revendications sur l'égalité et les droits civils des femmes[19]. Apparue sporadiquement sous la Révolution française, en 1830 et en 1848, la revendication d'égalité des sexes est portée durablement, sous la IIIe République, par un groupe de féministes – une poignée d'hommes et de

19. ROCHEFORT Florence, « L'égalité dans la différence : les paradoxes de la République, 1880-1940 », *in* Marc-Olivier Baruch et Vincent Duclerc, *Serviteurs de l'État. Une histoire politique de l'administration française, 1875-1945*, La Découverte, 2000, p. 183-198.

femmes – qui se battent dans un premier temps sur le terrain du droit : Maria Deraismes comme Léon Richer ou André Leo regroupent la minorité des républicains partisans de l'égalité des sexes et de la neutralité par rapport aux appartenances confessionnelles de chacun/e. Maria Deraismes, qui se dit déiste et croit en l'immortalité de l'âme, fonde la franc-maçonnerie mixte le Droit humain en 1893. C'est une loge dissidente par rapport à la Libre pensée, exclusivement masculine. Nelly Roussel (1878-1922), militante de la Libre pensée et adepte de la libre maternité, dénonce pour sa part l'entrave à la naissance de l'individualité féminine que représentent les cadres imposés par la religion. Cependant, le rejet du dogme ne coupe pas forcément du religieux. Derrière la quête des identités individuelles se développent des courants spiritualistes et une dimension messianique du féminisme est sous-jacente dans nombre de discours. Inversement, l'antisuffragisme est un élément constitutif du camp anticlérical, des radicaux en particulier, qui s'opposent au vote des femmes, au nom du lien supposé de celles-ci avec la religion. Malgré ces positions, la référence républicaine reste fondamentale pour le mouvement pour les droits des femmes et, libérée de référence à Dieu, se forge une tradition féministe qui se bat pour une laïcité mixte et égalitaire. À cette date, en effet, les femmes ne sont pas des citoyennes à part entière et la laïcité de l'État se fonde aussi sur l'exclusion des femmes du politique. Le débat sur la coéducation qui se développe à partir de 1865 est emblématique de ces différences et oppositions dans le camp républicain.

Coéducation, féminisme et protestantisme

En France, des féministes comme André Léo ou des institutrices se prononcent, dès la fin du Second Empire, en faveur de la coéducation, en faisant valoir que, de toute manière, les écoles de campagne sont déjà mixtes. Ferdinand Buisson, délégué à l'Exposition universelle de Philadelphie de 1876, est convaincu des avantages de la coéducation. L'emploi du mot « coéducation » pour désigner l'éducation commune et égalitaire des filles et des garçons est passé des États-Unis en France dans le dernier quart du XIXe siècle et a été consacré par l'article du *Dictionnaire* de Ferdinand Buisson. Les féministes catholiques, comme Marie Duclos dans *Le Féminisme chrétien* du 10 mai 1896, dénoncent, elles, les risques moraux de la promiscuité à l'âge de l'adolescence.

Au Congrès international des œuvres et institutions féminines, réuni en juin 1900, des contradictions se font jour à ce sujet. La méfiance vis-à-vis de la coéducation est renforcée par l'attitude de Mme Marion, directrice de l'École de Sèvres, affirmant qu'il n'y a pas de point commun entre la famille et un internat coéducatif (et visant ainsi l'expérience de Cempuis, menée par Paul Robin et condamnée en 1894 par certains républicains[20]). Mais Pauline

20. DEMEULENAERE-DOUYÈRE Christiane, « Un précurseur de la mixité : Paul Robin et la coéducation des sexes », *CLIO, Histoire, Femmes et Sociétés*, n° 18, « Coéducation et mixité », 2003, p. 125-132.

Kergomard, qui préside la section d'éducation, réussit à proposer le vœu suivant : « Que le système de la coéducation soit appliqué dans tous les externats de tous les ordres d'enseignement. » Le Congrès du droit des femmes, réuni en septembre 1900, se montre plus favorable à la coéducation associée à une « éducation intégrale » qui fait appel au développement sensoriel, intellectuel et physique des enfants. Lutter pour la coéducation dans les écoles laïques, c'est vouloir arracher la reconnaissance de l'égalité intellectuelle des hommes et des femmes. Certaines institutrices, militantes, créent des groupes féministes universitaires, fédérés notamment par Marguerite Bodin, institutrice dans une classe unique (donc mixte) de l'Yonne qui publie, en 1905, *Les Surprises de l'école mixte*. Elles se joignent à leurs collègues masculins pour former les premières amicales, ancêtres des syndicats ; le 4e congrès des Amicales qui se tient à Lille en 1905 discute de la coéducation[21]. Malgré une phase de recul à partir de 1908-1910, la Fédération féministe universitaire, qui compte 5000 adhérentes en 1914, continue dans cette direction avec la volonté d'apprendre, aux garçons comme aux filles, l'enseignement ménager. Après la Grande Guerre, la coéducation n'est plus mise en relation avec le mouvement féministe, ni avec « l'école sans Dieu », malgré sa condamnation récurrente par le Vatican. La coéducation, utopie égalitaire, a été associée au combat laïque, même si la voix dissidente de Madeleine Pelletier affirme qu'étudier avec les garçons dévaloriserait les filles et qu'une éducation entre femmes était préférable[22].

Dans la France du second XIXe siècle est franchi, selon Jean Baubérot, le « deuxième seuil de laïcisation », mais il faut distinguer deux étapes dans ce processus. Avec l'affirmation du régime républicain après 1879, la laïcité scolaire, assortie de l'obligation et de la gratuité, pour les filles comme pour les garçons, affirme l'idée de la promotion sociale et l'enseignement de la morale : les valeurs mises en avant sont le travail, l'épargne, la tempérance et l'esprit de progrès. L'étape des années 1881-1886, centrée autour de la question scolaire, est celle d'une laïcité-neutralité. Pour Jules Ferry, il s'agit, pour asseoir la République, de forger un ciment interclassiste fondé sur le suffrage (pour les hommes) et de les éloigner ainsi du socialisme et des doctrines extrémistes. Dans ce schéma, les femmes ont une place limitée, celle « d'institutrices de la nation au foyer ». Au début du XXe siècle, dans une seconde étape, se joue « la guerre des deux France », avec, comme point nodal, la laïcité de l'État. Entre 1901 (loi sur les associations) et 1905 (loi de Séparation des Églises et de l'État), la laïcité ne concerne pas uniquement le plan scolaire (qui reste cependant essentiel), mais aussi la médecine et l'assistance (laïcisation progressive des hôpitaux, médecine fondée sur l'expérience, exaltation de la science, professionnalisation de l'action sociale féminine).

---

21. KARNAOUCH Denise, « Féminisme et coéducation en Europe avant 1914 » et MOLE Frédéric, « 1905 : la coéducation des sexes en débats », *in* « Coéducation et mixité », *CLIO, Histoire, Femmes et Sociétés*, n° 18, 2003, respectivement p. 21-41 et p. 43-61.
22. PELLETIER Madeleine, *L'Éducation féministe des filles*, Syros, 1978.

Si les protestants – le fait est connu – ont constitué la colonne vertébrale du personnel politique républicain, tous les protestants n'ont pas le même point de vue sur la question du genre et de la laïcité. En France, des minorités protestantes et féministes adhèrent aux principes républicains et une tradition féministe se forge, libérée de référence à Dieu, qui se bat pour une laïcité mixte et égalitaire. Se développe également une philanthropie protestante visible lors de la réunion d'un Congrès des œuvres féminines, à l'occasion de l'Exposition universelle de 1889. Les congressistes, « épouses et mères », se disent dévouées à la République, mais se situent strictement sur le terrain moral, la pratique philanthropique et la vie exemplaire de chacune. Elles s'opposent aux militants et militantes des droits des femmes qui refusent toute protection spécifique pour les femmes au nom de l'égalité des sexes. *A contrario*, les deux versions du *Dictionnaire de pédagogie* de Ferdinand Buisson (celle de 1882-1887 et celle de 1911) prouvent les changements. La deuxième édition du dictionnaire, *Le Nouveau Dictionnaire de pédagogie et d'instruction primaire* (1911) enregistre ces mutations. Le mot « neutralité » est supprimé de la définition de la laïcité, alors qu'apparaît en 1911 une nouvelle mouture de l'article « Femme » qui suit les positions féministes que Ferdinand Buisson a défendues à la Chambre des députés lors du dépôt d'une proposition de loi visant à accorder le droit de vote aux femmes. La guerre de 1914-1918 efface le mouvement féministe pour le suffrage tout comme elle éteint (provisoirement) les conflits autour de la laïcité.

Femmes et religions dans le premier XXe siècle

On passe de la philanthropie catholique, protestante ou juive du siècle précédent à un engagement plus porté vers l'action sociale et l'éducation populaire[23]. Le premier XXe siècle est celui de l'engagement féminin, de l'associationnisme et du militantisme chrétien, avec une permanence du dimorphisme sexuel[24] (même s'il s'atténue à la fin du siècle). Joceline Chabot souligne que la mesure des rapports entre expérience religieuse et engagement militant est difficile à établir[25]. Les militantes disent leur engagement sur un mode comparable à celui des apparitions du XIXe siècle : appel mystérieux, certitude de la vocation, d'être une apôtre, d'avoir reçu une mission. Le cadre et les pratiques de la vie militante témoignent de cette foi : des pèlerinages sont organisés collectivement par les syndicalistes ; les congrès sont toujours précédés et suivis de messes ; cercles d'études et chorales accompagnent l'activité syndicale. Les patronages de jeunes filles et la rencontre avec une

23. FAYET-SCRIBE Sylvie, *Associations féminines et catholicisme. De la charité à l'action sociale, XIXe-XXe siècles*, Éditions ouvrières, 1990.

24. LANGLOIS Claude, « "Toujours plus pratiquantes". La permanence du dimorphisme sexuel dans le catholicisme français contemporain », *CLIO, Histoire, Femmes et Sociétés*, n° 2, 1995, p. 229-260.

25. CHABOT Joceline, « Une spiritualité de combat : des syndicalistes chrétiennes en France dans les années 1900-1930 », *CLIO, Histoire, Femmes et Sociétés*, n° 15, 2002, p. 37-54.

personnalité rayonnante sont déterminants pour l'engagement dans le syndicalisme chrétien qui se distingue des œuvres catholiques. Les syndicats chrétiens, nés en 1899 dans la région lyonnaise, se développent de façon autonome dans le premier XXe siècle (même s'ils se rattachent à la CFTC créée en 1919).

La Ligue des femmes françaises, fondée à Lyon en 1901, et la Ligue patriotique des Françaises, à Paris en 1902, s'étaient enracinées dans le cadre d'un militantisme catholique contre les lois laïques. Les deux associations, qui ont rassemblé des dizaines de milliers de femmes, fusionnent en 1933 dans la Ligue féminine d'action catholique qui publie un journal, *L'Écho des Françaises*, tiré à un million d'exemplaires. En 1954, le mouvement devient l'Action catholique générale des femmes (ACGF), mouvement de masse qui s'intègre dans la dynamique de l'Action catholique. L'ACGF contribue jusqu'au début des années 1980 à encadrer des mères de famille qui s'occupent de faire le catéchisme et de développer des œuvres de charité[26].

L'encadrement de la jeunesse est une priorité pour les chrétiens, ce qui explique la multiplication des mouvements confessionnels fondés par des individus ou des associations cultuelles qui s'étaient développées après la séparation des Églises et de l'État. Les patronages, nés au XIXe siècle, sont un moyen de prolonger l'école; ils proposent un système de valeurs fondé sur le devoir à accomplir, le travail, la pratique religieuse et la solidarité dans le groupe. Les patronages féminins développent diverses activités encadrées par des religieuses ou des femmes célibataires. Au Raincy, en 1931, est fondée la première société d'éducation physique féminine dans un patronage dirigé par les sœurs de Saint-Vincent-de-Paul. Créé en décembre 1937, le journal *Âmes vaillantes* revitalise les patronages. Mais ce sont surtout les mouvements spécialisés d'éducation des jeunes qui prennent leur essor dans l'entre-deux-guerres. La première priorité est de rechristianiser la jeunesse ouvrière pour faire pièce aux mouvements socialistes, communistes et laïcs. La Jeunesse ouvrière chrétienne (JOC) est organisée à partir de 1927 et sa branche féminine, la JOCF, naît en 1928 à Clichy; en 1929, la JOCF a 6000 membres, 20000 en 1935. À cette date, elle compte 1/4 d'employées et 3/4 d'ouvrières qui suivent les conseils d'un aumônier. Les réunions hebdomadaires permettent de réfléchir ensemble, de se former avec une méthode pragmatique : l'enquête. Les jeunes filles sont considérées comme les forces vives de l'Église et la JOCF développe leur réflexion et autonomie; la JECF naît en 1931 en direction des lycéennes et des étudiantes. En 1933 est fondée la Jeunesse agricole chrétienne féminine (JACF) qui dispose d'un journal. Étudiant la JOC dans l'Ouest de la France, Françoise Richou a souligné l'importance de la foi comme soutien à l'action qui contribue à créer un « habitus de combat ». Les jocistes deviennent souvent des cadres (pour les garçons), ou des militantes du syndicalisme ouvrier, paysan ou étudiant[27].

---

26. PELLETIER Denis, *La Crise catholique. Religion, société, politique*, Payot, 2002, p. 98.
27. RICHOU Françoise, « Apprendre à combattre : l'engagement de la Jeunesse ouvrière chrétienne (1927-1987) », *Le Mouvement social*, n° 168, 1994, p. 51-83.

C'est aussi dans ce cadre que se développent dans les années 1950-1960 les discussions sur le mariage chrétien et la contraception (voir chapitre 7).

Plus élitiste, le scoutisme féminin s'organise sur le modèle anglais. La première fédération est celle des Éclaireuses créée en 1921 qui rassemble des unionistes et des laïques. Les Guides catholiques apparaissent à partir de 1923 avec des sections qui se spécialisent progressivement selon les tranches d'âge. Les Jeannettes (7-12 ans) sont fondées en 1927. Le scoutisme, qui se distingue des autres organisations de jeunesse par ses buts et le port de l'uniforme, encourage la camaraderie et l'esprit d'équipe forgés dans des activités de plein air avec une pédagogie d'épanouissement individuel des adolescentes qui doivent se surpasser sur le plan physique, manuel, intellectuel, moral et spirituel. Les Guides sont destinées ainsi à former une élite chrétienne moderne.

Les organisations catholiques de jeunesse ont servi de modèle au développement de l'Action catholique spécialisée qui a rassemblé, depuis l'entre-deux-guerres, les militants catholiques, dans le but d'une reconquête d'un espace perdu par l'Église dans le processus de laïcisation du début du siècle. Mais ce modèle entre en crise dans les années 68, à la fois du fait de la contestation étudiante, mais aussi de l'interrogation sur la place des ouvriers dans la société française.

Crise catholique, renouveau religieux et espace public dans le second XXe siècle

Après « la crise catholique des années 68[28] », dans laquelle les femmes et les filles ont joué un rôle déterminant, on constate aujourd'hui un fort recul de la pratique religieuse. Moins de 10 % de catholiques vont à la messe le dimanche, ceci étant dû essentiellement au détachement féminin de la pratique (encore 25 % de femmes sont messalisantes en 1950), même si les femmes âgées ont un comportement différent et s'il y a des variations régionales : en Bretagne, en 1962, 63 % des femmes sont pratiquantes (pour 45 % des hommes) ; c'est seulement à la fin des années 1970 que les taux bretons rejoignent les moyennes nationales[29]. Bien des femmes catholiques ont pris dans les années 68 leurs distances avec l'enseignement de l'Église à la suite, en particulier, des déclarations papales sur la contraception et la sexualité. De ce point de vue, l'encyclique *Humanae vitae* du 25 juillet 1968, par laquelle le pape Paul VI réaffirme la condamnation par l'Église de toute forme de contraception, a joué un rôle essentiel. Cette prise de position provoque une rupture silencieuse, mais déterminante, dans la pratique religieuse des Françaises et des Français. Sans doute, la déprise religieuse avait commencé

---

28. Le terme est emprunté à PELLETIER Denis, *La Crise catholique. Religion, société, politique*, Payot, 2002.
29. CROIX Alain et DOUARD Christel (dir.), *Femmes de Bretagne. Images et histoire*, Rennes, PUR, 1998, p. 150.

dès le début des années 1960 au moment où, dans la société française, naissait le débat sur la contraception, mais la rupture s'approfondit avec le développement du mouvement féministe et la lutte pour l'avortement (voir chapitre 7). Cette crise accompagne, selon Denis Pelletier, « un déclin du militantisme d'Action catholique, par lequel l'Église avait répondu à son exclusion du champ politique par la République laïcisatrice[30] ».

Retour du religieux ?

Cependant, *a contrario* de cette déprise religieuse, un renouveau charismatique dans les années 1970 a vu se multiplier des groupes de prières qui ont donné naissance à l'analyse médiatique du « retour du religieux », qu'il faut à coup sûr relativiser.

La situation est différente pour l'islam, devenue deuxième religion pratiquée en France. Autour de l'affaire dite du foulard, les filles et les femmes sont placées, à la fin du XXe siècle, au centre des questionnements sur la place du religieux dans la sphère publique. On retrouve cependant les mêmes problématiques étudiées précédemment : dans quelle mesure les femmes sont-elles les actrices de leurs croyances et de leurs pratiques? et comment le diptyque contrôle/émancipation se présente-t-il et s'articule-t-il pour les femmes?

L'année 1989, année du Bicentenaire de la Révolution française, a vu naître une « affaire » qui a divisé, et divise encore, les Françaises et les Français, la gauche comme la droite, les laïques comme les chrétiens, et même les féministes. Le 4 octobre 1989, le journal *Libération* rapporte une information parue dans un quotidien local, *Le Courrier picard* : trois jeunes filles – deux Marocaines et une Tunisienne – ont été exclues de cours par le principal d'un collège de Creil (Oise) pour avoir refusé de retirer le fichu qu'elles portaient. Ce geste est considéré comme une atteinte à la laïcité. L'information largement relayée par les médias se transforme progressivement en une affaire nationale, les fillettes ayant dans un premier temps accepté un compromis (le foulard sur les épaules pendant les cours) puis l'ayant ensuite repoussé sous des pressions extérieures. Seul le roi du Maroc, au nom de son statut de commandeur des croyants et aussi de la nécessaire discrétion des Marocains vivant sur le territoire français, fait pencher la balance en faveur d'un compromis après deux mois de débats passionnés. L'« affaire du foulard islamique » devient le symbole du combat contre l'islam intégriste pour la laïcité française. Au départ, seul le Front national évoque aussi la lutte contre l'immigration. Deux mois plus tard, le thème frontiste est repris par toute la presse. L'affaire a également fait très souvent la une des journaux télévisés. Le vocabulaire employé par les présentateurs-vedettes banalise le phénomène, comme s'il était généralisé dans tous les collèges en France; les vignettes incrustées dans l'image et situées à gauche de l'écran

30. PELLETIER, 2002, p. 12.

symbolisant l'affaire de Creil ont montré un foulard qui se faisait envahissant jusqu'à recouvrir tout le visage. Après un avis motivé du Conseil d'État, une circulaire du ministre de l'Éducation nationale (12 décembre 1989) remet la décision sur l'autorisation ou non du port d'insignes religieux par les élèves aux mains des responsables des établissements scolaires, en conseillant le dialogue, sauf s'il y a prosélytisme avéré ou désordre et trouble de l'ordre scolaire. Le texte de la circulaire Bayrou du 20 septembre 1994 durcit quelque peu ce point de vue en suggérant d'inscrire dans le règlement intérieur de chaque établissement l'interdiction « des signes ostentatoires éléments de prosélytisme ou de discrimination », tout en tolérant « le port par les élèves de signes discrets manifestant leur attachement personnel à des convictions notamment religieuses ». Aujourd'hui, le nombre des foulards dans l'espace scolaire a diminué (officiellement moins d'une centaine de cas) après l'adoption, en 2004, d'une loi sur la laïcité et l'interdiction du port de signes religieux ostensibles dans l'espace scolaire. Cependant, la question déborde désormais le terrain scolaire et concerne le service public dans son ensemble (en particulier les hôpitaux qui s'occupent du corps des femmes). Si on se place du côté des jeunes filles « voilées », les raisons invoquées sont toutes autres : pour les jeunes adolescentes, le port du foulard est souvent le lieu d'un compromis entre l'islam familial et la volonté d'intégration à la société française. Pour d'autres, en général plus âgées, le voile est revendiqué comme un symbole d'attachement à une culture et à une morale qui s'expriment dans l'espace public, alors que la culture occidentale se manifeste par un mépris pour les femmes et une instrumentalisation du corps féminin dans la publicité[31]. Pour la majorité des féministes, le voile est considéré comme un signe d'oppression et d'aliénation, qui enferme les filles et les femmes dans un univers clos et impose une limitation insupportable à l'expression de la liberté individuelle. Les exemples étrangers (Algérie, Iran, Afghanistan) sont convoqués pour argumenter en faveur de l'interdiction du port du foulard dans la sphère publique. Comment défendre un idéal de laïcité, de mixité et d'égalité des sexes dans le respect mutuel de la diversité des identités et des parcours possibles[32]? L'« affaire des foulards », loupe qui a réactivé le débat sur la laïcité, a contribué aussi à révéler les problèmes cruciaux de la démocratie française au début du XXIe siècle.

---

31. GASPARD Françoise et KHOSROKHAVAR Farhad, *Le Foulard et la République*, La Découverte, 1995, est le premier livre qui recueille la parole de filles et femmes « voilées ».
32. ROCHEFORT Florence, « Foulard, genre et laïcité en 1989 », *Vingtième Siècle. Revue d'histoire*, n° 75, « Histoire des femmes, histoire des genres », juillet-septembre 2002, p. 145-156.

Chapitre 7

CORPS, MATERNITÉS, FAMILLES ET SEXUALITÉS

Le XVIIIe siècle est le siècle décisif où est théorisée, avec l'aide des médecins, l'idée d'une nature féminine spécifique s'appuyant sur la physiologie[1]. Ces théories sont diffusées en particulier dans un ouvrage, publié en 1775 et sans cesse réédité le siècle suivant, *Le Système physique et moral de la femme* de Pierre Roussel, relayé par Virey en 1823 : *De la femme sous ses rapports physiologique, moral et littéraire*. Le corps, le sexe, se situent du côté de la nature, et la femme est donc l'incarnation de la nature. Au XIXe siècle, le corps relève à la fois du domaine du public et du domaine du privé, bien qu'il soit nié par toute l'éducation. Avec la Révolution française, la maternité devient un enjeu social et politique; elle est le but proclamé de toute union conjugale; elle « fait défaut » aux femmes seules qui ne relèvent pas de la norme sociale de la femme épouse et mère[2]. Le XXe siècle, s'il est marqué en France par une obsession démographique, est aussi celui de la conquête par les femmes du droit à la maîtrise de leur fécondité par l'usage de la contraception et le recours possible à l'avortement. Dans un contexte de développement de l'autonomie féminine, la sexualité se dissocie progressivement de la procréation et devient le socle de la construction des subjectivités. La « révolution sexuelle » du dernier quart du siècle est contemporaine d'une mutation du droit et d'une profonde transformation des sexualités et des normes familiales.

Filles et jeunes filles

Au XIXe siècle, on passe progressivement de la « fille » (mineure) à la « jeune fille », évolution sémantique qui marque le triomphe d'un regard sur le corps féminin à une étape de son développement[3]. Ce regard est produit par des

1. KNIBIEHLER Yvonne, « Les médecins et la nature féminine au temps du Code civil », *Annales ESC*, juillet-août 1976, n° 4, p. 824-845.
2. LAQUEUR Thomas, *La Fabrique du sexe. Essai sur le corps et le genre en Occident*, Gallimard, 1992.
3. BRUIT ZAIDMAN Louise, HOUBRE Gabrielle, KLAPISCH-ZUBER Christiane et SCHMITT-PANTEL Pauline (dir.), *Le Corps des jeunes filles de l'Antiquité à nos jours*, Perrin, 2001.

textes médicaux, des romans, des représentations iconographiques (les lithographies qui illustrent livres et journaux, la peinture, les photographies) qui sont essentiellement – mais pas uniquement – l'œuvre des hommes. À partir de la puberté, entre 12 et 15 ans, quelle que soit la catégorie sociale de leurs familles, les jeunes filles sont préparées à leur futur destin d'épouse et de mère.

Les « demoiselles »

Une lithographie de Devéria, en 1847, intitulée *La Vie d'une femme*, déroule en six vignettes et figurines les étapes symboliques de la vie d'une femme : la poupée (l'enfance et l'apprentissage du rôle maternel), la pension, le bal, la fiancée, la mère, enfin les arts d'agréments (broderie, musique, dessin, appris en pension). Socialement, selon les convenances de son milieu, la jeune fille doit se préparer à entrer dans le monde et à accueillir, sous la houlette de sa mère, les demandes des prétendants. Mais, dans un premier temps, son état de jeune fille la tient à l'écart du monde, dans un pensionnat ou au couvent, où sont dispensés une stricte éducation morale et l'apprentissage de la négation du corps que nécessitent les impératifs de la pudeur, de la chasteté et de la pureté, bref de l'innocence. Cependant, cette normativité est démentie en partie par la place laissée à la rêverie et à l'écriture (des lettres et du journal intime). L'émulation entre les jeunes filles va à l'encontre de certains principes chrétiens d'humilité. Le premier bal, où s'organise la rencontre avec l'autre sexe, assure la transition entre l'adolescence au couvent et l'âge adulte. L'heureux élu est choisi par les parents (la mère surtout est influente) et ce choix entre dans des stratégies matrimoniales complexes d'où les intérêts ne sont pas absents. La littérature du XIXe siècle est riche de notations de tous ordres sur le mode de vie « des dynasties bourgeoises » et sur l'entrée des filles et des femmes dans ce monde.

Dans la seconde moitié du siècle, le modèle catholique de l'« oie blanche » – la fille dont l'innocence est fondée sur l'ignorance totale de son sexe et de son corps – est critiqué avec la mise en avant d'autres modèles venus d'outre-Atlantique, telle la *miss* américaine plus délurée et plus libre[4]. Le corps des jeunes filles est alors l'objet de toutes les attentions des médecins. Les représentations sociales sont marquées par les théories anthropologiques et physiologiques sur la dégénérescence et la spécificité des maladies féminines, telle l'hystérie (travaux de Charcot à la Salpêtrière). Elles sont marquées aussi par l'hygiénisme fin de siècle, qui promeut les exercices corporels, en particulier le sport (cyclisme, équitation, alpinisme…) dans lequel les filles et les femmes ne sont admises que tardivement, malgré les prouesses et les combats de certaines d'entre elles.

4. HOUBRE Gabrielle, « Demoiselles catholiques et *misses* protestantes : deux modèles éducatifs antagonistes au XIXe siècle », *Bulletin de la Société de l'histoire du protestantisme français*, tome 146, 2000, p. 49-68.

Après la Grande Guerre, le roman de Victor Margueritte *La Garçonne*, qui met en scène des amours lesbiennes, fait scandale (pourtant la morale est sauve à la fin du roman). Et en même temps, la garçonne incarne, au milieu des Années folles, le modèle de la femme émancipée[5]. De nouveaux modèles corporels s'imposent : après avoir fait les délices des peintres – Renoir par exemple – les corps plantureux sont désormais le fait seulement des filles et des femmes du peuple. Triomphe le corps juvénile, mince, élancé et plus libre. Le processus est le fait d'une minorité, mais il est inexorable. La publicité, le cinéma, la télévision, plus tard, véhiculent ces modèles. Avec les cinéastes de la Nouvelle Vague à la fin des années 1950, et singulièrement le personnage de Brigitte Bardot, c'est l'avènement du corps féminin moderne, libéré de ses entraves et des principes moraux[6] (voir chapitre 10).

Les filles du peuple à la campagne et à la ville

Avant l'école, la socialisation des enfants a lieu dans la famille, le groupe de pairs, la bande, la rue. Avec les travaux de Jean-Louis Flandrin, les historiens ont mis l'accent sur la grande liberté des mœurs de la jeunesse dans la société rurale. Les pratiques amoureuses et sexuelles ont été soigneusement décrites par les folkloristes du XIXe siècle, descriptions reprises par les ethnologues contemporains qui ont mis en avant la diversité des situations régionales[7]. Comme l'a souligné pragmatiquement Yvonne Knibiehler (1991), il est certes plus difficile dans les campagnes, où chacun peut voir les bêtes s'accoupler, de préserver l'ignorance et l'innocence des filles. Celles de la ville, placées comme bergères, peuvent avoir eu la même expérience, comme en témoigne Marguerite Audoux dans *Marie Claire* (prix Femina en 1910), qui fait le récit de son enfance pauvre comme fille de ferme de 1877 à 1881. Les coutumes régionales, voire locales, sont cependant extrêmement variées[8]. En Vendée se pratique le « maraîchinage » où garçons et filles sous un grand parapluie se livrent à des attouchements prénuptiaux. En Bretagne, des pratiques corporelles parfois violentes marquent, avant le mariage, les relations entre filles et garçons (bourrades, fortes poignées de mains, échanges de salive...). En Languedoc, où les sexes sont fortement séparés et où pèse le code de l'honneur, la moralité des filles est surveillée par le groupe des jeunes (garçons) du village. Dans les temps d'exception que sont les fêtes du Carnaval (décrites par Daniel Fabre[9]) les garçons s'érigent en gardiens et en juges de la conduite des filles. Ailleurs, c'est au moment des « mais » (entre le 30 avril et le 1er mai) que se lisent les jugements publics des garçons sur la vertu et le pouvoir de

5. Voir troisième partie chapitre 9 et BARD Christine, *Les Garçonnes*, Flammarion, 1992.
6. DE BAECQUE Antoine, « Des corps modernes. Filles et petites filles de la Nouvelle Vague », *in* G. Dreyfus-Armand, R. Frank, M.-F. Lévy et M. Zancarini-Fournel (dir.), *Les Années 68 ; le temps de la contestation*, Bruxelles, Complexe, 2000.
7. SEGALEN Martine, *Mari et femme dans la société paysanne*, 1980 (premier chapitre).
8. Exemple de Minot en Bourgogne *in* VERDIER Yvonne, *Façons de faire. La laveuse, la couturière, la cuisinière*, Gallimard, 1979.
9. FABRE Daniel, *La Vie quotidienne des paysans du Languedoc au XIXe siècle*, Hachette, 1978.

séduction des filles. Ces jugements se concluent par des charivaris devant les maisons de celles qui sont désignées par le code de genre.

L'enquête d'Yvonne Verdier à Minot en Bourgogne (1979) a montré les traditions et les rites proprement féminins qui permettaient de « faire la jeune fille » en particulier par l'apprentissage chez la couturière. Yvonne Verdier a également fait le lien avec la tradition orale et les contes, en particulier le petit Chaperon rouge, qui « prend le chemin des aiguilles », ce qui – d'après l'auteur – marque son entrée dans la puberté et la vie de jeune fille. À Minot, les filles gardent les vaches dans les champs entre 7 et 12 ans, tout en tricotant ou brodant. La dernière année d'école, elles doivent réaliser une « marquette » qui sert de modèle pour la broderie du trousseau : « La marquette est un petit carré de canevas, où les petites filles brodent au point de croix – le point de marque – l'alphabet de A à Z et les chiffres de 1 à 9 avec le 0 au bout » (Verdier, 1979, p. 180). L'ethnologue fait le rapprochement entre la marquette et le marquage du linge de corps par le sang des règles et écrit : « Les filles fixent donc leur identité sur leur linge de corps et sur leurs draps »; marquer son trousseau apparaît comme une obligation forte. L'hiver de ses 15 ans, la jeune fille va en apprentissage chez la couturière – qui détient les savoirs sur les corps et les amours – où elle apprend seulement « à faire passer les épingles »; mais, en fait, il s'agit d'un moment de véritable initiation à la vie amoureuse. La couturière « fait la mariée » le jour des noces en fixant la couronne et le voile avec des épingles, que le mari enlèvera le soir des noces; la jeune fille, nouvellement mariée, perd alors son innocence.

Dans de nombreuses sociétés rurales (et urbaines) jusqu'au milieu du XXe siècle, les jeunes filles commencent à se constituer un trousseau après la communion ou les premières règles. À défaut parfois de terre ou d'argent, la « dot » est toujours constituée d'un trousseau; marqué aux initiales de la jeune fille, le trousseau restera son bien propre toute la vie. « La mère fait marcher le trousseau » : elle le constitue, pièce par pièce, en commençant par les draps (par six ou douze selon la période considérée); puis viennent les serviettes, les torchons et le linge de corps. Dans le Sud-Ouest, la broderie du trousseau, apprise dans les ouvroirs des sœurs – créés dans la seconde moitié du XIXe siècle – se fait blanc sur blanc; les draps lourds et épais sont souvent thésaurisés dans les armoires et gardés précieusement, comme la couronne de fleurs d'oranger (sous cloche sur la cheminée) comme symbole de la virginité. Les proverbes transmis par la tradition orale – « Une femme sans trousseau n'est rien » ou « Une femme sans trousseau ne peut se marier » – disent bien l'importance de ce bien symbolique dans la construction d'une identité féminine[10]. L'étude des symboles et des coutumes (qui ne sont pas immuables, la robe blanche incarnant la virginité de la mariée s'impose seulement après le dogme de l'Immaculée Conception en 1854) permet de voir comment jusqu'à une période relativement récente (1958

10. FINE Agnès, « À propos du trousseau : une culture féminine? », *in* Michelle Perrot (dir.), *Une histoire des femmes est-elle possible?*, Rivages, 1984, p. 155-188.

pour la couturière de Minot) on « faisait les jeunes filles » au cours d
qu'on pourrait appeler une initiation. Le temps de l'enfance s'achève p
la fillette avec ses règles ; elle abandonne alors son ouvrage initiatique,
marquette, et s'initie progressivement à la sexualité en entrant, autour de ses
15 ans, dans la catégorie des filles à marier. Au XXe siècle, dans la société urbaine, c'est l'école qui est commise à l'éducation des jeunes filles, y compris par l'apprentissage du travail ménager, puis plus tard de l'éducation sexuelle.

Madame ou Mademoiselle ? Célibat, concubinages, mariages [11]

Bien que la norme sociale du modèle féminin du XIXe siècle soit une femme épouse et mère, en 1851, en France, on compte 27 % d'hommes célibataires ou veufs à 50 ans ou plus et 46 % de femmes seules : 12 % sont célibataires, 34 % sont veuves. Ce dimorphisme sexuel de la solitude est accentué par le développement urbain : pour les filles, le célibat est toujours plus important dans les villes que dans les campagnes ; le mariage y est plus tardif. Malgré les normes bourgeoises et les attentes sociales.

Rosières et catherinettes, paradigmes du célibat féminin

Ces deux fêtes populaires, la Sainte-Catherine et la fête des Rosières, ont en commun la célébration des jeunes filles vertueuses et seules. Les rituels en l'honneur des rosières ou des catherinettes sont, de fait, une mise en scène des rapports ambigus à la virginité et au célibat. Si la consécration de la rosière a pratiquement disparu, la fête de la Sainte-Catherine a survécu en s'adaptant et en se transformant au gré de la conjoncture historique [12]. La rosière est une jeune fille à qui l'on donne une chance d'échapper à sa condition sociale. Elle reçoit une certaine somme d'argent de la part de la municipalité ou d'un particulier qui a établi un legs. Sur un char décoré, elle défile dans la ville ou le village, habillée et couronnée de blanc, souvent au bras du maire. C'est, au XIXe siècle, un rite de célébration de la virginité, de la vertu et de la pauvreté méritante. La rosière prend valeur d'exemple ; elle doit servir de modèle pour les autres jeunes filles. Huguette Bouchardeau (professeur de philosophie, féministe, secrétaire nationale du PSU en 1975

11. FARGE Arlette et KLAPISCH-ZUBER Christiane (dir.), *Madame ou Mademoiselle ? Itinéraires de la solitude féminine*, Arthaud/Montalba, 1984. DAUPHIN Cécile, « Femmes seules », *Histoire des femmes. Le XIXe siècle*, 1992, p. 445-459. KAUFMANN Jean-Claude, *La Femme seule et le Prince charmant*, Pocket, 2002 (1re éd. 1999), étude sociologique d'une forme récente de solitude féminine.
12. SEGALEN Martine et CHAMARAT Jocelyne, « La Rosière et la "Miss" : les "reines" des fêtes populaires », *L'Histoire*, n° 53, février 1983, p. 44-55. MONJARET Anne, *La Sainte-Catherine. Culture festive dans l'entreprise*, Éditions du CTHS, 1997. MONJARET Anne et TAMAROZZI Frederica, « Les concours de beauté : les miss », *Ethnologie française*, juillet-septembre 2005.

…ement de François Mitterrand) décrit le titre de rosière

> … terme de "rosière" désignait une jeune fille méritante … la ville ou du village remettaient au cours d'une céré… …mmage d'une couronne de roses, un prix de vertu. Vertu sup…, bien sûr, goût du travail, dévouement à la famille et virginité. Ma …ut rosière à Saint-Étienne en 1925, l'année de ses dix-huit ans. Son frère …ndré venait de disparaître à seize ans. Sa mère et elle l'avaient soigné pendant dix ans… L'abnégation de Rose auprès du garçonnet devenu mutique, refusant la nourriture, glissant peu à peu vers la mort, avait touché un couple de voisins, "des gens riches" selon ma mère. Ils avaient signalé le cas de Rose au comité chargé de sélectionner les candidatures. Elle ne se souvient guère de la cérémonie, se rappelle avec plus de précision l'enveloppe remise aux lauréates "Cinq cent francs" chuchote-t-elle avec une reconnaissance respectueuse pour l'institution et pour les parrains occasionnels[13]… »

Notons la particularité de la ville de Saint-Denis (93), qui célèbre, depuis 1648, trois jeunes filles méritantes, mais qui les dotent une fois seulement le mariage accompli : en 1977, le bureau d'aide sociale de la mairie (communiste) publie encore l'annonce de la désignation par « la fondation des filles à marier » de « trois jeunes filles méritantes, natives de la commune ou ayant au moins 5 ans de résidence ». Au XXe siècle, la fête a perdu son caractère religieux et parfois son nom. La Muse du peuple, fête organisée au départ par le musicien Charpentier, est une célébration des filles d'un peuple vertueux et laborieux. La fête a une coloration républicaine, laïque et nationale, et s'inscrit dans la lignée de la célébration des allégories féminines étudiées par Maurice Agulhon (voir chapitre 9). En 1979, la fête de la Rosière de Nanterre – une des rares qui survit encore – est contestée par les féministes : la rosière, habillée de blanc comme il se doit, défile sur un char décoré de balais et d'instruments de cuisine, entourée de demoiselles d'honneur déguisées en « femme-battue », « femme-boniche » « femme-cuisinière », « femme-mère ». Aujourd'hui, on a glissé progressivement du mérite à la beauté. Les concours de beauté, nés dans les années 1930, ne s'intéressaient au départ qu'à la beauté physique et à la grâce du visage. Puis, l'intérêt s'est porté progressivement sur l'ensemble du corps, un corps apprêté et présenté dans un maillot de bains identique pour toutes les candidates : il leur reste alors à se distinguer par leurs mensurations et leur présentation. L'élection des miss sur le plan local, national ou même mondial obéit, chacune, à cette dialectique entre uniformisation et singularité.

La Sainte-Catherine, le 25 novembre, est avant tout une fête professionnelle, de classe d'âge, où l'on célèbre les célibataires de 25 ans qui, ce jour-là, « coiffent sainte Catherine » (d'où l'importance des chapeaux décorés). Elle est aussi un marqueur du célibat « tardif ». Elle a encore été observée récemment par une ethnologue, Anne Monjaret, en 1986 dans plusieurs ateliers du Sentier parisien (textile), dans des grands magasins et des adminis-

13. BOURCHARDEAU Huguette, *Rose Noël*, 1990, p. 37-38.

trations (la Poste en particulier). Au départ, il s'agit d'une fête religieuse célébrée dans les campagnes en l'honneur de sainte Catherine, qui traditionnellement patronne les filles à marier et les « vieilles filles ». Les couleurs symboliques de la sainte sont le blanc (virginité), le vert (qui exprime la perturbation, qu'elle soit sociale amoureuse ou mentale, selon Pastoureau) et le jaune (le temps qui passe, mais aussi la couleur de celle qui attend, la fille à marier ou la vieille fille, figure perturbatrice de l'ordre social). La fête de la Sainte-Catherine est réactivée à la fin du XIXe siècle, sans doute avec la baisse de l'âge au mariage ; la « catherinette » devient alors une figure urbaine, tandis que le rituel se sécularise. Mais la Sainte-Catherine devient aussi, surtout à Paris, une fête corporative, celle des ouvrières de la couture. Après 1936, le 25 novembre, déclaré jour de fête chômé et payé, est inscrit dans les conventions collectives. La « catherinette » enterre le jour de ses 25 ans sa vie de jeune fille, mais sur le modèle du manque et de la privation, à l'opposé de celle du garçon, qui se fête la veille du mariage. La représentation sociale de la « vieille fille » a la vie dure. Passer Sainte-Catherine apparaît encore en 1976 comme un « fardeau, presque une sorte de déshonneur », « une humiliation » (Monjaret, p. 40). Après 1975, la fête – contestée dans son principe – quitte la rue parisienne pour se lover dans les espaces de travail.

La baisse progressive du nombre de mariages, qui sont en moyenne plus tardifs, la cohabitation juvénile et la plus grande acceptation sociale du célibat, signe d'émancipation féminine, modifie la représentation du rite et de la fête. La Sainte-Catherine reste un rite de passage féminin, mais qui ouvre, plus qu'elle ne ferme, l'âge au mariage ou de mise en ménage, après la période de liberté sexuelle de la jeunesse. Rosières et catherinettes représentent donc bien des paradigmes du célibat féminin. Très discrédité socialement au XIXe siècle, le célibat est devenu, pour les femmes actives surdiplômées de la fin du XXe siècle, presque une norme : c'est « la femme en solo » de Jean-Claude Kaufmann (1999).

Du concubinage à la cohabitation

Le XIXe siècle est le siècle du triomphe de la famille. Le Code civil a fixé les règles du mariage et refusé des droits et aux enfants naturels et au concubinage. La figure de Gervaise, dans *L'Assommoir* de Zola, représente sans doute l'archétype du concubinage, hantise des observateurs sociaux et des moralistes de cette fin de siècle, caractéristique selon eux de la famille ouvrière. *A contrario*, un historien, Michel Frey, a démontré que ce sont les ouvriers qui se marient le plus au milieu du XIXe siècle, alors que l'on trouve le concubinage dans tous les milieux sociaux[14]. En revanche, les ouvrières, plus souvent que les hommes, sont engagées dans des relations hors des liens du mariage.

14. FREY Michel, *Annales ESC*, 1978, n° 4, p. 803-829.

À la fin du siècle, les conceptions évoluent : celle du mariage d'abord, plus fondé sur le sentiment amoureux et celle de l'union libre, valorisée par les féministes et les anarchistes. La loi sur la recherche de paternité est adoptée le 8 novembre 1912. Le souci démographique postérieur à la défaite de 1871 explique aussi cette mutation des mentalités en faveur de l'enfant, légitime ou non, et donc des accordailles illégitimes. Françoise Battagliola a étudié le concubinage à Paris à la fin du XIXe siècle. Elle souligne que « si le concubinage n'est pas le fait exclusif des populations ouvrières, il apparaît cependant fréquent parmi les plus démunis[15] ». En effet, pouvoir se marier nécessite un certain revenu (la pratique de la dot est courante encore dans tous les milieux). Nombreux sont les étudiants qui vivent un temps avec une compagne qui travaille et, une fois ses études terminées, la quitte pour s'établir et se marier plus bourgeoisement. Les stratégies matrimoniales sont ainsi liées aux stratégies sociales. À Paris où les métiers de la couture sont légion, les ouvrières de l'aiguille sont le plus souvent jeunes et célibataires et donc présentes sur le marché matrimonial et de la séduction; elles cherchent plutôt à s'accorder au-dessus de leur condition, avec des employés (44 % d'entre elles l'ont fait contre 45 % qui vivent en concubinage avec un employé ou un commerçant [Battagliola, p. 93]). Au tournant du siècle, les unions se stabilisent : le nombre des enfants reconnus augmente, surtout ceux qui sont légitimés par le mariage ultérieur de leurs parents. La loi sur le divorce en 1884 a porté un coup à l'institution du mariage qui apparaît désormais comme révocable et donc soumis à l'entente des conjoints. Le mariage d'intérêt est, de ce fait, de plus en plus critiqué et la « chasse à la dot » vilipendée par les romanciers et les auteurs de théâtre (cf. *Pot Bouille* de Zola). Certaines féministes prônent l'union libre contre « la prostitution légale » qu'est à leurs yeux le mariage et le plaisir n'est plus condamné : la priorité du droit des individu/e/s sur la raison familiale commence à prédominer.

Après 1968, l'autonomie revendiquée par les femmes à l'égard des structures familiales contribue au phénomène que les sociologues ont baptisé « cohabitation juvénile », forme de « mariage à l'essai » (Louis Roussel, 1975). (Les politologues reprendront le terme pour l'appliquer aux relations entre le président de la République et le Premier ministre en 1986, lors de la « première cohabitation ».) En 1968, 17 % des jeunes filles qui se marient vivaient déjà auparavant avec leur conjoint. Elles sont 44 % en 1977. Les pouvoirs publics délivrent désormais en mairie des certificats de concubinage – le terme perdure – attestation qui ouvre des droits sociaux. La cohabitation traduit aussi la méfiance dans l'avenir et le surinvestissement dans le présent, pointé dans d'autres domaines par les historiens. Elle traduit également la dissociation profonde entre sexualité et procréation, accentuée par le développement et la visibilité d'autres sexualités. Un enfant sur trois naît hors mariage en France en 2000, un sur deux à Paris.

15. BATTAGLIOLA Françoise, « Le concubinage à Paris à la fin du XIXe siècle », *Genèses*, n° 18, janvier 1995, p. 68-96, citation p. 84.

Mariages

Le mariage est un rite de passage important dans les sociétés rurales comme dans les sociétés urbaines. En Languedoc, par exemple, le groupe des jeunes (garçons) contrôle toutes les étapes de ce rite de passage et remplit ainsi une fonction matrimoniale importante. Toute alliance doit être approuvée. Le mariage d'une jeune fille avec un étranger (au village!), qui prive le groupe d'une épouse virtuelle, est brocardé dans un charivari. Le repas de noce à la campagne est un des classiques de la peinture de genre au XIXe siècle. On y célèbre ce jour-là l'abondance, prélude à la fécondité du foyer. Plus tard, en ville, la photographie fixe les groupes familiaux pour le traditionnel portrait de groupe ou, dans les intérieurs, la famille plus restreinte, où le rôle de la chambre à coucher matrimoniale, domaine du privé, est valorisé (objet de la dot lors du mariage)[16]. Le mariage est la clé de voûte de la société du XIXe siècle. La reproduction sociale est de règle : on épouse son semblable parce qu'on le fréquente. L'homogamie et l'endogamie existent dans tous les milieux sociaux et régionaux. Dans la bourgeoisie, on se marie souvent après présentation. Les marieuses, parentes ou amies de la famille se chargent des préliminaires. Les « bals blancs » sont organisés pour les filles (et les garçons) à marier. L'usage veut que la jeune fille se marie l'année de sa présentation au monde; l'année suivante au pire. Le dîner de fiançailles a lieu chez les parents de la jeune fille et le jeune homme offre la bague; ensuite, il peut venir faire sa cour pendant les deux mois environ qui les séparent du mariage. La période est mise à profit pour signer le contrat (de mariage) qui fixe la dot. Cadeaux et trousseau sont exposés pour que tous en soupèsent des yeux la valeur.

Au cours d'un siècle et demi, les variations de l'âge au mariage enregistrent les mutations socioculturelles de la société française. Dans le premier tiers du XIXe siècle, l'âge moyen des femmes au premier mariage est autour de 25-26 ans (sauf chez les élites bourgeoises et aristocrates où il est plus précoce). En 1880, l'âge moyen au mariage est de 24 ans. Depuis le début du XXe siècle, et jusqu'en 1980, l'âge moyen au mariage ne cesse de baisser; les filles se marient dans leur majorité entre 20 et 24 ans (exception faite dans l'immédiat après-guerre, en 1946-1948).

Au milieu du XXe siècle, « se marier c'est d'abord faire équipe » (Antoine Prost, 1987). La nouveauté, c'est que l'on se marie avant d'avoir une situation : en 1948, 12 % des étudiants sont déjà mariés (Philippe Ariès, 1953). L'amour occupe une place importante dans ce qu'on appelle alors la « vie de couple ». Antoine Prost signale que des conférences de préparation au mariage sont données dans les Écoles normales en 1953. La sexualité – le mot n'est plus tabou – est liée alors à la procréation. Jusqu'en 1970-1975, malgré le mouvement en faveur de la contraception, lancé en 1956 par l'association Maternité heureuse, devenue Planning familial – les mots ont un sens –, l'institution matrimoniale n'est pas remise en cause.

16. Voir l'iconographie de *L'Histoire de la vie privée*, tome 4, sous la direction de Michelle Perrot, et tome 5 sous la direction de Gérard Vincent et Antoine Prost, Seuil, 1987.

Le féminisme des années 1970, qui se bat pour que les femmes obtiennent la « libre disposition de leur corps », contribue à dissocier sexualité et procréation. Dans le même temps, le nombre de mariages diminue et l'âge au mariage ne cesse d'augmenter pour se positionner au-delà de 25 ans. C'est le résultat du processus de report des engagements familiaux et d'« une entrée prudente et tardive dans la conjugalité » repoussée pour près de 20 % des femmes exerçant une profession de cadres supérieures. Les rituels du mariage se transforment et deviennent polysémiques : mariages traditionnels (sans cohabitation préalable, avec fiançailles et cérémonie religieuse), mariages après cohabitation sans fiançailles ni cérémonie religieuse, mariages déritualisés (après la naissance des enfants, ou encore mariage avec un[e] divorcé[e]). Se marier au début du XXIe siècle, c'est faire un « compromis entre le couple et la constellation familiale[17] ». L'entrée dans la vie de couple et le mariage sont dissociés. Le mariage est désormais facultatif. Le divorce par consentement mutuel rend le mariage réversible et sépare conjugalité et parentalité. Les naissances hors mariages et les familles « monoparentales » (essentiellement des femmes) se multiplient.

Au-delà du mariage ou de la cohabitation, c'est l'institution familiale elle-même qui devient incertaine ou du moins qui se complexifie[18]. La modification des normes sociales du célibat et du mariage repose sur les changements des représentations de la féminité et des pratiques de la sexualité et de la conjugalité. L'adoption récente, par la loi promulguée le 15 novembre 1999, du PaCS, Pacte civil de solidarité, qui a pour but d'organiser la vie commune de « deux personnes physiques majeures de sexe différent ou de même sexe » est le témoignage de ces mutations de la sexualité et de la conjugalité dans la France du très contemporain.

Maîtresses de maison et ménagères

Au XIXe siècle, la maîtresse de maison est une bourgeoise qui consacre son temps à la famille, à ses relations mondaines et à ses œuvres charitables. Le but du mariage étant la procréation, la maison, espace privé par rapport à l'espace public des affaires du mari, est son domaine : elle passe une partie de son temps dans son intérieur entretenu par des domestiques. Une stricte division de l'espace a lieu entre l'espace public de représentation autour de l'antichambre (salle à manger, salons), l'espace privé, la chambre conjugale – temple de la génération (mais pas forcément du plaisir) – et très éloignés, la cuisine, le cabinet de toilette et lieux d'aisance rejetés, comme les domestiques, du côté des nécessités corporelles pour lesquelles existe un grand mépris. La bibliothèque et le bureau sont des espaces masculins. La diffusion de meubles avec des miroirs (armoires, table de toilette) dans la seconde moitié du siècle montre un souci de soi croissant.

17. SEGALEN Martine, *Rites et rituels contemporains*, Nathan, 2002, p. 103.
18. ROUSSEL Louis, *La Famille incertaine*, Odile Jacob, 1989.

Les ménagères, femmes des ouvriers, ont un autre usage de l'espace et du temps. Toujours en activité et en mouvement dans la ville, en quête de nourriture, de blanchissage ou de chauffage, elles résistent à l'enfermement normatif dans le foyer. Gestionnaire du quotidien et de l'éducation des enfants, la mère est le pivot de la famille, la pierre angulaire de l'édifice social. Le père, éloigné du foyer par de longues journées de travail, lui délègue ses pouvoirs pour l'entretien du ménage. Tous les discours s'accordent pour faire l'« éloge de la ménagère » et condamner le travail des femmes à l'extérieur du foyer.

Mais il faut prendre garde à ne pas trop figer les types de la maîtresse de maison ou de la ménagère : il y a des changements (philanthropie, puis travail social pour les bourgeoises, travail à domicile et dans les bureaux pour les femmes des milieux populaires), des zones indécises de l'espace et des rôles. La famille triomphante au XIXe siècle n'est pas la stricte épure que lui assigne le modèle.

Le choix d'être mères ?

À la jonction du public et du privé, la famille – avec enfants – est le fondement de la société et de la gouvernementalité. Elle est la clé de voûte de la production et de la consommation, de la reproduction et de l'éducation. Les mères sont les « institutrices du social et de la nation » pour dispenser à leurs enfants une première socialisation. La famille régule la sexualité et la santé. « La famille est le cristal de la société civile et l'atome de la nation, structure élémentaire non seulement de la parenté, mais de la Cité » (Michelle Perrot, 2000).

Au XXe siècle, l'État intervient de plus en plus pour réguler la vie familiale, par le biais de l'enfant, dans le but de contrôler la vie des familles pauvres; et aussi par le biais des mères, dont les maternités sont l'objet de toutes les attentions. Pour les femmes, ces politiques natalistes, de la IIIe à la Ve République, en passant par l'acmé que représente le régime de Vichy, sont une véritable « contrainte par corps ».

Un devoir national : faire des enfants

Depuis la Révolution française, les femmes sont assignées par l'État à une place spécifique dans la nation, celle d'éducatrices des futurs citoyens. En effet, elles sont toutes considérées comme des mères effectives ou potentielles. À partir de 1874 (loi Roussel pour contrôler les bureaux de placement pour les nourrices), l'État s'immisce dans la vie privée des femmes et des familles en légiférant sur la protection des nourrissons, sur la maternité, plus tard sur la contraception et l'avortement. Le dernier tiers du siècle est en effet marqué par une obsession démographique, née du constat de la faible natalité française et de la défaite de la France, en 1871, face à une Allemagne considérée comme prolifique. Obsession qui perdure pendant une bonne part du XXe siècle. La peur du manque d'enfants, s'accompagne de la hantise d'une « dégénérescence de la race », qui traduit un souci eugénique, « un eugénisme nataliste à la française », selon l'expression de Pierre-André Taguieff. D'événement relevant du privé, la maternité – protégée « pour faire naître et bien naître » – relève désormais du public. Outre l'intervention de l'État existent de nombreuses œuvres privées qui mettent en place des consultations de nourrissons et organisent des « Gouttes de lait » pour promouvoir l'allaitement maternel : il s'agit de prévention pour faire diminuer les taux exorbitants de mortalité infantile, de même que les femmes en couches sont protégées des fièvres puerpérales par le développement de l'asepsie dans les hôpitaux. Dans la période de laïcisation, où joue la concurrence entre l'Église et l'État, ce dernier cherche à venir en aide aux femmes et aux familles pauvres, « indigentes » selon le terme d'époque. En ce domaine, les élus locaux, et en particulier les bureaux de bienfaisance des municipalités qui dispensent l'assistance, sont actifs et efficaces : à Saint-Étienne en 1914, un accouchement sur deux est pris en charge par le Bureau d'assistance. Les statisticiens et les démographes quantifient et cartographient les zones de pauvreté (Bertillon à Paris par exemple). Fonction sociale, la maternité est ainsi élevée au rang de devoir national. Pendant que Zola célèbre dans son roman *Fécondité* (1899), la propagande néo-malthusienne de Paul Robin est combattue.

Cependant, et c'est là que nous pouvons le plus pointer les contradictions entre discours normatifs et expériences des individu/e/s, le fort taux d'activité féminine caractéristique de la France, si on le compare avec d'autres pays européens, se maintient au XXe siècle, pendant l'entre-deux-guerres. Alors que la propagande nataliste bat son plein, que le modèle de « la mère au foyer, sans profession » s'impose, et que la modernité s'incarne dans les « arts ménagers », le nombre de naissances stagne jusqu'en 1942. 40 % des ouvrières parisiennes dans les années 1930, selon Catherine Omnès, n'ont pas eu d'enfant : entre le travail salarié et la maternité, les femmes ont choisi, même si ce choix est en contradiction avec les injonctions religieuses, étatiques et nationales.

Après la Seconde Guerre mondiale, dans la période de croissance des Trente Glorieuses, un consensus sur le *baby boom*, a paru s'établir entre les points de vue des couples, des partis, de la gauche à la droite, et des différentes associations qui prônent un « féminisme maternaliste » (la maternité comme fonction sociale qui organiserait la citoyenneté[19]). C'est l'expression, au-delà du consensus politique, d'une forme de consentement des couples aux politiques natalistes et également d'une confiance renaissante dans l'avenir. Ce consensus fléchit au milieu des années 1960, en même temps que remonte la courbe du travail féminin.

19. KNIBIEHLER Yvonne, *La Révolution maternelle depuis 1945. Femmes, maternité, citoyenneté*, Perrin, 1997.

Les politiques natalistes et familialistes

Au XIXe siècle, les économistes, les entrepreneurs et les notables, attachés au libéralisme, répugnent à un engagement de l'État dans la question sociale. Pourtant, vers 1880, l'idée que la République ne peut assurer la paix sociale que par l'intégration du monde ouvrier s'affirme : la loi de 1884 sur les syndicats professionnels relève de cette préoccupation. Progressivement se constitue une doctrine (le solidarisme), un milieu de spécialistes et des institutions (l'Office du travail) qui élaborent un compromis, dont l'un des fondements est le rôle maternel attribué aux femmes. Au moment où le service national devient obligatoire pour les hommes (1889), les femmes sont considérées comme des « soldates réservistes de la nation ». Les femmes sont assignées à leur rôle d'épouses et de mères, éducatrices des futurs citoyens. Le souci de protéger l'enfance sert de cheval de Troie à une extension de l'ingérence de l'État dans les affaires des familles. Par là, il s'agit aussi d'arracher les femmes à l'influence de l'Église catholique, très présente dans les institutions de soins et de bienfaisance. Deux lois sont emblématiques de cette politique fin de siècle. La loi de 1892 est une loi de protection du travail : elle en limite la durée et interdit le travail de nuit aux femmes, aux filles mineures et aux enfants. Au cours de la très longue délibération sur cette loi, les discours tournent autour de la féminité et de la nécessité de protection de la « race ». La loi de 1893 sur l'assistance médicale gratuite fait de la prise en charge de l'accouchement des femmes pauvres une obligation de solidarité sociale. Ce sont les médecins-accoucheurs qui ont joué un rôle fondamental pour diffuser leurs arguments sur la nécessité de protéger la mère et l'enfant. Dans les débats à la Chambre des députés et au Sénat, les femmes sont considérées comme des « soldates de la maternité » au service de la nation (on propose même de leur attribuer une allocation de 28 jours égale à celle des réservistes masculins). Les soutiens de ces lois regroupent à la fois les catholiques (dont le porte-parole est Albert de Mun), attachés au foyer familial chrétien, des syndicalistes qui ont peur de la concurrence du travail féminin et qui ne voient les femmes que comme ménagères, les accoucheurs, nouvelle catégorie professionnelle en voie de légitimation, et les républicains laïcs. Des historiennes (Gisela Bock, Anne Cova[20]) ont souligné le rôle, dans l'adoption des lois protectrices, des associations féminines et féministes qui fonctionnent comme des groupes de pression sur les parlementaires. Anne Cova estime que c'est entre 1909 et 1913 que s'ébauche la protection de la maternité en France. Cependant, si les congés de maternité datent de cette période, des lois antérieures (comme la loi de 1892 et celle de 1893) sont indirectement, dans leurs attendus, des lois protectrices

20. BOCK Gisela, « Pauvreté féminine, droits des femmes et État providence », *Histoire des femmes en occident. Le XXe siècle*, 1992, p. 381-409. AUSLANDER Leora et ZANCARINI-FOURNEL Michelle, *Différence des sexes et protection sociale*, PUV, 1995. COVA Anne, « Généalogie d'une conquête : maternité et droits des femmes en France, fin XIXe-XXe siècles », *Travail, genre et sociétés*, n° 3, mars 2000.

de la maternité. La loi Engerand du 27 novembre 1909 accorde un congé de maternité sans perte d'emploi, mais sans compensation financière. Il faut attendre le 17 juin 1913 et la loi Strauss pour qu'une allocation soit attribuée aux « femmes en couches » à condition que les conditions d'hygiène soient respectées. La famille devient, au début du XXe siècle, une catégorie de la sociologie politique. Durkheim consacre son cours de 1902 à la « famille conjugale ». Au cours du siècle, l'intervention de l'État est de plus en plus grande, alors que la famille était le lieu par excellence de la sphère privée. C'est à la veille de la Première Guerre mondiale que la famille devient une catégorie légitime de la République et un objet à part entière des politiques sociales. La loi du 14 juillet 1913, qui porte sur l'assistance de l'État aux familles nombreuses indigentes, témoigne de l'implication financière de l'État. Mais surtout, elle légitime le concept de « famille normale », pour les familles de trois enfants et elle forge un modèle (aujourd'hui encore la barrière des trois enfants sert aux institutions : exemple de la carte de réduction SNCF).

De l'assistance à l'assurance

La création d'un ministère de l'Hygiène, de l'Assistance et de la Prévoyance sociales (1920), d'un Conseil supérieur de la natalité (1920) et du Haut-Comité de la population (février 1929) témoignent de la préoccupation de la situation démographique de la France. Le retour de l'Alsace-Lorraine à la France en 1918 oblige les pouvoirs publics à se poser la question de l'assurance : la région bénéficiait en effet de la législation allemande sur les assurances sociales. Par ailleurs, depuis la Grande Guerre, une série d'entrepreneurs avaient créé dans leurs entreprises des systèmes d'aides familiales aux familles avec enfants, appelés « sursalaires familiaux », avec pour but explicite de fidéliser la main-d'œuvre, de favoriser les naissances et de limiter les revendications salariales. Diverses caisses existaient et les lois de 1930 sur les assurances sociales et de 1932 sur les allocations familiales ont pour but de répondre à ces questions et de coordonner les systèmes d'aide, dans ce moment de crise économique, où le travail des femmes à l'extérieur du foyer est vivement remis en cause.

Les lois sur les assurances sociales (1928 et 1930) couvrent les risques de maladie, invalidité, vieillesse, chômage et les aussi charges de famille et la maternité. Les fournitures pharmaceutiques, les honoraires des sages-femmes (l'accouchement à domicile était encore majoritaire sauf dans les très grandes villes) ou les frais du séjour à la maternité sont remboursés aux salariées ou femmes de salariés (les agricultrices, commerçantes et femmes d'artisans, encore nombreuses, n'y ont cependant pas droit). Les femmes salariées perçoivent pendant douze semaines une indemnité pour perte de salaire : ce n'est donc plus une allocation d'assistance dans des cas spécifiques, mais la reconnaissance d'un droit. La loi du 11 mars 1932 sur les allocations familiales oblige les employeurs à s'affilier à une caisse de compensation : la loi généralise les allocations familiales à tous les salariés du commerce, de l'industrie et des professions libérales pour les enfants de moins de 14 ans (16 ans s'ils font des études ou sont en apprentissage). Les caisses peuvent choisir de verser ou non les allocations au salarié ou à sa femme, à domicile.

• Le Code de la famille : natalité et famille légitime

Le décret-loi du 29 juillet 1939, relatif à la famille et à la natalité française, adopté sous le gouvernement Daladier, constitue une coordination et une amélioration des différentes mesures d'aide à la famille. Il est prévu une prime à la naissance du premier enfant et des allocations dont le taux est fixé à 10 % par rapport au salaire moyen départemental. Des mesures fiscales pénalisent les célibataires et les couples sans enfant. Les dispositions contre l'avortement sont confirmées. Il faut des enfants pour la nation, mais pas à n'importe quel prix : ils doivent être français et légitimes. Le Code de la famille de 1939 porte donc les traces d'une conception moralisatrice et nationaliste du rôle des femmes, du couple et de la famille (se rappeler que le recours à l'immigration a été massif dans l'entre-deux-guerres). Nous avons vu précédemment que cette politique a été poursuivie par le régime de Vichy marquant là une remarquable continuité malgré le changement de régime (avec un accroissement cependant des sanctions contre les avortements). La famille, et les mères au premier chef, sont désormais sous protection et sous contrôle.

• À la Libération : sécurité sociale et protection des familles

Le Conseil national de la Résistance avait prévu dans son programme d'instaurer la sécurité sociale pour tous. C'est chose faite par l'ordonnance de 1945 qui s'adresse « aux travailleurs et à leurs familles » (ce qui sous-entend que les femmes ne travaillent pas). La loi du 22 août 1946 étend le droit aux allocations familiales à toutes les familles sans distinction de nationalité ou de légitimité (mais les allocations familiales sont refusées aux femmes des départements d'outre-mer, jusqu'en 1975). Une politique fiscale audacieuse crée le « quotient familial » pour l'impôt sur le revenu (la femme compte une part comme le chef de famille et l'enfant une demi-part; ce système, de fait nataliste, est encore en vigueur aujourd'hui). Des mesures accroissent le taux des allocations familiales alignées sur le salaire d'un métallurgiste de la région parisienne. En 1949, sous la pression du MRP (de tendance démocrate-chrétienne), la politique familiale est disjointe de la Sécurité sociale. Jusqu'en 1956, la politique favorise les « mères au foyer » avec l'allocation de salaire unique, versée à domicile, ce qui donne l'illusion d'un salaire maternel. À cette date (1956), cette politique est contestée par le gouvernement Mendès France et par les technocrates du Plan : la France a besoin de main-d'œuvre dans cette période de croissance des Trente Glorieuses. La reprise de la natalité, qui s'était amorcée dès 1942, se confirme après 1946 et ce, jusqu'au milieu des années 1960, parallèlement à la remontée du travail féminin. La politique familiale a sans nul doute contribué à faciliter cet essor. En 1957, un haut fonctionnaire, Dominique Cécaldi, après avoir exprimé « sa satisfaction d'amour-propre national devant le renouveau démographique, preuve de vitalité inespérée » écrit : « Tous ces gouvernements qui depuis 1939 avec une remarquable continuité à travers les changements de régimes et de majorités ont suivi la même voie avec une persévérante confiance. Cette continuité est remarquable pour ne pas être soulignée[21]. »

Contraception et avortement (1920-1975)

La guerre de 1914-1918 et la saignée démographique poussent les pouvoirs publics à mettre en œuvre une série de mesures répressives contre la contraception pratiquée, de fait, depuis la fin du XVIIIe siècle par une population malthusienne. Au lendemain de la Grande Guerre, la Chambre « bleu horizon » réprime dans un premier temps l'information sur la contraception et traque les pratiques d'avortement. En 1920 et 1923, deux lois, symboles du retour à l'ordre moral et politique de l'après-guerre, interdisent à la fois la publicité sur la contraception et la provocation à l'avortement. Ce dernier est correctionnalisé en 1923 : les cours d'assises, dont les jurys populaires acquittaient ou jugeaient souvent de façon indulgente les femmes qui avortaient, sont dessaisies au profit de juges professionnels. Les mères de famille, en revanche, sont honorées par une série de manifestations publiques (médaille des mères françaises, fête des Mères célébrée depuis 1923). On a vu précédemment comment ces mesures sont exacerbées par la politique du régime de Vichy.

Dans les années de plomb de la sexualité et de l'autonomie des femmes est publié, en 1949, *Le Deuxième sexe* de Simone de Beauvoir : il fait scandale, mais devient un best-seller dont l'influence s'avérera déterminante une décennie plus tard. En 1956, le mouvement Maternité heureuse, devenu le Planning familial diffuse, à l'intention des couples, une information sur la contraception. La découverte de la pilule favorise cette action. L'ouverture publique du premier centre de contraception, à Grenoble le 10 juin 1961, souligne le retard de la France en ce domaine par rapport à d'autres pays européens (tel le Royaume-Uni), retard dû autant au consensus sur la politique nataliste et à la politique constante de l'État depuis le début du siècle qu'à l'opposition de l'Église catholique. Le débat soulevé par cet acte d'illégalisme, à l'aune des lois de 1920 et 1923, est relayé lors de la campagne présidentielle de 1965 par le candidat de l'opposition, François Mitterrand. Dans le même temps, une évolution sur la conception de la vie privée et du rôle des filles et des femmes est perceptible, dès 1964, dans les œuvres de fiction ou les magazines d'information diffusés par la télévision française. Les portraits de jeunes filles dessinent des expériences individuelles qui rompent avec les destins traditionnels féminins. Si le divorce et l'avortement restent des sujets tabous, la contraception et le contrôle des naissances sont

21. CECALDI Dominique, *Politique française de la famille*, Toulouse, Privat, 1957, p. 8. On remarquera l'euphémisation sur le régime de Vichy.

abordés. Il en est de même à la radio avec l'émission de Ménie Grégoire. Les divers médias ont donc fait connaître les représentations et les mutations sociales en gestation dans les identités de genre[22].

Après la rupture politique sociale et culturelle de mai-juin 1968, où s'est affirmée l'égalité entre les sexes, les féministes du MLF s'imposent sur la scène publique, à partir de 1970, par une série d'actions provocatrices qui contribuent à déclencher un débat national sur la contraception et l'avortement et à peser à terme sur la législation. Cette dernière avait été modifiée par la loi Neuwirth en décembre 1967, qui autorisait avec d'importantes réserves – pour les filles et femmes majeures (21 ans et plus) – la contraception. Mais les décrets d'application de cette loi ne sont publiés que tardivement (1972) et c'est donc l'action des féministes qui force le cours des choses. Publiée dans la presse en avril 1971, la déclaration de 343 femmes – connues et moins connues –, déclarant s'être fait avorter est l'irruption sur la scène publique de problèmes qui ne concernaient auparavant que l'intimité des femmes et des familles. Le procès de Bobigny, en 1972, d'une jeune fille et de sa mère qui l'avait aidée à avorter, ainsi que l'action de leurs avocates, dont Gisèle Halimi, contribuent également au débat public. Le Mouvement pour la liberté de l'avortement et la contraception (MLAC), mouvement mixte de médecins et militant/e/s créé en 1973-1974, pratique des avortements et met en œuvre un illégalisme de masse. C'est la raison pour laquelle, en 1974, le nouveau président de la République, Valéry Giscard d'Estaing, et sa ministre de la Santé, Simone Veil, présentent au Parlement deux textes de loi. Le premier (texte souvent passé sous silence) sur la contraception (décembre 1974) supprime les entraves existantes (en particulier pour les mineures) dans la loi Neuwirth de 1967. Contrairement à ce qui est écrit dans de nombreux manuels, il faut donc dater l'introduction de la contraception, dans les faits, de 1974 et non de 1967. La seconde loi est sur l'interruption volontaire de grossesse (IVG) en janvier 1975, adoptée, non sans mal, grâce aux voix de l'opposition. La loi est prévue pour cinq ans (elle est confirmée en 1979). Les débats parlementaires autour de la loi de 1975 montrent que la liberté du corps des femmes, liberté hautement symbolique, est l'une des plus difficiles à être acceptée par les hommes politiques de droite, voire de gauche : le président Mitterrand a ainsi mis longtemps avant de signer, en 1982, le décret sur le remboursement de l'IVG par la Sécurité sociale. Les débats postérieurs sur la suppression de l'IVG (amendement de Mme Boutin en 1996, heureusement déboutée) et sur la diffusion de la pilule du lendemain pour les lycéennes montrent que rien n'est jamais acquis définitivement.

Cependant, et l'on peut conclure provisoirement sur ce point, la maîtrise par les femmes de leur fécondité – outre qu'elle a contribué, en même temps

22. LÉVY Marie-Françoise, « Famille et télévision, 1950-1986 », *Réseaux*, 1995, n° 72-73. SOHN Anne-Marie, « Les individus-femmes entre négation du moi et narcissisme. Les auditrices de Ménie Grégoire, 1967-1968 », *in* G. Dreyfus-Armand, R. Frank, M.-F. Lévy et M. Zancarini-Fournel (dir.), *Les Années 68 : le temps de la contestation*, Bruxelles, Complexe, 2000, p. 179-188.

que l'acquisition des droits civils, à une mutation anthropologique sur la filiation dont on ne mesure pas encore tous les effets pour l'avenir – est un des phénomènes historiques majeurs du XXe siècle, au même titre que les guerres.

Droit et sexualités

Le Code civil de 1804 a organisé la domination des maris et des pères sur les épouses et les enfants. Il marque profondément l'histoire des XIXe et XXe siècles. Quelques lois avaient contribué à battre en brèche ses principes : la loi sur le divorce en 1884, la loi sur la libre disposition du salaire de la femme mariée en 1907, la capacité civile de la femme mariée en 1938. Mais les femmes avaient acquis l'égalité politique et la citoyenneté en 1944, sans que leurs droits civils aient été profondément modifiés. En revanche, en deux décennies, de 1965 à 1985, le droit est profondément transformé. Le juriste Jean Carbonnier, avec l'aide entre autres de Simone Veil alors magistrate à la Chancellerie, est un des auteurs majeurs de la réforme de ce droit civil. Les femmes acquièrent les droits civils. Faut-il le souligner une fois de plus? Cette chronologie est en contradiction profonde avec le schéma de Marshall (1950) qui distingue trois étapes dans l'acquisition de la citoyenneté : l'obtention des droits civils (XVIIIe siècle), des droits politiques (XIXe siècle) et des droits sociaux (XXe siècle). Cependant, l'historienne Anne-Marie Sohn, dans un propos optimiste, limite les effets réels du Code civil :

> « Dès lors que le Code civil est constamment ignoré ou transgressé, dans sa lettre souvent, dans son esprit toujours, et ce, au bénéfice des femmes, la discrimination juridique dont souffrirait le sexe faible devient largement théorique. Le Code ne reste une arme antiféministe qu'entre les mains de maris aisés, éduqués et surtout vindicatifs [...]. Il est frappant que jusqu'à la Ve République, la loi ait toujours été en retard sur les mœurs et que le Code napoléonien meure *de jure* un siècle après sa dissolution *de facto*[23]. »

Les transformations du droit (1965-1999)

La loi du 13 juillet 1965 sur les régimes matrimoniaux a mis fin à l'incapacité de la femme mariée. Les femmes peuvent désormais ouvrir un compte en banque sans l'autorisation de leur époux, signer des chèques, etc. L'égalité est entrée dans le droit : les époux ont le même pouvoir de cogestion des biens, leur responsabilité est identique. En 1985, une nouvelle loi interdit que le cautionnement donné par un des époux engage le salaire de l'autre. En matière de mariage, la loi reconnaît des droits égaux dans les obligations financières et dans l'éducation des enfants.

La loi du 11 juillet 1975 sur la réforme du divorce institue le consentement mutuel et les torts partagés; elle supprime le divorce par faute; l'adul-

23. SOHN Anne-Marie, *Chrysalides. Femmes dans la vie privée*, Presses de la Sorbonne, 1996, p. 687-688.

tère cesse d'être pénalisé. La pension alimentaire est remplacée par une indemnité compensatoire, due cependant y compris par les descendants. Par la loi du 22 juillet 1987, les concubins ont l'autorité parentale conjointe. L'autorité parentale conjointe, fondée par la loi du 4 juin 1970, est exercée en commun par les parents mariés ou divorcés ou par les parents non mariés, s'ils font une déclaration commune devant le juge. Du point de vue de la filiation, des droits égaux ont été reconnus aux enfants naturels depuis la loi du 3 janvier 1972. Ils peuvent hériter. La loi du 23 décembre 1985 permet aux enfants, naturels ou légitimes, de porter, en nom d'usage, le nom de leurs deux parents[24].

À côté de cette refonte du Code civil, outre les lois sur la contraception et l'avortement, la loi sur le viol du 23 décembre 1980 est fondamentale : elle définit le viol comme « tout acte de pénétration sexuelle, de quelque nature qu'il soit, commis sur la personne d'autrui, par violence, contrainte ou surprise ». Ainsi qualifié, le viol échappe à la correctionnalisation : il reste un crime (jugé par une cour d'assises) et ne peut donc être disqualifié en délit (relevant des tribunaux correctionnels). Le nombre de plaintes pour viols a doublé ; les plaignantes sont plus prises en considération et les jugements se font plus sévères. Cela n'empêche pas des phénomènes de viols collectifs, que les journalistes ont baptisés « tournantes » (mais qui ne sont pas une nouveauté), d'être le lot quotidien de certaines filles des cités, forme brutale d'entrée dans la sexualité pour les filles comme pour les garçons.

Sexualités et filiations : les mutations du très contemporain

Le droit a, de fait, enregistré les mutations profondes du rapport au corps, au couple et à la sexualité. Aujourd'hui, ces transformations interrogent aussi notre conception de la filiation. La mutation des sexualités passe d'abord par la contestation des tabous. Nous avons vu comment les cinéastes de la Nouvelle Vague, à la fin des années 1950, avaient promu de nouvelles représentations du corps féminin avec l'icône qu'était Brigitte Bardot. Un des premiers tabous brisé dans la foulée de la « révolution sexuelle » des années 68 est le tabou des règles. Le temps où les voisins surveillaient le linge pendu pour savoir si une femme ou une fille était enceinte ou non est bien révolu. Les manières de se coiffer et de s'habiller ont aussi enregistré la mutation des genres : les cheveux longs des garçons dans les années 68 signalaient implicitement une contestation de la virilité. Le port du pantalon (impensable pour les filles et les femmes dans les lycées d'avant 1968) est devenu courant sous la forme de l'unisexe qu'est le jean. La minijupe a remplacé un temps les jupes longues. Le monokini et la vogue des seins nus ont gagné les plages. Le corps féminin s'est dévoilé.

---

24. Depuis le 1er janvier 2005, les parents peuvent choisir le ou les noms patronymiques qui seront attribués à la fratrie.

Plus généralement, la revendication de la liberté d'aimer propre aux années 1970 a marqué les générations suivantes, même si la diffusion de l'épidémie de sida après 1984 a changé peu ou prou la donne de la liberté sexuelle. En 1971, en même temps que le mouvement féministe, se développe un mouvement pour revendiquer le droit à l'homosexualité pour les deux sexes. « Acte contre nature » considéré encore par l'OMS en 1968 comme relevant de la maladie mentale, l'homosexualité est rendue visible par le Front homosexuel d'action révolutionnaire, mouvement mixte au départ. Ensuite, divers mouvements d'hommes et de femmes – le plus souvent d'extrême gauche – revendiquent, par des actions radicales et provocatrices, un changement de la loi adoptée sous le régime de Vichy, qui fixe la majorité sexuelle à 15 ans pour les hétérosexuels et à 21 ans pour les homosexuels et qui punit d'emprisonnement les contrevenants. En 1982, après des débats houleux, la majorité sexuelle est fixée à 15 ans pour tout le monde. En 1985, une loi sanctionne toutes les discriminations à l'embauche, y compris pour le sexe. L'opinion publique, enregistrée par les sondages d'opinion, suit cette évolution. Vingt ans après 1968, une large majorité de Français accepte l'homosexualité « comme une autre manière de vivre sa sexualité ». Aujourd'hui, la Gay Pride, parade homosexuelle qui célèbre dans les grandes villes, et en particulier à Paris, la première manifestation homosexuelle à New York en 1969, est devenue une tradition. La sociologue Véronique Nahoum-Grappe développe sur la Gay Pride un point de vue iconoclaste : elle démontre que les homosexuels hommes, y compris dans leur travestissement et l'inversion des rôles, s'approprient à la fois le masculin et le féminin et éclipsent ainsi les homosexuelles de l'événement. « Ce carnaval des sexualités alternatives continue d'éliminer les femmes à la fois comme actrices visibles mais aussi comme corps emblématique différent [...]. La Gay Pride effectue une masculinisation à outrance de l'espace qu'elle occupe, sous condition d'une dévoration mimétique de toutes les identités alternatives pensables[25]... » La « révolution sexuelle » était un des thèmes débattus dans les cercles libertaires avant 1968. La contestation étudiante est née d'ailleurs de la mise en cause des règlements interdisant aux filles et aux garçons de se rencontrer dans les chambres des cités universitaires (la première fois à Antony dans la banlieue parisienne en 1965) ; elle est au centre aussi de la contestation à la faculté des lettres de Nanterre en 1967-1968. Un des slogans peints sur les murs en 1968, très souvent cité, était « Jouissez sans entraves ». Même si les événements de mai-juin 1968 n'ont, la plupart du temps, pas mis en œuvre ce programme, on peut dire que, à terme, la libéralisation des mœurs est née de cette revendication. Les filles, qui étaient les plus tenues par un moralisme étroit, ont été les premières à bénéficier de la nouvelle permissivité. La multiplication du nombre de divorces, la cohabitation juvénile et la diminution du nombre de mariages sont des phénomènes sociologiques qui en découlent.

25. NAHOUM-GRAPPE Véronique, « Le cortège des sexualités », *Esprit*, mars-avril 2001, p. 254-260.

Cependant la « libération sexuelle » a pris des formes dégradant fortement les images des femmes. Dans l'après-68, le développement des films érotiques, comme des films pornographiques, alors que le nu était pratiquement inconnu au cinéma avant cette date, a contribué à faire sauter les barrières symboliques et les interdits. D'abord cantonnée aux salles de cinéma spécialisées (classées X), la production pornographique, image dégradante du corps des femmes le plus souvent (et aussi des hommes), s'est développée et l'usage s'est généralisé dans les années 1980 après la diffusion des magnétoscopes et des cassettes spécialisées. La publicité n'est pas en reste. Malgré les campagnes répétées contre le sexisme des affiches publicitaires, des femmes apparaissent dans toutes les tenues et toutes les positions sur les murs des villes. Plus récemment, le développement de sites pornographiques sur Internet a accru l'usage individuel de ces images de la domination sur les femmes. Nul doute que ces diverses représentations forgent les imaginaires adolescents et contribuent à cet effacement des barrières et des règles, dénoncé aujourd'hui, par une généralisation sans doute abusive.

Si la contestation du sexisme des images publicitaires et pornographiques est souvent taxée de puritanisme et de pudibonderie, les peurs sociales se sont focalisées depuis moins d'une dizaine d'années sur la pédophilie. Des faits divers dramatiques ont mis au jour les conséquences de la permissivité sexuelle chez certains adultes qui s'en prennent aux enfants et en particulier aux petites filles. Le tourisme sexuel qui s'est développé dans les pays pauvres – qui concerne majoritairement des fillettes (et de très jeunes garçons) – n'est pas ou peu remis en cause, sauf par des organisations politiques ou humanitaires. Ces caractéristiques extrêmes ne sont pas, heureusement, les seules manifestations de l'évolution des sexualités, qui passe par la possibilité pour les femmes d'une maîtrise de la fécondité et l'affirmation du droit au plaisir.

La « révolution sexuelle » aurait consacré ce droit au plaisir, l'affirmation des minorités sexuelles et l'égalité sexuelle des hommes et des femmes dans le cadre de la maîtrise de la fécondité par l'accès à la contraception. Si cette proposition peut paraître optimiste, la sexualité joue désormais, selon les sociologues, un rôle capital pour la constitution puis l'entretien de la relation conjugale[26]. Un désaccord sur les relations sexuelles conduit aujourd'hui à la séparation et au divorce. Des enquêtes, réalisées à vingt ans d'intervalle, enregistrent les changements : le principal est celui de l'allongement de la vie sexuelle, plus marqué pour les femmes que pour les hommes. Les relations sexuelles sont plus précoces : 3/4 des filles ont connu une expérience sexuelle avant 20 ans (23 ans en 1970). Garçons et filles se distinguent par les modes d'entrée dans la sexualité : les filles ont des rapports qui privilégient l'aspect relationnel, alors que les relations sexuelles des garçons se font sur le mode de l'expérimentation. Par ailleurs, la vie sexuelle se pro-

26. Bozon Michel, « Sexualité et genre », *Masculin/féminin. Questions pour les sciences de l'homme*, PUF, 2001, p. 170-185 et du même auteur « Sexualité et conjugalité », *La Dialectique des rapports hommes-femmes*, PUF, 2001, p. 239-259.

longe après 50 ans : 80 % des femmes de plus de 50 ans, en couple, ont eu des rapports dans l'année (moins de 50 % en 1970). La ménopause, réalité biologique pour les femmes, se révèle être aussi une construction socioculturelle : elle ne signe plus aujourd'hui la fin de la vie sexuelle. Le nombre de rapports sexuels a peu évolué en vingt ans, mais leur durée a augmenté (par allongement des préliminaires amoureux). Si une courte majorité (51 %) des femmes se disent satisfaite de leur vie sexuelle (deux fois plus qu'il y a vingt ans), c'est sans doute qu'elles y ont une participation plus active. En revanche, il y a plus d'exigence à l'égard du conjoint : les relations extra-conjugales, tolérées par les femmes dans les déclarations en 1970, ne le sont plus vingt ans après.

Michel Bozon (2001) considère cependant qu'il n'y a guère eu de révolution dans les rapports de genre dans le cadre de la sexualité : « Alors que les hommes sont pensés comme des sujets désirants indépendants, les femmes continuent à être vues comme des objets à posséder [...]. L'attitude la plus fréquente (des femmes) reste d'essayer de stabiliser et de réguler le désir des hommes, en le contenant dans une relation amoureuse ou dans un couple » (p. 257). La domination masculine reste flagrante dans les formes modernes de l'échangisme (« L'homme accède à d'autres femmes en proposant la sienne »), ou dans la permanence d'une violence sexuelle qui paraît archaïque (cf. enquête de 2000 sur les violences conjugales).

Au total, la sexualité semble centrale dans la constitution et le maintien (ou non) du couple contemporain. Les changements les plus profonds viennent des attitudes des femmes, qui, dans un cadre général de l'accès à l'autonomie, construisent leurs trajectoires sexuelles et affectives. La sexualité tend à être définie comme une expérience personnelle des individu/e/s et non plus comme un rôle social : il y a un demi-siècle, l'activité sexuelle découlait de l'existence d'un couple ; aujourd'hui, l'échange sexuel et le lien amoureux jouent un rôle moteur dans la conjugalité. Ceci explique, avec la désinstitutionnalisation du mariage, que conjugalité et parentalité soient de plus en plus dissociées.

Parentalités

Le néologisme parentalité, apparu récemment en anthropologie, recouvre le champ des relations parents/enfants, mais une partie seulement de celui de la parenté[27]. Aujourd'hui, l'accès à la parentalité s'est complexifié. On peut devenir parent avec ou sans conjoint, en étant stérile ou homosexuel/le. Le recours de plus en plus important à l'aide médicalisée pour la procréation et la multiplication des adoptions engendrent des processus où les femmes jouent un rôle majeur dans la constitution de leur descendance. La maternité (quelle que soit sa forme) joue donc toujours un rôle fondamental dans

27. Fine Agnès, « Vers une reconnaissance de la pluriparentalité ? », *Esprit*, « L'un et l'autre sexe », mars-avril 2001, p. 40-52.

l'identité féminine. Outre l'adoption, la multiplication des familles recomposées dote l'enfant de plusieurs sortes de parents, parents naturels et parents sociaux : on parle aujourd'hui à propos de tous ces phénomènes de pluriparentalité. Pluriparentalité qui provoque un malaise dans la filiation. La question est posée par la dissociation entre parenté biologique (la filiation dans les sociétés occidentales) et parenté sociale, éducative : à l'insémination artificielle, l'adoption, la corésidence et la fonction de père nourricier (pour les beaux-pères) s'ajoutent aujourd'hui les revendications du droit à l'adoption pour les couples homosexuels, l'homoparentalité. L'analyse de l'évolution historique de la famille et du mariage confirme la mise en cause de la conception généalogique traditionnelle en Occident (un enfant, deux parents, quatre grands-parents des lignées maternelle et paternelle) et la dissociation des notions de filiation et de parentalité. Mutation anthropologique de grande ampleur sans doute, mais encore incertaine.

Chapitre 8

TRAVAUX, OCCUPATIONS, MÉTIERS, EMPLOIS

« Les femmes ont toujours travaillé » : cette évidence, rappelée par l'historienne Michelle Perrot dans *Le Mouvement social* en 1978, ne correspond pas au sens commun, et parfois à ce qui est écrit dans certains manuels. Non, la guerre de 1914-1918 n'a pas mis les femmes au travail, pas plus que la croissance et la scolarisation des Trente Glorieuses. Non la « crise » de 1973 n'a pas chassé les femmes de l'emploi, même si elles sont plus touchées par le chômage que les hommes. L'historiographie sur le travail des femmes est abondante et facilement accessible : c'est en effet un des premiers et principaux domaines traités par l'histoire des femmes et la sociologie du genre[1]. C'est la raison pour laquelle ce chapitre privilégiera une approche synthétique et problématique plus qu'informative.

Définir, compter, classer

Le premier souci est donc de repérer les femmes au travail et de les compter globalement : les femmes forment toujours plus du tiers de la « population (considérée comme) active », près de la moitié aujourd'hui. Et encore ne sont pas comptabilisées celles qui exercent des « petits métiers » au XIXe, « petits boulots » à la fin du XXe siècle, occupations précaires et non répertoriées, sans compter le travail domestique qui, lui, est carrément invisible,

1. SCOTT Joan W. et TILLY Louise, *Les Femmes, le travail et la famille*, Rivages, trad. 1987. Deux synthèses commodes par deux sociologues : BATTAGLIOLA Françoise, *Histoire du travail des femmes*, La Découverte, coll. « Repères », 2000 et MARUANI Margaret, *Travail et emploi des femmes*, La Découverte, coll. « Repères », 2000. En histoire, un article et un livre de synthèse : GARDEY Delphine, « Perspectives historiques », *in* M. Maruani (dir.), *Les Nouvelles Frontières de l'inégalité*, MAGE/La Découverte, 1998, p. 23-38. SCHWEITZER Sylvie, *Les Femmes ont toujours travaillé*, Odile Jacob, 2002. Un groupe de recherche européen pluridisciplinaire, le MAGE, et une revue, *Travail, genre et sociétés*, lui sont consacrés en sociologie. Les synthèses sur la question du genre prennent largement en compte la dimension du travail ; voir une des plus récentes, MARUANI Margaret (dir.), *Femmes, genre et sociétés. L'état des savoirs*, La Découverte, 2005.

puisque les ménagères ou les femmes au foyer sont dites « inactives » par les statisticiens. Christian Topalov a fait la généalogie de la définition de la catégorie population active, définition qui s'est fixée au début du XXe siècle[2] : si, au XIXe, les femmes (et les mineurs de moins de 21 ans), comme les domestiques, sont classées avec le chef de famille (conception hiérarchique et morale de l'ordre social), à la fin du siècle s'impose une conception marchande de l'emploi des individus : au recensement de 1896, avec l'introduction d'un classement strictement individuel des professions, les domestiques sont classé/e/s dans la population active, alors que la ménagère « est une femme mariée faisant exclusivement son ménage ». Les actifs et les actives sont présents sur le marché du travail qui leur procure un gain monétaire et les ménagères deviendront des « sans profession », indiquées parfois par « néant » dans les recensements de l'entre-deux-guerres. Prendre en compte les stratégies familiales et le cycle de vie des femmes paraît donc toujours indispensable pour comprendre l'histoire de leurs travaux. Il faut cependant bien distinguer les termes employés : on parle de « travaux de femmes » pour les tâches traditionnellement dévolues aux femmes dans les sociétés préindustrielles – production domestique, soins de la maison et des enfants, couture mais aussi tissage et filage et majoritairement travail de la terre. Le terme perdure pendant une grande partie du XIXe siècle[3]. Le phénomène majeur est alors celui de l'industrialisation, terme préféré à celui de révolution industrielle, parce qu'il désigne un processus, avec des avancées et des reculs et des temporalités différentes selon les pays, les régions et les types d'activités. Les « occupations » sont celles des bourgeoises qui gèrent leur maisonnée, épaulée par une domesticité et qui s'adonnent à la broderie ou au tricot, dans une stricte séparation, formalisée dans les discours entre sphère publique (les hommes) et sphère privée (les femmes). Au XIXe siècle encore, domestiques, nourrices, prostituées même, engagent leur corps dans un travail qui est pour elles, comme pour les ouvrières, un gagne-pain en dehors de leur propre espace familial. On distingue ainsi les « travaux de femmes » et les métiers masculins, au sens noble du terme d'appartenance à un corps de métiers (organisés en corporations sous l'Ancien Régime). Pourtant, les femmes exercent de vrais métiers avec des qualifications et des savoir-faire certains. Un mouvement de professionnalisation se développe à la fin du XIXe siècle et dans la première moitié du XXe siècle autour de nouvelles professions qui prolongent cependant en partie les activités dites « naturelles » des femmes – soigner et éduquer : infirmières, institutrices, sages-femmes, assistantes sociales. On ne voit pas les femmes qui exercent des « métiers d'hommes », dans la métallurgie par exemple, au moins jusqu'à la guerre de 1914. L'étude de trajectoires professionnelles et familiales d'ouvrières pari-

2. TOPALOV Christian, « Une révolution dans les représentations du travail. L'émergence de la catégorie statistique de "population active" au XIXe siècle en France, en Grande-Bretagne et aux États-Unis », *Revue française de sociologie*, n° 3, 1999, p. 445-473.
3. C'est le titre choisi par le premier numéro de la revue *Le Mouvement social* consacré à ce sujet : PERROT Michelle (dir.), « Travaux de femmes », *Le Mouvement social*, 1978.

siennes dans l'entre-deux-guerres par Catherine Omnès (1997) a permis de montrer l'importance de la branche d'activité, la métallurgie, et du marché du travail féminin qui n'est ni un marché précaire, ni un marché fluide, ni un marché d'appoint, mais une composante essentielle de la rationalisation au cours de la seconde industrialisation. Le développement du travail de bureau a conduit à la création de nombreux emplois dans l'administration et dans l'industrie, que les filles, scolarisées de plus en plus et de plus en plus longtemps, ont occupés. En même temps s'accroît la flexibilité et la précarisation, avec la crise économique des années 1970 la notion d'emploi supplante le concept de travail.

L'histoire du travail des femmes sur les deux derniers siècles est donc aussi celle de la « société salariale » (Castel) et de l'écart qui se construit progressivement entre famille et production : c'est l'histoire même de l'industrialisation, en prenant en compte les spécificités françaises, c'est-à-dire une « industrialisation doucereuse » (Michelle Perrot) avec une persistance tardive du travail à la terre, dans l'atelier familial ou encore à la boutique. C'est aussi l'histoire de l'institution des normes, des catégories socioprofessionnelles et des représentations sociales du travail et de l'emploi. Une histoire enfin du marché du travail, qui inclut celle de la formation, de l'activité et du chômage. L'évolution des trente dernières années qui se marque par l'extension de la scolarisation secondaire et universitaire des filles, une activité continue pour 80 % des femmes, la salarisation généralisée, la tertiarisation a produit aussi de nouvelles inégalités – l'accroissement du temps partiel contraint, la précarité de l'emploi et le surchômage féminin –, alors que certaines inégalités perdurent comme les écarts de salaires et la ségrégation des emplois. « Toute l'histoire du travail des femmes est faite de cette tension entre des avancées vers l'égalité, des stagnations et des régressions » (Maruani, 2000). Il faut donc se garder, ici comme ailleurs, d'une vision linéaire du progrès de l'activité féminine dans la période.

À défaut de pouvoir nous appuyer sur des chiffres précis, compte tenu des conditions d'enregistrement des statistiques citées ci-dessus, nous allons ébaucher un cadre général qui puisse nous fournir un ordre d'idées sur l'importance du travail des femmes. Au milieu du XIXe siècle, 75 % des Français vivent à la campagne. À la fin du XXe siècle, 75 % des Français sont des urbains. Le basculement a été constaté au recensement de 1931, où les Français et les Françaises vivent à égalité dans les villes et dans les campagnes, et où la population active se partage quasi équitablement entre primaire, secondaire et tertiaire. L'exode rural a cependant commencé dès 1850 pour les ouvriers agricoles, et pour les filles de la campagne attirées dans les villes par les emplois de domestiques. Les frontières des activités masculines et féminines bougent continûment : c'est ainsi que la domesticité devient essentiellement féminine avant la guerre de 1914-1918, alors qu'en 1880 il y avait 300 000 domestiques hommes et 800 000 femmes (cf. *Pot Bouille* de Zola ou encore *Bécassine*). Le développement de l'activité féminine est parallèle à l'urbanisation et l'industrialisation (35 % des emplois industriels avant la guerre de 1914 sont occupés par des femmes). Le taux décroît ensuite jusqu'en 1965, date où il commence à remonter parallèlement à la diminution de la fécondité, sans qu'il y ait obligatoirement de corrélation entre les deux phénomènes. La prolongation de la scolarité obligatoire jusqu'à 16 ans qui prend effet en 1967-1968, puis le développement de la scolarisation secondaire et universitaire des filles expliquent la transformation du taux d'activité des 15-25 ans, tout comme les retraites anticipées à partir de la crise de 1974 expliquent la forte diminution après 55 ans[4].

Des paysannes aux agricultrices

En 1848, le nombre d'actives et d'actifs dans l'agriculture est à son maximum, avec environ dix millions de personnes vivant de la terre. Les actifs agricoles passent de 50 % des actifs en 1870 à 5 % de la population active en 2000. Sur le fond de cette évolution générale il est bien difficile de comptabiliser réellement les paysannes. Le travail agricole est particulièrement difficile à évaluer parce qu'il s'exerce dans le cadre familial et dans le cadre juridique d'un patrimoine privé. Les agricultrices sont, sans doute, environ 3 millions pendant tout le XIXe siècle et 2,3 millions au recensement de 1931 (dont 340 000 salariées agricoles). La forte diminution date des Trente Glorieuses et de la crise, période dans laquelle leur nombre est diminué par deux : les agricultrices sont 755 000 en 1974 et 320 000 en 1996.

Les folkloristes du XIXe, puis les ethnologues du XXe siècle, se sont intéressés aux tâches des femmes à la campagne. Martine Segalen a mis en avant l'interaction entre les rôles masculins et les rôles féminins dans les familles rurales et les exploitations paysannes[5]. Elle a insisté sur la répartition sexuée des travaux et des espaces : entretien de la maison, de la cour et de la basse-cour, du jardin fruitier et du potager, vente sur les marchés sont le lot des femmes, alors que les machines – tracteurs et moissonneuses-batteuses –, comme la taille des vignes, reviennent aux hommes. Cependant, l'exemple breton pourrait prouver le contraire : on trouve les femmes dans tous les travaux liés à la ferme et à l'exploitation agricole[6]. Pendant la Grande Guerre, et dès août 1914, les paysannes ont été contraintes de sortir de leurs tâches habituelles et d'utiliser les machines, apanage masculin jusqu'alors. Au lendemain de la guerre, 13 % des femmes sont chefs d'exploitation, conséquences des morts et de l'invalidité de nombreux poilus. Leur rôle est reconnu lors de la création des Chambres d'agriculture en 1924 : les femmes de plus de 25 ans, qui ont été pendant la guerre ou qui sont à cette date, chefs d'exploitation, sont électrices au même titre que les hommes :

4. On pourra consulter les chiffres des taux d'activité des femmes par âge de 1896 à 1996 dans MARCHAND et THELOT, *Le Travail en France*, Nathan 1997, p. 58.
5. SEGALEN Martine, *Mari et femme dans la France rurale traditionnelle*, Éditions des musées nationaux, 1973.
6. CROIX Alain et DOUARD Christel, *Femmes de Bretagne. Images et histoire*, Rennes, PUR, 1998.

> « Cette dernière clause fut insérée dans la loi à la demande des Anciens Combattants ; modeste récompense décernée à ces vaillantes paysannes qui surent se mettre à la hauteur des circonstances tragiques que traversait le pays, en ne laissant péricliter la production agricole, si nécessaire au ravitaillement de l'armée et de la population[7]. »

La place réelle, symbolique et juridique des femmes dans la maisonnée, entre famille élargie et famille « nucléaire », varie cependant selon les régions. Cette spécificité n'empêche pas que les paysannes soient astreintes à toutes sortes de travaux. Au travail de la ferme s'est ajouté longtemps un travail à domicile, du textile le plus souvent (élever des cocons de soie dans le Sud-Est, tisser le lin et le chanvre en Picardie, bobiner les écheveaux en Champagne). Ailleurs, elles font de la coutellerie, travaillent le bois, la corne, les peaux. Cette pluriactivité agricole complémentaire du travail de la terre a aujourd'hui changé de nature : les femmes d'agriculteurs travaillent souvent à l'extérieur comme employées, infirmières, institutrices ou encore ouvrières ; elles y ont gagné en autonomie et apportent ainsi un salaire fixe à l'exploitation.

Le travail des femmes à la campagne a été largement occulté et elles n'ont pas beaucoup pris la parole. En 1857, le tableau de Millet *Les Glaneuses* choque l'« opinion éclairée », car on y voit des femmes courbées s'activant à une tâche ordinaire : glaner (c'est-à-dire rassembler ce qui reste après le fauchage des blés). « Entre femme et terre s'insinuent les mythes et les représentations sociales » qui occultent le travail de la terre et qui associent l'agricultrice « à l'ordre de la nature plus que de la culture[8] ». La littérature avec le mythe de l'« éternelle paysanne » a contribué à diffuser une image de la paysanne idéale et à la naturaliser, prenant la place de l'agricultrice réelle. Christiane Albert a analysé quatre romans « paysans » du premier XXe siècle[9]. La vision la plus « réaliste » semble être celle d'Émile Guillaumin dans *La Vie d'un simple*, publiée en 1904 : si la paysanne semble quelque peu stéréotypée, elle est respectée à travers son rôle traditionnel de mère et de gardienne de la tradition, mais aussi comme travailleuse participant à la marche de l'exploitation. Les romans du XIXe siècle ne présentent pas les conditions très dures du travail des « filles de ferme », les plus mal payées des domestiques ruraux ; mais, en revanche, ils s'attardent sur leur vie sexuelle, supposée débridée et amorale. Dans l'imaginaire bourgeois, la « fille de ferme » est une femme au corps libre, sans cesse offert, et de plus une mauvaise mère. Les différences de statut social et de revenu sont rarement évoquées entre la « patronne » et la « fille de ferme » du XIXe siècle, ou entre la salariée et la chef d'exploitation de l'après Seconde Guerre mondiale. Le recensement agricole de 1955 dénombre 5 millions de « travailleurs permanents » dans l'agriculture (dont la moitié de femmes). Après 1960, l'agriculture se

7. Extrait du journal *La Française* du 10 septembre 1934 citant *Le Petit Ardennais*, *Pénélope*, 1982, p. 126.
8. LAGRAVE Rose-Marie (dir.), « Femme et terre », *Pénélope*, n° 7, 1982, introduction p. 5-9.
9. ALBERT Christiane, « L'éternelle paysanne », *Pénélope*, 1982, p. 118-122.

transforme profondément : modernisation, remembrement, mécanisation et concentration des exploitations provoquent une considérable évolution de la main-d'œuvre. Comme au siècle précédent, l'exode rural est plus marqué pour les femmes que pour les hommes. Le nombre des salariées agricoles baisse de façon importante (il en reste 40000 environ en 1996). La relation de travail dans l'exploitation agricole est devenue majoritairement une relation intrafamiliale. Pendant longtemps, jusqu'à la loi d'orientation agricole de 1980, par laquelle les agricultrices sont devenues coexploitantes avec leur mari, elles avaient été comptabilisées comme « aides familiales », c'est-à-dire sans la reconnaissance d'une activité professionnelle autre que dans un statut de dépendance. De paysanne à agricultrice, les termes ne sont pas neutres : il y a dans le second une volonté de visibilité et de professionnalisation. Dans les années 1980, les femmes se sont mises à gérer la comptabilité de l'exploitation. Une décennie plus tard, on constate une évolution certaine. Des femmes mariées deviennent chefs d'exploitation (10 % environ); des filles prennent la succession de leur père, y compris dans la viticulture. Ce sont elles qui sont à l'origine de la transformation de l'activité agricole vers l'entretien du paysage et de l'environnement : polyactivité, confection de produits du terroir, entretien de gîtes ruraux, fermes-auberges... mais aussi amélioration de la qualité des produits. Les compétences domestiques sont ainsi recyclées dans les relations avec les urbains et achèvent le décloisonnement de l'agriculture[10].

En guise de conclusion : dans un article du journal *Le Monde*, du samedi 17 août 2002, intitulé « L'aristocratie du poulet règne à Loué », ce constat – largement conforté par la publicité télévisuelle – de la mutation des genres dans l'agriculture :

> « Autrefois la volaille constituait l'argent de poche de la fermière [...]. Les poulets autrefois ce n'était pas un boulot d'hommes, c'était plus noble d'avoir des bovins. Ceux qui vous disaient cela se sont mis discrètement à la volaille aujourd'hui! »

Les effets de l'industrialisation : travailleuse ou ménagère deux figures antagonistes ?

L'historiographie de la « révolution industrielle » a insisté dans un premier temps sur la rupture entre un monde ancien marqué par l'autoproduction et l'autoconsommation et un monde industriel nouveau qui invente l'usine, marqué par la séparation entre la production et l'espace domestique. Les contemporains, inquiets des bouleversements économiques et sociaux, ont souligné la radicale nouveauté de la figure de l'ouvrière. Pourtant, avant même l'industrialisation, des femmes avaient exercé des métiers indépendamment de la famille; des corporations féminines ont existé dans les villes

10. LAGRAVE Rose-Marie, *Lunes*, n° 4, 1998, p. 21-25.

au moins jusqu'à la fin du XVIIIe siècle. Deux historiennes américaines, Joan Scott et Louise Tilly, ont démontré l'articulation entre les cycles de vie familiaux et le travail des femmes et ont revu très fortement cette vision dichotomique en mettant l'accent sur la transition et ses modalités[11]. Il n'y a pas deux temps historiques séparés, celui où les femmes auraient travaillé à domicile au sein de la famille et une autre période où les femmes travailleraient à l'extérieur comme salariées, mais il y a des moments différents dans la vie de chaque femme où, en fonction du nombre et de l'âge des enfants pour les femmes mariées et aussi des activités potentielles dans le bassin d'emploi, elles ont ou non une activité salariée en dehors du foyer.

La travailleuse au XIXe siècle[12]

Joan Scott (1991) a conceptualisé la division du travail selon le sexe et forgé la figure de la « travailleuse », déclinée le plus souvent sous la figure de l'ouvrière du textile, alors que ce travail était loin d'occuper la majorité des femmes qui, alors, vendaient sur les marchés, travaillaient chez elles, blanchissaient pour les autres, ou encore étaient domestiques. Les économistes – tel Jean-Baptiste Say – ont démontré que le salaire féminin était un salaire d'appoint ; le salaire des hommes et celui des femmes ont ainsi, d'après lui, une valeur différente et les employeurs ont adapté les qualités demandées pour les nouveaux postes industriels aux qualités dites « naturelles » des femmes, tout en leur attribuant une rémunération inférieure. Le raisonnement perdure avec le développement du travail de bureau à la fin du siècle. Les syndicalistes, eux, cherchaient à protéger le travail et le salaire de leurs mandants et considéraient comme illégitime le travail des femmes. Suivant en cela Proudhon (voir chapitre 2), ils font l'éloge de la ménagère. Ils soutiennent une législation protectrice (exemple de la loi de 1892 en France sur l'exclusion des femmes du travail de nuit). Le travail à domicile a, de ce fait, été revivifié dans la seconde moitié du XIXe siècle. L'usage et la diffusion de la machine à coudre provoque une reféminisation de certaines activités comme l'industrie de la chaussure. Le travail à domicile apparaît donc, dans les discours, comme le lieu de travail idéal pour les femmes mariées, qui pouvaient ainsi travailler à la maison et s'occuper des enfants tout en gagnant un « salaire d'appoint ». Mais on ne parle pas, ou très peu, des femmes célibataires, seules, sans enfant, qui exercent une activité sans discontinuité, car le célibat féminin n'est pas une norme sociale.

---

11. SCOTT Joan et TILLY Louise, *Les Femmes, le travail et la famille*, traduction Rivages, 1987 (1re éd. américaine en 1978).
12. SCOTT Joan, « La travailleuse », *Histoire des femmes en Occident. Le XIXe siècle*, Plon, 1991, p. 419-444 (article problématique fondamental).

Les grèves et la faible syndicalisation féminines

La grève féminine est rare nous dit Michelle Perrot (1974 et 1998)[13]. Faire grève apparaît, pour beaucoup de femmes, comme un acte qui risquerait de les déshonorer; certaines, au XIXe siècle, demandent même l'autorisation aux autorités préfectorales avant de cesser le travail. C'est le cas des ovalistes en 1869[14]. Elles s'insurgent cependant parfois contre leurs horaires trop longs (jusqu'à 14 heures par jour), contre une baisse de salaire due aux amendes, ou encore contre un chef d'atelier trop entreprenant. Elles cessent le travail, sortent en groupe, en chantant parfois, manifestent dans les rues. C'est surtout dans le textile, et particulièrement dans les usines de soie du Sud-Est de la France, que les grèves sont les plus nombreuses dans la seconde moitié du XIXe siècle. Des associations corporatives féminines – chambres syndicales d'ouvrières ou de dames réunies – ont été formées à Lyon, Saint-Étienne, Marseille, Vienne. Cinq femmes sont même déléguées au Congrès ouvrier de Marseille en 1879, l'« immortel congrès », où Hubertine Auclert parvient à faire accepter une motion sur l'émancipation des femmes. Une exception dans ce panorama de femmes peu grévistes et peu syndicalisées, les ouvrières des manufactures de tabacs étudiées par Marie-Hélène Zylberberg Hocquart. Elles sont de 15000 à 18000 dans 21 manufactures d'État dont deux à Paris. La main-d'œuvre y est essentiellement féminine (91 %), la formation (apprentissage de deux ans) et le salaire sont garantis par l'État-patron. Tout ceci explique les conditions favorables au développement d'un syndicalisme féminin de masse : en 1887, à Marseille, se constitue la première Chambre syndicale des cigarières; en 1891, il y a 7800 syndiquées (40 % des effectifs). Ces ouvrières font de nombreuses grèves, mais il faut noter que ce travail garanti, où l'on s'embauche de mères en filles, et où la retraite est organisée bien avant la loi de 1910 (sur les retraites ouvrières et paysannes), est exceptionnel dans la France industrieuse de la fin du XIXe siècle. En 1914, environ 10 % des femmes travaillant dans l'industrie appartiennent à des syndicats – en tout cas ceux qui veulent bien les accueillir, ce qui n'est pas le cas par exemple du syndicat du Livre, célèbre par l'« affaire Emma Couriau » (en 1913, les époux Couriau sont exclus du syndicat des typographes, lui parce qu'il « faisait travailler » et voulait syndiquer sa femme et elle parce que les syndicalistes n'acceptaient pas de femmes chez les typographes).

Le travail domestique : de la ménagère (XIXe) à la femme sans profession (XXe)

« Le lot de la femme est la famille et la couture... À l'homme, le bois et les métaux, à la femme, la famille et les tissus. » Ces phrases d'un délégué ouvrier

13. PERROT Michelle, *Les Femmes ou les silences de l'Histoire*, Flammarion, 1998. Voir en particulier la deuxième partie « Femmes au travail ».
14. AUZIAS Claire et HOUEL Annik, *La Grève des ovalistes. Lyon, juin-juillet 1869*, Payot, 1982. Les ovalistes sont des ouvrières en soie qui préparent les écheveaux à partir des cocons.

à l'Exposition universelle de 1867, très souvent citées, sont significatives de la division sexuelle du travail et aussi d'un point de vue largement partagé dans le monde ouvrier. Entretien du ménage, confection des repas, soins aux enfants, mais aussi couture et lavage pour les autres sont le lot des ménagères qui ont un rôle majeur dans les familles ouvrières. Elles en sont le pivot, le « ministère des Finances », car elles tiennent les cordons d'une bourse pas toujours bien remplie, se rendant disponibles, au service de leur mari. Malgré les efforts pour circonscrire leur mobilité dans la ville, les femmes vont du lavoir au marché et à la fontaine et elles sont le vecteur des nouvelles du quartier et de la ville, et parfois des émeutes contre la vie chère (1911-1913).

Après la Grande Guerre, l'éloge de la ménagère du XIXe est remplacé par celui de la mère au foyer, épouse sans profession. Le mode de vie des bourgeoises du siècle précédent – qui ne sont pas des ménagères car elles emploient des domestiques – devient le modèle, l'idéal-type de l'entre-deux-guerres. La nouveauté est la présentation du travail ménager comme un travail qui doit être organisé, professionnalisé, rationalisé[15]. Le Salon des arts ménagers, qui ouvre pour la première fois en 1923, présente les innovations techniques, les nouvelles « machines au foyer ». La publicité, les revues, les traités de cuisine et d'organisation ont pour but de transformer l'organisation même du travail ménager ; ils en forgent en tout cas un modèle idéal. L'enseignement ménager connaît un essor particulier, partagé entre l'apprentissage de l'auto-production (modèle paysan ancien) et l'adaptation aux nouvelles formes de consommation (modèle urbain « moderne »). La réalité sociale est bien différente. De nombreux logements sont vétustes et peu équipés (y compris en eau courante). À Paris, les cuisines des appartements populaires sont particulièrement exiguës. En France, la consommation des appareils ménagers accuse un retard de trente ans par rapport au Royaume-Uni (fer électrique, machine à laver, aspirateur ne se généralisent qu'après la Seconde Guerre mondiale). L'exemple de la machine à laver analysée par Yves Stourdzé (*Le Débat*, 1981) est emblématique : dans les années 1950, les machines à laver fabriquées en France étaient lourdes, volumineuses et semi-automatiques (il fallait l'intervention de la ménagère pour passer du lavage à l'essorage). Ces caractéristiques montrent le retard en France de la société de consommation. Le roman de Georges Pérec, *Les Choses* (prix Goncourt, 1965), est un marqueur du changement vers la société de consommation. Les politiques de familialisation de la classe ouvrière sont cependant plus efficaces que la mécanisation des foyers. Orchestrée par les populationnistes natalistes, elles sont l'œuvre non seulement des catholiques sociaux, mais aussi, à partir de 1935, du Parti communiste et des syndicats. Les entrepreneurs contribuent également à cette familialisation en versant aux pères de famille, en fonction du nombre d'enfants, ce qu'on appelle alors des « sursalaires familiaux » (ce qui évite les revendications salariales), devenus, après

15. MARTIN Martine, « Ménagères une profession ? Les dilemmes de l'entre-deux-guerres », *Le Mouvement social*, n° 140, 1987.

la loi de 1932, des allocations familiales qui favorisent les « épouses sans profession ». Cette politique a contribué à faire intégrer le modèle de la « mère au foyer », comme le montrent toutes les enquêtes orales auprès de femmes âgées ainsi que les courbes d'activité du travail des femmes : les statistiques enregistrent une diminution de l'activité salariée déclarée des mères de famille entre 25-30 ans et 45 ans, donnant à la courbe d'activité féminine une forme caractéristique, ce qui ne préjuge pas du travail réellement effectué, mais non déclaré et admis par les normes sociales, y compris à l'extérieur du foyer[16].

Avec la crise économique des années 1930 augmentent les discours hostiles au travail des femmes. L'Union civique féminine et sociale, comme la nouvelle association intitulée la Ligue de la mère au foyer, fondée en 1931, reprennent à leur compte la campagne pour le retour au foyer des mères ouvrières. Les patrons des entreprises métallurgiques (au moins dans la région parisienne) ne paraissent guère convaincus par ces groupes de pression. La crise revêt une importance particulière dans les industries de transformation et le textile (le pourcentage de chômeuses fait plus que doubler entre 1931 et 1936, passant de 8 % à 18 %). La dégradation de l'emploi industriel affecte aussi les hommes dans la même proportion, mais la crise touche plus précocement les femmes qui, cependant, s'en dégagent plus tôt[17]. Des mesures sont prises contre le travail féminin dans les administrations de l'État pour limiter les emplois pour les femmes mariées dont le mari a lui-même un emploi. À terme, ces caractéristiques du travail féminin donneront aux femmes une vieillesse « sous le signe de la dépendance et de l'assistance[18] ». L'intérêt pour le travail ménager est né chez les sociologues et les démographes après la Seconde Guerre mondiale. La notion de « budgets-temps » (travail pour élever un enfant en lien avec son coût pour la collectivité) apparaît dans les enquêtes de l'INED en 1948. La première enquête sur la répartition des tâches dans les ménages a lieu en 1951. Mais, c'est en 1970, que Christine Delphy lance le débat sur l'invisibilité du travail ménager, appelé domestique, et demande de lui attribuer une valeur – la dénomination soulignant l'activité de service des femmes auprès de la famille – afin qu'il ne soit plus invisible et qu'il entre dans la comptabilité nationale.

Marché du travail et trajectoires professionnelles des ouvrières

Dans le mouvement de rationalisation des entreprises consécutif à la Première Guerre mondiale, les ouvrières occupent une place de choix. En effet, les nouveaux secteurs de la métallurgie et des constructions électriques offrent

16. Burdy J.-P., Dubesset M. et Zancarini-Fournel M., « Travaux de femmes dans une ville industrielle », *Le Mouvement social*, n° 140, 1987.
17. Omnès Catherine, *Ouvrières parisiennes. Marchés du travail et trajectoires professionnelles au XXe siècle*, Éditions de l'EHESS, 1997, p. 170-172.
18. Feller Élise, « Les femmes et le vieillissement dans la France du premier XXe siècle », *Clio, Histoire, Femmes et Sociétés*, n° 7, 1998.

aux femmes (en particulier dans la région parisienne) des conditions salariales avantageuses par rapport aux secteurs féminins traditionnels comme le textile, le vêtement, les cuirs et peaux (secteurs en déclin par ailleurs). La progression forte des emplois tertiaires, largement ouverts aux femmes, est à l'origine de mobilités sociales et professionnelles pour les ouvrières : dans la région parisienne, une sur quatre migre vers des emplois de bureau au cours de son parcours professionnel. « Croissant d'une génération à l'autre, les phénomènes de mobilité bousculent les cloisonnements du marché du travail et préparent le recul de la conscience ouvrière[19]... » Prendre en compte les points communs d'une génération d'ouvrières permet de croiser les fondements de l'évolution sociale, les lentes mutations et les effets de la conjoncture politique ou économique, selon l'âge des personnes et la place dans leurs parcours professionnels. C'est ainsi que les plus jeunes ouvrières, ayant été formées après la loi Astier de 1919 dans des écoles professionnelles consacrées pour une grande part à l'apprentissage des métiers du textile, sont plus touchées par la crise des années 1930, alors que les ouvrières plus âgées sont plus adaptables, étant déjà souvent passées par plusieurs secteurs économiques. En revanche les plus jeunes restent moins longtemps dans la condition ouvrière; à la fin des années 1950, elles vont vers les emplois de bureau moins usants physiquement, même si le milieu semble moins solidaire que ne l'a été l'usine. Leur nombre varie peu : un ouvrier sur cinq est une ouvrière. Les femmes, avec les jeunes, occupent les emplois nés de la délocalisation industrielle à partir des années 1960 (politique d'aménagement du territoire) dans l'Ouest essentiellement. Les OS bretonnes ou normandes des usines d'électronique, de fabrication d'appareils ménagers – « Moulinex libère la femme » du travail agricole essentiellement –, des conserveries alimentaires et des abattages industriels sont légion, alors que les secteurs traditionnels féminins du vêtement continuent leur déclin et se cantonnent progressivement au travail à domicile (cf. l'enquête du CNRS publiée par Madeleine Guilbert et Viviane Isambert-Jamati en 1956). La délocalisation hors du territoire national dans les années 1970 accentue le phénomène, le Sentier parisien (prêt-à-porter en série) étant, jusqu'à récemment, une exception notable. La transformation de l'activité des femmes relève surtout de la croissance et non de la féminisation des emplois du tertiaire comme il est souvent écrit; c'est la création de postes, entre autres, dans les services, qui expliquent cette croissance de nouveaux emplois d'OS du tertiaire.

De la philanthropie aux professions du social

Les bourgeoises du XIXe siècle ont été progressivement confinées dans la sphère privée. L'historienne américaine Bonnie Smith a étudié le cas des bourgeoises du Nord qui passent de la comptabilité et de la gestion de l'entreprise, dans la première moitié du siècle, à la décoration de leur intérieur,

19. OMNÈS, 1997, p. 259.

la direction de leur domesticité et la gestion de leurs œuvres charitables. La partition normative des rôles et des espaces a permis de réconcilier vocation « naturelle » des femmes et utilité sociale. Gestion privée du social, la philanthropie a pris le pas sur la charité chrétienne, même si les actions – l'attention aux plus démunis, pauvres et malades – sont identiques. De cette manifestation « d'amour pour les autres », les bourgeoises ne tirent alors d'autre rétribution que morale et symbolique. Elle a constitué aussi une expérience d'intervention dans le monde social. Entreprise de moralisation, elle s'est transformée en lutte pour l'hygiène et l'éducation, et a parfois avancé des revendications. Visiteuses de prison, inspectrices des salles d'asile, soignantes dans les hôpitaux ou les lieux de prostitution, les femmes d'œuvres philanthropiques acquièrent progressivement des capacités d'organisation et de gestion, qui débordent parfois le côté uniquement charitable de leur activité. C'est ainsi qu'elles sont en partie à l'origine de la création d'un Office du travail féminin qui, appuyé par les congrès européens, entreprend une refonte de la loi sur le travail à domicile (1915). Le bénévolat a été la première forme d'insertion de ces femmes dans le monde social; elles portaient sur leurs ouailles un regard le plus souvent protecteur et moralisateur.

Les congrégations religieuses mettent aussi en œuvre une autre forme de bénévolat au service des autres pour le bien de la religion. Elles se développent de 1830 à 1880. Dans un cadre pourtant assez strict, les femmes sont appelées à prendre des postes de responsabilité qu'elles n'ont pas dans la société. En effet, les fondatrices ou les supérieures générales sont parfois à la tête de plusieurs centaines de sœurs, réparties dans des dizaines de maisons ou succursales. Elles sont de véritables chefs d'entreprise, comme on n'en connaît pas dans d'autres domaines à cette époque. Elles exercent des responsabilités dans la gestion des finances (dots des religieuses, prêts, donations), l'achat, la construction et l'entretien des bâtiments, le recrutement et la formation des novices, les relations avec l'extérieur. Outre l'enseignement, elles se consacrent à la charité et au soulagement de la misère et, pour reprendre la phraséologie de l'époque, à « faire le bien » : indigents, prolétaires, alcooliques, malades sans ressources constituent leur « clientèle ». Il y a donc des congrégations spécialisées qui naissent pour le secours à telle ou telle catégorie de la population. Ce sont surtout les protestantes (car les catholiques se sont souvent méfiées des « femmes de mauvaise vie ») qui s'engagent dans la lutte contre un fléau social qui touche particulièrement les femmes : la prostitution. La laïcisation et la professionnalisation transforment, à la fin du siècle, cette organisation des soins. À la fin du XIXe siècle, les hôpitaux sont progressivement laïcisés; avec la révolution pastorienne, ces éléments expliquent l'ouverture par l'Assistance publique des premières écoles d'infirmières. Leur rôle par rapport aux médecins est progressivement défini; leur formation de deux ans est très poussée. Jusqu'en 1904, elles restent internes dans l'hôpital, comme les religieuses. La Croix-Rouge donne une formation plus sommaire aux femmes de la bonne société, bénévoles. Bénévoles ou professionnelles, elles ont été toutes mobilisées pendant la

Grande Guerre pour s'occuper des blessés avec les médecins et les infirmières militaires. En 1922 est créé le diplôme d'infirmière d'État avec la possibilité d'une spécialisation : infirmière hospitalière ou infirmière-visiteuse (dans les familles essentiellement). Mais c'est seulement avec la loi sur les assurances sociales de 1928-1930 et l'obligation de posséder le diplôme pour signer la feuille de soins, que les congréganistes se préoccupent de passer le diplôme d'État. Les infirmières-visiteuses apparaissent comme les héritières des philanthropes bourgeoises du XIXe siècle. Charité privée et secours publics s'enchevêtrent à partir de la loi de 1893 (loi d'assistance médicale gratuite). Les infirmières-visiteuses effectuent des visites chez les particuliers pour les bureaux d'hygiène municipaux ou pour des entrepreneurs, le plus souvent dans les familles populaires. Progressivement cette activité se différencie de l'activité strictement médicale des infirmières hospitalières. Le diplôme d'assistante sociale est créé en 1932. Les surintendantes d'usine, formées pendant la Première Guerre mondiale à l'initiative du ministre de l'Armement Albert Thomas, sont assimilées aux assistantes sociales en 1938. On les trouve dans les très grandes entreprises avec pour mission de s'occuper des ouvrières (de les surveiller), mais en fin de compte leur nombre reste inférieur à 250. Elles contribuent cependant aux « chantiers de la paix sociale » (Yves Cohen). Des associations religieuses catholiques ou protestantes ont contribué également à cette professionnalisation du social et à la socialisation du travail maternel.

— L'archipel des employées du tertiaire

Jusqu'à la fin du XIXe siècle, les employés étaient en France un groupe relativement peu nombreux (moins de 5 % de la population active en 1866) et essentiellement masculin. Il se distinguait du groupe des ouvriers par le vêtement, veston et faux-cols pour les hommes, bas de soie pour les femmes[20]. La tenue disait l'extériorité par rapport au groupe ouvrier et à l'usine. Ils se différenciaient entre employés de bureau, employés de commerce et fonctionnaires qui avaient comme point commun de posséder de l'instruction et une belle écriture. Le bureau était un monde hétérogène et hiérarchisé, masculinisé. Il existait cependant des femmes dans les bureaux, épouses ou filles des receveurs des postes par exemple. Mais la féminisation des emplois de bureau (= le remplacement des hommes par les femmes) commence dans le dernier quart du XIXe siècle et se poursuit au début du XXe siècle. Dans les administrations de l'État, les chemins de fer, les établissements bancaires, des femmes sont employées dans un premier temps comme auxiliaires, payées à la journée. Dans un second temps, elles sont recrutées pour des emplois techniques liés à l'introduction de machines : machines à écrire, téléphone, télégraphe… Cette mise au travail des femmes dans les bureaux

20. GARDEY Delphine, *La Dactylographe et l'Expéditionnaire*, Belin, 2001.

suscite des réactions hostiles : en effet, avec l'entrée des jeunes filles de la petite et moyenne bourgeoisie dans le monde du travail de bureau, l'ordre social est mis à mal. Dans un premier temps, on prévoit des heures d'entrée et de sortie séparées, par exemple pour les demoiselles du téléphone, pour éviter la mixité sur les lieux de travail.

Si la Grande Guerre n'a pas été le début de l'entrée des filles et des femmes dans les bureaux, elle a servi cependant d'accélérateur : le nombre des employées est multiplié par 2,5 entre 1906 et 1921. Dans les banques, les assurances, l'industrie, le nombre des « cols roses » (par opposition aux « cols blancs masculins » et « aux cols bleus ouvriers ») s'accroît : la féminisation est notable (1/4 des emplois de bureau en France). Cet accroissement est lié aux progrès de la scolarisation des filles (dans les écoles primaires supérieures, voir chapitre 5) et aussi à l'utilisation d'une main-d'œuvre peu onéreuse, comme à la création de nouveaux postes de travail. La profession de sténodactylographe, masculine jusqu'à la guerre de 1914, est investie par les femmes après la guerre ; mais il y avait déjà 6000 femmes dactylographes à Paris en 1900 (Delphine Gardey, 2001). Elles se sont initiées à la technique dans des cours mis en place par les fabricants de machines à écrire, des cours municipaux ou dans les écoles professionnelles de l'État. Le développement de l'emploi des femmes dans les bureaux de l'entre-deux-guerres est lié à la diffusion des machines et à la rationalisation du travail de bureau. Les tâches des employés de bureau se diversifient. Aux hommes, l'encadrement, la comptabilité, les services techniques et commerciaux ; aux femmes les services du courrier, de la dactylographie ou de l'établissement des paies. Au départ, la féminisation des emplois de bureau est le fait de quelques pionnières, d'origine bourgeoise, qui pénètrent dans un métier d'hommes et qui transgressent ainsi les rôles sociaux normés. Ensuite se construit l'image d'un métier féminin, adapté aux qualités dites « naturelles » des femmes. Après la Grande Guerre, la rationalisation et la mécanisation provoquent l'embauche massive d'une main-d'œuvre féminine avec de nouveaux emplois créés pour ce faire : il ne s'agit donc plus de féminisation des emplois, même si on peut parler de la féminisation du métier. Le recrutement se démocratise et devenir employée de bureau devient un objectif de promotion sociale pour les filles des familles populaires. En même temps, les emplois de bureau se diversifient et se hiérarchisent. Les hommes occupent les emplois d'encadrement et des fonctions de cadres (la dénomination est créée officiellement en 1937).

Après la Seconde Guerre mondiale, la tertiarisation des économies contribue à l'accroissement de la population active féminine par la création de nouveaux emplois. En 1975, le nombre des employées (2,5 millions) dépasse le nombre des ouvrières (1,9 million). Le nombre des cadres féminins, moyens ou supérieurs, s'accroît, mais l'essentiel correspond à des fonctions d'enseignement (cadre A de la fonction publique).

La crise économique et les transformations de l'emploi des femmes (1973-1995)

Après vingt ans de crise de l'emploi, la féminisation massive du salariat est une donnée essentielle de l'analyse du travail et de l'emploi[21]. Les normes de l'activité féminine se sont transformées; les femmes constituent aujourd'hui quasi la moitié du salariat. Le taux d'activité des femmes de 25 à 49 ans est de 80 %. Elles sont devenues très majoritairement des actives continues, c'est-à-dire ne s'arrêtent plus de travailler quand elles ont des enfants. Le modèle dominant n'est plus celui du choix (travail ou famille) ou de l'alternance (travail, famille, puis, de nouveau, travail), mais celui du cumul (travail et éventuellement famille). Il s'agit d'un basculement fondamental des normes sociales.

Les femmes ont profité également de la tertiarisation de l'économie : les emplois dans les services passent de 51 % au début de la crise à 70 % en 1996. Les femmes sont les bénéficiaires de ces créations d'emplois, alors que les hommes subissent davantage la désindustrialisation. On assiste en fait à une bipolarisation de l'activité féminine : certaines professions traditionnellement masculines se sont féminisées sans perdre de leur valeur sociale (magistrates, avocates, médecins, journalistes). Ceci vient de la plus grande réussite scolaire des filles qui sont entrées massivement à l'université. Inversement, la situation des femmes cantonnées à des tâches d'exécution se dégrade. Les politiques d'égalité – loi de 1972 sur l'égalité des salaires, loi de 1975 sur la non-discrimination à l'embauche, la loi Roudy de 1983 sur l'égalité professionnelle – ne sont pas ou très peu appliquées et n'ont pas résolu les inégalités les plus flagrantes.

- La première inégalité est celle des salaires : l'écart de salaire moyen entre hommes et femmes est de 24 % alors que les femmes ont un niveau d'instruction plus élevé et sont des actives continues.
- La deuxième inégalité est celle du marché du travail : les emplois offerts sont peu diversifiés; les arrivées sur le marché du travail se font dans des secteurs peu valorisés et déjà fortement féminisés. La palette des emplois proposés aux femmes est réduite : les filières d'enseignement restent fortement sexuées et ségréguées; l'orientation des filles est encore modelée par les stéréotypes, tout comme la définition des postes de travail « pour hommes » ou « pour femmes ».
- Troisième inégalité : les femmes sont victimes d'un surchômage (14 % pour les femmes, 10 % pour les hommes), mais on parle peu du chômage des femmes, comme si le droit à l'emploi n'était pas vraiment intégré et que le salaire des femmes demeurait dans l'imaginaire social un salaire d'appoint : les représentations sociales sont ici en décalage avec les réalités.
- Quatrième inégalité : la question du temps partiel. L'usage du temps partiel contraint est une relative nouveauté en France : il est le produit de la

21. MARUANI Margaret, *Travail et emploi des femmes*, La Découverte, coll. « Repères », 2000.

crise même s'il faudrait sans doute réexaminer l'histoire des emplois saisonniers qui pourraient être assimilés à un travail temporaire contraint. Le travail à temps partiel est un mode de gestion du sous-emploi mis en place en 1981 (1,5 million de femmes en 1981, 4 millions en 2000 sont à temps partiel la plupart du temps non choisi, excepté dans la fonction publique). Des secteurs entiers – dans les services, la grande distribution, la restauration et l'hôtellerie – imposent aux salariées ce mode de gestion du temps de travail. La conséquence immédiate de ces temps partiels est la généralisation de très bas salaires et de poches de pauvreté laborieuse féminine ; la conséquence ultérieure sera de très maigres retraites. Le temps partiel contraint est imposé aux femmes, car il est donné comme socialement acceptable, permettant, selon les discours, de concilier travail et famille, ce qui n'est pas réellement le cas compte tenu des horaires proposés qui hachent la journée de travail et bouleversent le temps quotidien des femmes.

Les formes d'emploi et de sous-emploi des femmes sont, en fait, le miroir grossissant qui permet de comprendre l'évolution de l'ensemble du marché du travail, pour les hommes comme pour les femmes.

Troisième partie

PORTRAITS DE FEMMES

Chapitre 9

TYPES ET STÉRÉOTYPES

« La notion de représentation, depuis une quinzaine d'années, s'est fermement implantée dans l'atelier de l'historien[1]. » Dans cette troisième partie, nous nous interrogerons sur les représentations et les écrits des femmes, et sur les femmes, en nous penchant sur les divers types et stéréotypes sécrétés dans les moments historiques, qu'il s'agisse de représentations symboliques – la Marianne incarnant la République – ou des « pétroleuses » de 1871, de la « garçonne » des Années folles après l'« Ève nouvelle » de la Belle Époque. Nous examinerons également certaines représentations des femmes dans la peinture, dans la littérature, au cinéma et à la télévision. Enfin, nous verrons comment les femmes ont exprimé leurs « états de femmes » dans les journaux intimes, les autobiographies ou les romans, en nous interrogeant sur l'existence, ou non, d'une « écriture féminine ».

L'histoire des représentations, que nous allons décliner ici avec l'étude des types et des stéréotypes et de leur pérennité, est partie prenante d'une histoire des femmes sociale et culturelle qui veut articuler pratiques et représentations (Dubesset, Zancarini-Fournel, 1993) en auscultant l'impact des représentations sur les pratiques sociales des femmes. L'histoire des « garçonnes », que l'on peut aborder par le biais des images et des discours[2], ou par celui d'une histoire sociale ou culturelle de la coiffure[3], est emblématique de ce lien indissoluble entre pratiques et représentations.

1. Boureau Alain, « La compétence inductive. Un modèle d'analyse des représentations rares », *in* Bernard Lepetit (dir.), *Les Formes de l'expérience. Une autre histoire sociale*, Albin Michel, 1995, p. 22-38 ; ici p. 22.
2. Bard Christine, *Les Garçonnes. Modes et fantasmes des Années folles*, Flammarion, 1998.
3. Zdatny Steven, « La mode à la garçonne, 1900-1925 : une histoire sociale des coupes de cheveux », *Le Mouvement social*, n° 194, janvier-mars 1996, p. 23-56.

Marianne, figure(s) de la République

Le symbole de la République, Marianne, cette femme au bonnet phrygien, est au centre des travaux de Maurice Agulhon, qui d'une histoire des mentalités est passé à une histoire symbolique du pouvoir et à une anthropologie du politique[4]. La première République (1792) a créé une allégorie féminine de la Liberté munie d'une pique et portant un bonnet phrygien (hérité de la Rome antique, symbole de l'affranchissement des esclaves), accompagnée parfois d'un certain nombre d'attributs (le niveau, symbole des loges maçonniques; le lion, symbole de force et de courage; la lumière et le soleil, symboles du mythe solaire de la Révolution). Effacée pendant les régimes de Napoléon Ier, de la Restauration et de la monarchie de Juillet, allégorie de la révolte, elle renaît en mars 1848 sous la forme d'une statue brandie dans les manifestations parisiennes et aussi sous celle d'un timbre, la Cérès, avec épis de blé sur la tête, donc dépouillée du bonnet phrygien. Le commentaire de l'artiste, le 12 mars 1848, donne le ton : « La République ne portera pas de bonnet rouge. Elle ne sera pas une vivandière, mais une mère féconde, sereine et glorieuse qui aura des fêtes et des sourires pour ses enfants. » Daumier reprend dans un tableau célèbre le portrait « d'une forte femme aux puissantes mamelles », brandissant un drapeau tricolore, tandis que deux enfants s'accrochent à ses seins; un troisième, à ses pieds, est plongé dans un livre : symbole éclatant de la mère de la nation, nourricière et éducatrice.

C'est dans le Midi, qu'un chansonnier occitan du Tarn, cordonnier de son métier, compose, en 1792, une chanson en l'honneur de « Marianno » (en occitan). Les républicains reprennent le prénom et baptisent ainsi la représentation de la République. Selon Maurice Agulhon, Marianne remplace progressivement, dans les milieux populaires, le symbole abstrait de la Liberté. Napoléon III la coiffe de lauriers qui se substituent au bonnet phrygien révolutionnaire. Dans le *Grand Dictionnaire du XIXe siècle* (1869), Larousse définit Marianne comme « le nom d'une société secrète républicaine » faisant une référence implicite à la révolte des ardoisiers républicains de Trélazé en 1854. La Commune de 1871, qui a largement arboré le rouge des drapeaux et des bonnets phrygiens, a eu pour conséquence de substituer la couronne de lauriers, parfois surmontée d'une étoile, au couvre-chef révolutionnaire. C'est seulement avec l'installation définitive de la IIIe République (après 1879) que le buste d'une Marianne au bonnet phrygien devient le symbole d'un régime qui, cependant, dans le même temps, continue à exclure les femmes de la politique. Mais le bonnet phrygien républicain a perdu alors sa connotation révolutionnaire. Emblème officiel de l'État, Marianne est partout et, en par-

4. AGULHON Maurice, *Marianne au combat*, Flammarion, 1979; *Marianne au pouvoir*, Flammarion, 1989; *Les Métamorphoses de Marianne. L'imagerie et la symbolique républicaines de 1914 à nos jours*, Flammarion, 2001. AGULHON Maurice et BONTE Pierre, *Marianne. Les visages de la République*, Gallimard, coll. « Découvertes », 1992 (riche iconographie). Sur le genre de la République, voir aussi l'éditorial de AUSLANDER Leora et ZANCARINI-FOURNEL Michelle (éd.), « Le genre de la nation », *CLIO, Histoire, Femmes et Sociétés*, n° 12, 2000 (consultable sur www.clio.revues.org).

ticulier, dans les mairies. En 1895, avec la République radicale, la Semeuse, coiffée d'un bonnet phrygien figure sur les pièces de monnaie et les timbres de la République française. « Marianne, née Liberté, devient peu à peu République française[5] », incarnation du régime de la loi et du droit. Mais c'est aussi le symbole de la nation, de la France, face aux autres nations et en particulier à l'Allemagne.

Marianne s'installe également dans les foyers parfois en lieu et place des crucifix, des statues de la Vierge ou du buste de Napoléon. Victor Hugo en exhibe une sur la cheminée de sa chambre. La sculpture allégorique est une forme abstraite, laïcisée de la représentation du pouvoir, supplantant ainsi la sculpture religieuse. De multiples objets (verres décorés, pommeaux de cannes, médailles, etc.) témoignent d'un véritable culte domestique servi par le commerce de bimbeloterie. Selon Maurice Agulhon, la première Marianne est érigée publiquement en 1878, à Marseillan dans le Sud-Ouest, et remplace une croix. Mais le plus souvent, les bustes de Marianne sont situés au-dessus de la fontaine, au centre du village, lieu de rassemblement et de discussions des femmes et des hommes. Elle est partie prenante d'une culture de village urbanisé exaltant la tradition municipale : on en trouve beaucoup dans le Midi, dans les pays de vignoble par exemple. Elle est quasiment absente de l'Ouest traditionnel, longtemps clérical et monarchiste. Marianne est aussi érigée en nombre sur les places des villes entre 1879 et 1899, comme à Paris, place de la République (1883) et place de la Nation : *Le Triomphe de la République* de Dalou, commencé en 1889 pour le centenaire de la Révolution française, est inauguré dix ans plus tard. La statuaire figure ainsi l'idéal républicain et sa victoire sur l'Église et ses symboles religieux. Représentante du régime et de l'État, l'icône républicaine a sécrété, avec la liberté de la presse, nombre de caricatures et d'utilisations diverses. Mégère grasse et corrompue, elle est pour les antidreyfusards le symbole de la pourriture de la classe politique composée, selon eux, de juifs, de francs-maçons, de capitalistes et de députés véreux. Pour les catholiques monarchistes, elle est une sorcière sèche et échevelée; c'est aussi la « Gueuse » de Maurras. Pour certains anarchistes ou syndicalistes-révolutionnaires, elle est rougie du sang de l'ouvrier, ou elle se prostitue auprès des puissants comme le montre cet extrait de 1898 du *Père Peinard* : « Au lieu de la Marianne de ses rêves, le populo a vu une affreuse pétasse réservant ses caresses à tous les charognards de la Haute. Banquiers, frocards, chats-fourrés et porte-rapières sont devenus ses clients les plus gobés et c'est avec bougrement de plaisir que cette goton les reçoit dans son plumard. »

Avant 1914, elle incarne – plus consensuellement – soit l'épouse du chef de l'État (au moment justement où les épouses des présidents de la République paraissent dans les fêtes officielles), soit la patrie en lutte contre l'aigle prussien ou la blonde Germania. Pendant la Première Guerre mondiale, représentée souvent à demi-vêtue, elle participe ainsi à conforter le moral

5. AGULHON et BONTE, 1992, p. 56.

des troupes. Après la Grande Guerre, l'incarnation de la République n'est pas identifiée à la Révolution, mais au régime. La Marianne au bonnet phrygien n'est plus l'emblème de la gauche contre la droite, mais la représentante de l'État et de la Patrie, à l'exception notable de l'État français (1940-1944), où le profil de Pétain remplace Marianne sur les timbres. Les bustes municipaux se retrouvent alors dans les placards des mairies; certaines statues de la République sont descellées, d'autres fondues pour utiliser les métaux. À l'inverse, à la Libération, l'icône républicaine réapparaît triomphante jusqu'en 1958.

En revanche, le premier président de la Ve République, le général de Gaulle, fait frapper une nouvelle médaille présidentielle en supprimant, au revers, la Marianne remplacée par la croix de Lorraine, symbole lié à son histoire personnelle et marque de la distance prise avec la République parlementaire. Aucun des présidents de la Ve République ne reprendra plus le symbole républicain pour la médaille officielle d'intronisation de leur fonction. Pourtant un parti de droite de la Ve République, le RPR, a récupéré, un temps, dans son logo le bonnet phrygien (mais sans la Marianne). Marianne est cependant encore utilisée pour les affiches de l'élection présidentielle de 1965 sous les traits d'une petite fille de 7 ans qu'il faut laisser grandir. La tradition des bustes de mairie s'est pourtant conservée. Mais l'effigie républicaine est concurrencée dans les salles municipales par la photographie officielle du chef de l'État, signe supplémentaire de la personnalisation du pouvoir sous la Ve République. Maurice Agulhon, tels les deux corps du roi, y voit le clivage entre la représentation de l'institution et la personne même du chef de l'État.

Dans la presse de la Ve République, sous la plume des caricaturistes, Marianne campe différents rôles : elle est, sous le crayon de Jean Effel qui exprime ses convictions laïques et socialisantes, une jeune révolutionnaire; elle est aussi, sous le trait de Jacques Faizant, la compagne du chef de l'État. Marianne peut alors s'incarner dans des personnes vivantes et connues, de Brigitte Bardot (en 1969, par le sculpteur Aslan) à la présentatrice télé Évelyne Thomas, en passant par Mireille Mathieu, Catherine Deneuve ou Laetitia Casta. Selon Maurice Agulhon, l'idée de la représentation allégorique de la République sous une forme abstraite s'est perdue, et la tradition peut alors s'incarner dans des représentations vivantes. Lors de la commémoration du Bicentenaire en 1989 – sous un président de gauche (qui a choisi en 1981 comme médaille officielle le chêne) –, le bonnet phrygien est absent des représentations officielles, remplacé par les trois oiseaux tricolores symbolisant la devise républicaine : Liberté, Égalité et Fraternité. Cependant, les célébrations locales, les nombreuses manifestations théâtrales ou les scènes costumées et reconstituées ont repris souvent l'emblème de la Révolution française – une Marianne revenue à son radicalisme originel – et nombre d'acteurs bénévoles étaient coiffés du bonnet rouge, comme emblème de la Révolution[6].

6. GARCIA Patrick, *Le Bicentenaire de la Révolution française. Pratiques sociales d'une commémoration*, CNRS Éditions, 2000.

Aux analyses de Maurice Agulhon, nous pouvons ajouter le questionnement suivant : comment se fait-il que la République, personnifiée, féminisée et incarnée par Marianne, ait pendant un siècle (1848-1944) exclu les femmes de la démocratie et du suffrage (étant un des derniers États-nations en Europe occidentale avec l'Italie) ? On peut, avec Leora Auslander, avancer une hypothèse : le sentiment de la nation est inculqué dans la sphère domestique par les femmes, « mères des futurs citoyens ». Aux femmes était dévolu le devoir de construire pour leurs enfants, la nation et le sentiment d'être Français, par l'éducation, par les mœurs et les coutumes et par la langue maternelle. Ce rôle leur a été assigné dès la Révolution française au moment où s'est mise en place une « démocratie exclusive ». Les femmes sont les « soldates de la nation » écrivent les législateurs en 1892. À l'État, le devoir de mettre en place une instruction élémentaire pour tous, où se fait l'apprentissage de la patrie et du devoir de citoyen, apprentissage qui est aussi le devoir du père de famille. Michelet, dans *Le Peuple* (1846), prônait cette séparation des rôles des sexes. « La femme devient responsable de la reproduction à la fois culturelle et biologique de la nation [...]. Ce processus était d'autant plus nécessaire que la nature de la citoyenneté française était très abstraite et que parallèlement prévalait la conception d'une relation sans intermédiaire entre le citoyen et l'État[7]. » On peut donc expliquer le paradoxe de cette IIIe République, qui s'est choisi une allégorie féminine et a officialisé Marianne comme sa représentante : elle aurait, comme Janus, un double visage, celui de la nation et de l'État (Auslander et Zancarini-Fournel, 2000). Après que les femmes ont accédé au politique avec le suffrage universel en 1944, Marianne perd progressivement son caractère abstrait d'idéal civique : elle est infantilisée en petite fille ou est associée à une personne particulière, incarnée dans le marbre par des personnalités connues, en même temps que son image symbolique se dévalue.

L'usage et le sens de l'image, de la représentation figurée de Marianne sont ainsi tributaires des conjonctures historiques et des conceptions de la République. La Marianne triomphante représente la IIIe République parlementaire et assagie, une fois éloigné le fantôme de la Révolution. Aujourd'hui, on peut se demander quel sera l'avenir de Marianne dans l'espace politique européen.

Les pétroleuses

> « La municipalité de Vizille est allée chercher dans la friperie révolutionnaire la plus vilaine figure de Marianne qu'elle ait pu se procurer, une figure de pétroleuse mal peignée, coiffée d'un bonnet phrygien, et elle en a fait le type de son cachet administratif. »
>
> *Le Courrier de l'Isère*, 25 juillet 1872.

---

7. AUSLANDER Leora, « Le vote des femmes et l'imaginaire de la citoyenneté : L'État-Nation en France et Allemagne », *in* Anne-Marie Sohn et Françoise Thélamon (dir.), *L'Histoire sans les femmes est-elle possible ?*, Plon, 1998, p. 73-86 ; citation p. 81.

Ainsi, un an après l'écrasement de la Commune, le lien est fait entre la figure d'une Marianne révolutionnaire et les « pétroleuses ».

Figures de pétroleuses

> « Pétroleur, euse, n. (1871, der. de pétroler). Personne qui incendie au pétrole. V. brûleur, incendiaire. Ne se dit guère qu'au féminin. Les pétroleuses de la Commune. "C'était une étrange créature. Ses mèches grises échevelées lui donnaient dans les meetings une allure de pétroleuse", Martin du Gard, *Les Thibault*, t. VI, p. 238. "Il savait ce qu'était une pétroleuse : il avait vu cent fois cette image du *Monde illustré* de 1871, où deux femmes accroupies, la nuit, près d'un soupirail, allumaient une espèce de feu. Des mèches dépassaient de leur bonnet de femme du peuple", Mauriac, *Le Sagouin*, p. 49. »
>
> Robert, *Dictionnaire alphabétique et analogique de la langue française*, t. V.

Le terme de « pétroleuses » fut donc inventé en 1871 pour désigner les femmes de la Commune accusées d'avoir incendié Paris. La participation des femmes aux événements parisiens a frappé tous les contemporains. Maxime du Camp, anticommunard et chroniqueur célèbre, écrit dans *Les Convulsions de Paris* (1878) :

> « Celles qui se donnèrent à la Commune – et elles furent nombreuses – n'eurent qu'une seule ambition : s'élever au-dessus de l'homme en exagérant ses vices. C'est là un idéal qu'elles surent atteindre [...]. Aux derniers jours toutes ces viragos belliqueuses tinrent derrière les barricades plus longtemps que les hommes... On en arrêta beaucoup les mains noires de poudre, l'épaule meurtrie par le recul du fusil, toutes émues encore de la surexcitation des batailles... »

La Commune est le nom donné à l'insurrection parisienne qui mit en place, du 18 mars au 28 mai 1871, un gouvernement municipal révolutionnaire. De nombreuses femmes se trouvèrent parmi les insurgés[8]. Les images que l'histoire a transmises des femmes de la Commune ont valeur de symboles, voire de mythes, revisités régulièrement (par exemple après 1968 par les féministes françaises). Idéalisées ou vilipendées, les communardes ne laissent indifférents ni leurs contemporains, ni les historiens. 1051 femmes furent déférées devant les conseils de guerre – il y eut 850 non-lieux –, sans compter les 4000 massacrées pendant la Semaine sanglante du 21 au 28 mai 1871 (soit 20 % des victimes)[9]. Sur les 10392 condamnations des conseils de guerre, aucune femme ne fut exécutée : sept condamnées à mort virent leurs peines commuées, dix ont été condamnées aux travaux forcés à perpétuité, douze femmes condamnées à la déportation en Nouvelle-Calédonie (dont Louise Michel) et en Guyane sur un total de 4567 (soit 1 %). La clémence

8. Thomas Édith, *Les Pétroleuses*, Gallimard, 1963. Krakovitch Odile, « Violence des communardes : une mémoire à revisiter », *Revue historique*, n° 602, avril-juin 1997, p. 520-531. Linton Marisa, « Les femmes et la Commune de Paris de 1871 », *Revue historique*, n° 602, avril-juin 1997, p. 21-47.
9. Selon Krakovitch, 1997, p. 523.

traditionnelle à l'égard des femmes en matière de justice se vérifie ici. Mais la violence des discours qui construisent la figure des pétroleuses sont légion. Ils justifient les condamnations et font un constant amalgame entre le refus de l'ordre social et politique, utopie d'un nouvel ordre social, et la violence des femmes. La pérennité du terme de « pétroleuses » vient de la peur née de cette présence féminine lors de l'insurrection parisienne. Ici, plus encore que pour la Marianne républicaine, pratiques sociales et représentations sont enchevêtrées. La violence des communardes, verbale et politique essentiellement, les fit qualifier d'« hystériques ». Le mot a fait fortune et s'applique aux féministes à des époques et dans des circonstances différentes. La nouveauté par rapport aux violences de la Révolution française, où l'on parlait déjà de furies – les « furies de guillotine » – c'est que les communardes sont considérées comme des déviantes sexuelles : concubines, prostituées ou lesbiennes, voleuses et pillardes de surcroît :

> « Presque toutes les prévenues – dit le rapport d'un substitut au 4e conseil de guerre – joignaient à l'ignorance la plus complète le manque de sens moral. Un grand nombre se livrent aux honteuses passions dont les lesbiennes ont révélé les secrets[10]. »

La participation politique massive des femmes dans les clubs, la violence de leurs prises de parole sont données comme preuves de leur anormalité et de leur « conduite irrégulière ». Sont dénoncés surtout les comités de vigilance et l'Union des femmes pour la défense de Paris (créée par Élisabeth Dimitrieff et Nathalie Lemel). Aucune des accusées ne revendique la participation directe aux combats et aux incendies, à l'exception de Louise Michel : « Je voulais opposer une barrière de flammes aux envahisseurs de Versailles », déclare-t-elle à son procès. Ainsi, d'une de celles qui fut accusée d'avoir mis le feu aux Tuileries, le procureur peut seulement dire « qu'elle ne s'est pas bornée à relever les blessés et qu'elle a participé plus activement à l'insurrection »; il n'y a pas de preuve ou de témoignage formels, mais « elle a une très mauvaise réputation, connue pour s'adonner à l'ivrognerie et professer des opinions publiques exaltées ». À propos de trois des « pétroleuses » les plus célèbres, un avocat dira : « Je cherche une pétroleuse et je ne vois ni feu ni pétrole. » Elles sont reconnues « avoir assisté à tous les préparatifs de l'incendie », mais aucune preuve formelle ne peut être avancée par l'accusation. Condamnées à mort sur des témoignages peu fiables, elles sont graciées et envoyées en Guyane. Comme pour les Vésuviennes en février 1848[11], l'existence d'un bataillon de 120 femmes, et de barricades strictement féminines, relève probablement du mythe. L'accusation et les témoins à charge disent eux-mêmes que les femmes participaient plus au ravitaillement et aux soins, ou à la construction et à l'entretien des barricades qu'aux coups de feu. Les accusées – sauf Louise Michel – se défendirent d'avoir fait autre chose que leur rôle de femme, comme infirmières et nourricières; elles nièrent toute

10. Enquête parlementaire sur l'insurrection du 18 mars, tome III, p. 309, citée par THOMAS, 1963.
11. AGULHON Maurice, *Les Quarante-huitards*, Julliard, 1975.

participation aux combats. La violence de la répression contre les communardes et des discours dont elles furent l'objet est le résultat d'une volonté déterminée de refuser toute participation des femmes à la scène politique.

Les incendies ont cependant eu lieu, et il faut donc se demander où se trouve la responsabilité attribuée sans coup férir par les contemporains aux insurgé/e/s de la Commune. Il s'agit d'abord de faits de guerre : obus incendiaires et bombes à pétrole ont été lancés par les Versaillais, à partir d'avril 1871, pour reprendre le contrôle de Paris. Les archives de l'administration impériale partirent en fumée, mais pas les églises ni les maisons des riches propriétaires. Il est avéré que les Fédérés, lors de l'avancée des troupes versaillaises, ont incendié les maisons proches des barricades pour se prémunir des exécutions sommaires. Quant à l'incendie des Tuileries, le socialiste Benoît Malon avance l'idée qu'il s'agissait de détruire le palais des rois de France. Et Lissagaray, l'historien marxiste de la Commune de Paris, soutient que « Peuple ou roi, le souverain quel qu'il soit ne pardonne jamais aux symboles de l'ennemi » (point de vue que le déboulonnage des statues des dirigeants communistes en Europe de l'Est après 1989 pourrait conforter). Ceci expliquerait l'incendie, non seulement des Tuileries, mais aussi de la Légion d'honneur et des immeubles de la rue Royale. Ici, des femmes, mêlées aux incendiaires, furent arrêtées. Mais pourquoi seule la figure de la pétroleuse et non du pétroleur s'est imposée dans l'histoire? Sans doute par le refus, largement partagé – y compris par certains communards, les proudhoniens par exemple – que les femmes soient présentes dans l'arène politique, donnent leurs points de vue et participent aux décisions du pouvoir. La presse versaillaise se déchaîna contre les « pétroleuses ». Même Maxime du Camp, un des pamphlétaires les plus virulents contre la Commune, est contraint de démentir cette légende :

> « Dès la matinée du 24 (mai 1871) Paris fut pris de folie. On racontait que des femmes se glissaient dans les quartiers déjà délivrés par nos troupes, qu'elles jetaient des mèches soufrées par les soupiraux, versaient du pétrole sur les contrevents des boutiques et allumaient partout des incendies. Cette légende excusée, sinon justifiée par l'horrible spectacle qu'on avait sous les yeux était absolument fausse[12]. »

Un destin singulier : Louise Michel (1830-1905)

La « Vierge Rouge », la « nouvelle Théroigne », la « dévote de la Révolution », une « louve assoiffée de sang » ou la « bonne Louise », tels sont les qualificatifs attribués à cette personnalité hors du commun. Née en 1830 dans un village de Haute-Marne, fille naturelle d'une servante et d'un châtelain, « bâtarde », mais élevée au château, elle apprend la musique et lit les philosophes. Elle devient institutrice et ouvre un internat à Montmartre. Active pendant le siège de Paris en 1870, elle célèbre l'insurrection parisienne du

12. Cité par THOMAS, 1963, p. 190-191.

18 mars 1871 contre Thiers et les Versaillais. Elle devient soldate et fait le coup de feu, vêtue d'un uniforme de la Garde nationale : « Oui barbare que je suis, j'aime le canon, l'odeur de la poudre et, la mitraille dans l'air, mais je suis surtout éprise de la Révolution » écrit-elle dans ses *Mémoires*. Elle se bat jusqu'au dernier jour dans le cimetière Montmartre et se livre à la police qui a pris sa mère en otage. À son procès, elle est une des rares à revendiquer tous les crimes et délits dont on l'accuse ; elle réclame la mort. Emprisonnée à Auberive en Haute-Marne de 1871 à 1873, puis condamnée à la déportation en Nouvelle-Calédonie en 1873, elle devient institutrice chez les Canaques. Après l'amnistie en 1880, elle revient en France acclamée par une foule immense. Elle reste une propagandiste et une oratrice infatigable ; elle retourne plusieurs fois en prison (en 1883 après une manifestation de chômeurs), soutient les prostituées de Saint-Lazare qu'elle défend comme victimes et exploitées. Elle s'exile à Londres en 1886 et donne une série de conférences en Europe. Elle entre dans la loge du Droit humain en 1903 et meurt en 1905. Son enterrement est suivi par plus de 100 000 personnes, témoignage de sa popularité.

Pour faire l'éloge d'une féministe modérée de la fin du XIXe siècle, Jeanne Schmahl, un journaliste note qu'elle ne rappelle en rien « les oratrices de clubs, les navrantes et lugubres sorcières qui aiment *à louisemicheler* au milieu des pipes et sous les faisceaux de torchons rouges[13] ». L'archétype est ici construit par le néologisme.

Autres figures et représentations de communardes

Si Louise Michel est connue, publiée et reconnue, le rôle d'André Leo est plus discret. Sous ce pseudonyme et nom de plume, fait du prénom de ses deux jumeaux, se cache Léodile Champseix (1824-1900), radicale engagée en faveur du droit des femmes dès le Second Empire, que les histoires officielles de la Commune et des socialistes oublient systématiquement parce qu'elle avait osé critiquer Marx en le qualifiant de « pontife de l'Association internationale ». De même Victorine Brocher (1838-1921) dont les *Souvenirs d'une morte vivante* ont été édités par Maspero après 1968 dans la foulée de l'intérêt pour les mémoires du peuple. Élisabeth Dimitrieff, jeune Russe d'origine aristocratique, arrivée à Paris au moment de la Commune et la relieuse Nathalie Lemel, toutes deux membres de l'Internationale, fondent l'Union des femmes pour la défense de Paris et les soins aux blessés pour organiser les femmes, recruter des ambulancières et des cantinières, s'occuper des pauvres des orphelins et des vieillards. L'association, déclarée au *Journal officiel* le 14 avril 1871, est composée de 311 femmes, la plupart des ouvrières manuelles qualifiées. Elles se préoccupent peu des droits civiques des femmes, mais surtout du droit au travail et à un salaire honnête, de l'éducation et de la protection sociale. L'égalité sociale dans le couple est récla-

13. Souligné par moi. Article de Jean Darcy (BMD) cité par BARD, 1995, p. 20.

mée, comme le droit au divorce et à l'union libre. Un droit au salaire égal pour les maîtresses d'école est proclamé… le 21 mai, à l'orée de la Semaine sanglante. Des projets ont existé pour ouvrir des écoles laïques de filles, des écoles de formation professionnelle, des garderies pour les plus petits… Projets utopiques, plus que réalisations, mais qui donnent une idée des préoccupations des communardes, ces femmes du peuple parisien accusées d'être des « pétroleuses ». Elles tentent même, début avril 1871, à l'imitation des femmes de 1789, une manifestation en direction de Versailles afin d'éviter une effusion de sang. Après la Semaine sanglante Élisabeth Dimitrieff s'enfuit en Suisse, Nathalie Lemel est condamnée à la déportation à perpétuité. Marguerite Tinayre est condamnée, elle, comme institutrice et inspectrice des écoles du XIIe arrondissement. Arrêtée le 26 mai puis relâchée, elle s'enfuit en Suisse avec ses cinq enfants.

Pour terminer l'évocation de ces « pétroleuses », il faut écouter l'hommage que leur ont rendu les poètes, Victor Hugo, Verlaine ou Rimbaud :

Ayant vu le massacre immense, le combat
Le peuple sur la croix, Paris sur son grabat,
La pitié formidable était dans ses paroles.
Tu faisais ce que font les grandes âmes folles.
Et lasse de lutter de rêver de souffrir,
Tu disais, « j'ai tué » car tu voulais mourir…

Victor Hugo, *Toute la Lyre*, I, 39.

Verlaine, lui aussi, célèbre les femmes révolutionnaires et Louise Michel :

Madame et Pauline Roland,
Charlotte, Théroigne, Lucile,
presque Jeanne d'Arc étoilant
Le front de la foule imbécile,
Nom des cieux, cœur divin qu'exile
Cette espèce de moins que rien
France bourgeoise au dos facile
Louise Michel est très bien.

Ballade en l'honneur de Louise Michel,
Œuvres poétiques, La Pléiade, p. 299.

Rimbaud exalte les ouvrières anonymes de la Commune :

Jeanne-Marie a des mains fortes
Mains sombres que l'été tanna
Mains pâles comme des mains mortes.
– Sont-ce des mains de Juana?
… Elles ont pâli, merveilleuses,
Au grand soleil d'amour chargé
Sur le bronze des mitrailleuses
À travers Paris insurgé.

Rimbaud, *Œuvres complètes*, La Pléiade, p. 83.

En 1971, centenaire de la Commune de Paris : la commémoration donne lieu à plusieurs manifestations, très différentes dans leur but, leur déroulement et leur usage du passé. Les féministes organisent un rassemblement, un dimanche après-midi, le 28 mars 1971, dans un parc, à Issy-les-Moulineaux, assemblée avec musique et enfants. Si la typographie de l'affiche de l'appel aux femmes est de facture très classique, le texte est intéressant à plus d'un titre et contradictoire en apparence avec la forme festive choisie pour ce rassemblement. L'appel reprend le début de l'*Appel des femmes patriotes de Montrouge et de Belleville* de 1871 : « Femmes de Paris en avant! Pour mettre en commun nos révoltes, notre force, à quelques pas du fort d'Issy défendu les armes à la main par les femmes de Paris, il y a cent ans. Nous y serons heureuses et nous aurons beaucoup d'enfants avec nous. » *La Carmagnole des femmes*, composée pour l'occasion, est chantée à plein poumons : « Sous la Commune de Paris, les Pétroleuses avaient surgi./En les voyant lutter les bourgeois ont tremblé/Elles nous montrent la voie. Vive le son *(bis)* Vive le son de l'explosion. » Dans une même chanson sont ainsi réunies les deux traditions révolutionnaires par le son (la Carmagnole) et par le texte (les pétroleuses). L'expérience présumée des tricoteuses et des pétroleuses, ainsi convoquée en 1971 pour justifier l'intervention politique des femmes dans l'espace public, fait référence à la violence des communardes et également référence à une violence textuelle, alors même que l'usage de la violence physique est repoussé dans le mouvement féministe des années 68. On le voit, les usages du passé sont multiples...

Bécassine et la Bretagne

Le personnage de Bécassine, né en 1905 dans le journal illustré *La Semaine de Suzette*, est devenu emblématique d'une province française la Bretagne, célébrée au même moment par les peintres de Pont-Aven. Au tournant des XIXe et XXe siècles, la Bretagne est à la mode. Bécassine évoque à la fois la domesticité dévouée, mais un peu « simple », et « une maternité généreuse au service entier de l'enfance » (Jean Perrot). Pour toutes ces raisons, il convient d'étudier de près le modèle et les stéréotypes qui se diffusent par le biais de cette littérature à destination des petites filles de la bonne bourgeoisie : le périodique est vendu à 300000 exemplaires avant 1914. Le premier album de Bécassine sort en 1913; vingt-six suivront jusqu'en 1948. Tout ceci est donc aussi le témoignage de l'expansion de la presse enfantine et de la bande dessinée, qui inaugure le règne de l'image dans la culture de masse du XXe siècle[14].

Bécassine a une généalogie et des ancêtres. Didier Guyvarc'h en identifie plusieurs dans une époque de cristallisation des stéréotypes « ethniques » et régionaux, diffusés massivement, entre autres vecteurs, par la carte pos-

14. GUYVARC'H Didier, « Le mépris et le chagrin. De la Belle Époque à la Grande Guerre », *in* Alain Croix et Cristel Douard (dir.), *Femmes de Bretagne. Images et histoire*, Rennes, PUR, 1998, p. 125-136. COUDERC Marie-Anne, *Bécassine inconnue*, CNRS Éditions, 2000. CLOÎTRE Marie-Thérèse, « La Bretagne, une image féminine », *Lunes*, n° 9, octobre 1999, p. 69-74.

tale illustrée. En février 1900, le journal satirique *Le Rire* met en scène une « bonne à tout faire », Yvonne Labrutec (on n'est pas très éloigné sémantiquement d'Annaïck Labornez, dite Bécassine, née cinq ans plus tard). En octobre 1903, *L'Assiette au beurre* s'en prend en couverture à l'obscurantisme clérical des Bretonnes[15] : à l'arrière-plan, une des Bretonnes en coiffe et tablier ressemble fort à ce que deviendra le personnage de Bécassine. Plusieurs personnes sont à la source de cette figure de la bonne Bretonne, un peu sotte, mais dévouée et généreuse : Jacqueline Rivière, rédactrice en chef de *La Semaine de Suzette* jusqu'en 1927, remplacée par Madeleine Henriette Giraud (jusqu'en 1949); Joseph Pinchon (1971-1953), artiste peintre, son premier dessinateur; Maurice Languereau, son scénariste et metteur en scène à partir de 1913 (sous le pseudonyme de Caumery) pendant près de trente ans. Distraire, moraliser et instruire, tels sont les objectifs assignés à *La Semaine de Suzette*. Bécassine distrait. Elle commence son aventure en 1905, dans une planche de dix vignettes, vêtue du traditionnel costume breton et de sa coiffe blanche, portant sur l'épaule, au bout de son parapluie, un baluchon serré dans un mouchoir à carreaux, classique des migrants et migrantes de la paysannerie française. « Bécassine, jeune domestique native de Clocher-les-Bécasses, quitte son pays natal pour se rendre au service de Mme la marquise de Grand Air », sise dans le faubourg Saint-Germain (refuge parisien des aristocrates sur le déclin) : le décor est ainsi planté dès la première livraison. Campagnarde, sotte et subordonnée, Anaïck Labornez, surnommée Bécassine par dérision, accumule les bévues qui provoquent le rire des jeunes lectrices. Elle perd même sa bouche après la Grande Guerre comme si, provinciale venue du rural profond, et de plus domestique, elle n'avait pas son mot à dire! Les auteurs en profitent pour faire un portrait de la domesticité déclinante, Bécassine étant le prototype en voie de disparition d'une bonne « à l'ancienne », dévouée et active, qui veut aimer et être aimée. Elle reste célibataire par dévouement pour sa maîtresse et par choix. Mais Bécassine exprime aussi le fantasme de la mère idéale : toujours dévouée, d'une fidélité à toute épreuve, profondément bienveillante. Bécassine donne son cœur; elle ne trahit jamais l'enfant pour le mari. Mais elle ne vit pas en dehors de son temps, comme le montrent certaines de ses aventures, en particulier pendant la Grande Guerre, où elle est mobilisée pour promouvoir le patriotisme[16]. Elle incarne, un temps, la Bretagne tout entière.

La Bretagne, image de femme

L'assimilation de la Bretagne à une figure féminine devient prédominante dans les représentations symboliques de la province dans la première moitié du XIXe siècle, en particulier par le biais des images romantiques, issues

15. GUYVARC'H, 1998, p. 126.
16. GUYVARC'H Didier, « La guerre de 14-18 et les représentations du féminin et du masculin en Bretagne », *Le Genre face aux mutations du Moyen Âge à nos jours*, Rennes, PUR, 2003, p. 291-305.

des légendes celtes. Bécassine n'est pas née de rien, mais de la lente construction d'une image féminine de la Bretagne au cours du XIXe siècle. La photographie fin de siècle, diffusée souvent en cartes postales, privilégie les scènes « exotiques » : scènes de marché, de noces et de cérémonies religieuses avec toujours des Bretonnes en coiffe, ce qui accentue le caractère exotique du costume. Si les peintres de l'école de Pont-Aven refusent de verser dans le pittoresque bretonnant, Bécassine pérennise pendant un demi-siècle, une image de la Bretonne et de la Bretagne traditionnelles, alors que le reste de la France incarne la modernité et l'industrie. Les caricaturistes dénoncent la Bretonne en coiffe et costume régional, cléricale et archaïque. On tend vers le stéréotype que conforte largement, avec Bécassine, la très conservatrice *Semaine de Suzette*. La figure féminine, comme le nom, convient bien à une province présentée comme terre de traditions. Les femmes sont celles qui assurent la transmission de la culture et de l'héritage et on retrouve ici l'analyse que nous avons faite de Marianne et de la République, avec la dichotomie État (masculin) et nation (féminine). On peut ajouter un autre élément spécifique à cette province : la foi catholique est partie intégrante de l'identité bretonne et ce sont les femmes qui sont gardiennes de la foi. Au début du XXe siècle, alors que le débat sur politique et religion bat son plein, la Bretagne est ainsi assimilée, de façon simplificatrice, à une province arriérée et cléricale, et du point de vue social, à la nourrice, à la bonne et à la servante. Comme le souligne Marie-Thérèse Cloître (1999), l'image de la Bretagne et de la Bretonne – « femme en costume et coiffe, croix au cou au pied d'un calvaire ou tenant un cierge » – est le pendant de l'effigie républicaine et émancipatrice de Marianne qui triomphe à la même époque. Le changement dans la situation et les perspectives des « Femmes de Bretagne » tout comme les différents avatars du régionalisme breton – de la collaboration avec les nazis pendant la Seconde Guerre mondiale, au régionalisme de gauche et d'extrême gauche dans les « années 68[17] » – ont en tout cas effacé le syndrome de Bécassine. Le stéréotype simplificateur et dévalorisant n'a plus d'existence réelle ou fantasmée.

De l'« Ève nouvelle » de la Belle Époque aux « garçonnes » des Années folles

Le succès des expressions l'« Ève nouvelle » ou la « garçonne » sont nées de productions littéraires de deux auteurs considérés comme féministes : au tournant des XIXe et XXe siècles, dans la période surnommée « Belle Époque », le romancier Jules Bois publie, en 1896, un ouvrage intitulé *L'Ève nouvelle*. *La Garçonne*, roman de Victor Margueritte sorti en 1922, donne le ton aux

17. Voir PORHEL Vincent, communication au colloque « Les usages du passé », 2003 et thèse d'histoire, université de haute Bretagne, juin 2005, sous la direction de Jacqueline Sainclivier (à paraître).

« Années folles », de l'après-guerre jusqu'à la crise des années 1930[18]. Le terme même de « garçonne » apparaît dès 1880 et désigne une femme à la vie indépendante, aux cheveux et aux robes raccourcis, qui pratiquent les sports (cyclisme ou tennis). Le succès des expressions littéraires et journalistiques qui définissent la « Belle Époque » et les « Années folles » est lié au traumatisme de la Grande Guerre. Les types et stéréotypes d'« Ève nouvelle » et de « garçonnes » que nous allons évoquer ne concernent qu'une minorité de femmes, urbaines (à Paris essentiellement) et de milieux aisés (la plupart du temps).

Les « femmes nouvelles » américaines ont précédé l'« Ève nouvelle » française : la génération de filles ayant accédé, autour de 1870-1880, aux États-Unis, à une éducation supérieure reste majoritairement célibataire et célèbre parfois les amours féminines[19]. Le discours littéraire se fait le relais des expériences homosexuelles, limitées parfois à une homosexualité adolescente – celle popularisée par le roman à succès de Colette, *Claudine à l'école* (1900) – ou aux amitiés féminines de l'âge adulte. À la fin du XIXe siècle se développe une image de la lesbienne, séduisante et menaçante, qui renvoie à l'angoisse de l'émancipation féminine et à la crise du masculin. Marc Angenot a étudié l'ensemble des imprimés produits au cours de l'année 1889, année dont il ne reste dans l'imaginaire commun que la date de la construction de la tour Eiffel[20]. La production imprimée de 1889 dégage une vision pessimiste du monde centrée sur « le délitement des stabilités symboliques, la perversion du sens et des valeurs, la décadence et la dégénérescence ». L'angoisse sécrétée par le discours social de 1889, qui vise à remettre les femmes à leur place et à réaffirmer l'« éternel féminin », est née des revendications féministes qui figurent un monde inversé. Discours de médecins, comme discours de journalistes ou de théâtreux (sous la forme du théâtre de boulevard) visent à démontrer l'effacement de la « femme véritable » (qui ne peut être qu'épouse et mère); cette disparition est un symbole de décadence. La revue *Causeries familières* écrit ainsi : « La Française de la fin de notre siècle a une tendance marquée à se masculiniser qui ne peut contribuer à l'embellir. Elle chasse, elle fume, elle affecte des allures indépendantes et provocantes; pour comble enfin, elle demande à revêtir le costume masculin. »

La cigarette, le pantalon et le vélo sont les trois indices que l'on trouve sans cesse dans la presse pour témoigner de cette décadence qui fait place à la « femme moderne » considérée comme une « détraquée ». Une autre figure de la décadence dans la littérature romanesque est le saphisme (homosexualité féminine). *Sapho*, d'Alphonse Daudet, a connu un grand succès en 1884. La « femme moderne » est instruite, ce qui la perd, puisque la plupart des bachelières – qui ne sont, à cette date, qu'une poignée – deviendront

18. BARD Christine, *Les Garçonnes. Modes et fantasmes des Années folles*, Flammarion, 1998.
19. NEWTON Esther et SMITH-ROSENBERG Carroll, « Le mythe de la lesbienne et de la femme nouvelle : pouvoir, sexualité et légitimité, 1870-1930 », *Stratégies des femmes*, Éditions Tierce, 1984, p. 274-311.
20. ANGENOT Marc, « La fin d'un sexe : le discours sur les femmes en 1889 », *Romantisme. Revue du XIXe siècle*, n° 63, 1989, p. 5-22.

des « déclassées », ce qui constitue « un crime contre la race » et une « aberration morale ». Les avocates (dont aucune n'a alors le droit de plaider) et les doctoresses font particulièrement l'objet de commentaires ironiques et graveleux. Le grand succès du théâtre bouffe des Nouveautés en 1889 s'appelle *Le Royaume des femmes* de Raoul Toché : les hommes sont au foyer et les femmes sont ministres, banquières et générales. Pour conclure sur ce portait des femmes dans la production écrite de 1889, citons le journal satirique *Gil-Blas* :

> « Les femmes sont faites non pour concevoir des idées, mais des enfants [...]. Elles ne sont pas équilibrées comme nous et quand parfois la science fait l'autopsie de ces charmantes poupées à ressort, elle trouve dans leurs jolies têtes beaucoup plus de poudre de riz que de cervelle[21]. »

En France, à la Belle Époque, l'écho que reçoit l'expression l'« Ève nouvelle », qui suscite l'effroi, est à mettre en relation avec le développement d'un mouvement féministe qui devient visible sur la scène publique (voir chapitre 2). Les revendications des femmes font peur, et les romanciers les vouent aux gémonies : d'Alexandre Dumas fils à Maupassant, de Zola à Maurras, quelle que soit leur couleur politique, une pléiade d'écrivains rejettent la perspective de l'égalité des sexes et dénigrent cette « Ève nouvelle ». Dans *Fécondité* (1899), Zola dénonce une France « dont la virilité s'affaiblit ». Que l'homme soit un cerveau et la femme une matrice, ces points de vue, énoncés par Michelet en 1848, sont confortés par la recherche scientifique du dernier tiers du siècle, l'anthropologie physique ou la psychiatrie. C'est le moment de l'« hystérisation » des femmes (Michel Foucault). L'angoisse de la dénatalité française face à la prolifique Allemagne fait porter les mères et la maternité au pinacle. Marianne, l'héroïne de *Fécondité*, mère de onze enfants qu'elle allaite scrupuleusement, est l'antithèse de la « vierge, exsangue et plate, sans sexe », de la princesse lointaine, hiératique, inatteignable du Modern Style[22]. Le Modern Style célèbre l'« Ève nouvelle » dans un ensemble de représentations où le corps de la femme, et en particulier sa chevelure, sont le support d'une symbiose de l'Art et de la Nature qui exprime l'angoisse devant la civilisation industrielle, d'où l'importance de la végétation – tiges, laines, fleurs, qui se confondent, avec les chevelures féminines. Celles-ci sont à la fois une parure, une chaîne, un joug, et un serpent. La femme 1900 attire et repousse. Incarnation de la Nature, elle est source de vie ; mais elle est aussi un gouffre, un abîme où l'homme se perd : le thème de la femme fatale est constant. L'Art nouveau est porteur d'une peur de la femme qu'expriment les médecins (l'hystérie, la contagion et la peur de la dégénérescence de la race), les anthropologues comme Bachofen ou Morgan (exaltation d'un matriarcat primitif), la peur du féminisme enfin. Le Modern Style utilise aussi les figures de femmes pour faire vendre. La publicité naissante

21. Cité par ANGEROT, 1989, p. 19.
22. QUIGUER Claude, *Femmes et machines de 1900. Lectures d'une obsession Modern Style*, Klincksieck, 1979.

couvre les murs d'affiches et remplit les pages des journaux en identifiant un produit à la femme qui le présente : « Pour Mucha, croquer le biscuit Lu c'est consommer la femme » écrit Michelle Perrot[23]. De même, le Modern Style établit un lien étroit entre la Machine et la Femme, tentant ainsi de rassurer, de conjurer la nouveauté, en particulier la nouveauté technique, en la ramenant – comme la femme – aux mythes éternels. La question du marquage du sexe par les vêtements est posée à la Belle Époque. Le sport, et en particulier la bicyclette, mais aussi l'alpinisme, appelle d'autres tenues que les longues robes[24]. Les corsets sont progressivement abandonnés et la haute couture donne le ton. Les ourlets raccourcissent et laissent apparaître la cheville. Certains mannequins ont les cheveux courts dès 1908. L'« Ève nouvelle » est donc cette figure inquiétante qui dit le déplacement des frontières entre les sexes que la guerre va se charger de remettre à leur place. Avant le début des combats, l'avant-garde littéraire et artistique des futuristes avait déjà stigmatisé le féminisme, exalté la masculinité, la vitesse et la guerre.

Le succès du type de la « garçonne » est assuré non par les avant-gardes littéraires ou artistiques, mais par la littérature populaire : le roman de Victor Margueritte paru le 12 juillet 1922 connaît un succès foudroyant (un million d'exemplaires vendus en 1929). Le roman s'ouvre sur l'histoire d'une jeune femme trompée, Monique Lerbier, qui par dépit de la trahison de son fiancé (qui avait une maîtresse) se donne à un inconnu. Après s'être fait couper les cheveux, elle devient l'amante d'une artiste de music-hall. Puis elle quitte sa compagne et s'enfonce dans la dépravation et la drogue. Revenue à des amours masculines, elle traite ses partenaires de rencontre en objets sexuels, rejetant la passivité habituelle et attendue des femmes. Finalement elle éprouve quelque plaisir auprès d'un danseur « fils d'Italien » qui cache sous un pseudonyme son hérédité méditerranéenne. Monique se découvre stérile… Le roman finit bien : Monique rencontre un homme – un bon Français, professeur, patriote mais pacifiste – qui la sauve et la demande en mariage. Victor Margueritte veut ainsi défendre une idée moderne du couple, où le mari ne s'attend plus forcément à ce que la jeune fille soit vierge.

À sa sortie en 1922, le roman, édité par Flammarion, crée un scandale qui sert sa diffusion et enrichit son auteur, mais qui le fait aussi radier de l'ordre de la Légion d'honneur. La presse se montre très hostile, de la droite à l'extrême gauche, *L'Humanité* parle même de « pornographie ». Le journal de la SFIO n'en dit rien, tenu par un ouvrage de 1907 de Léon Blum, *Du mariage*, qui préconisait déjà des expériences préconjugales. *Le Crapouillot*, journal de droite extrême, qualifie les directeurs littéraires de Flammarion de « salonnards pédérastes et bolchévisants » et de « maniaques obsédés par le sexe ». À ce florilège s'ajoutent diverses injures antisémites.

23. Perrot Michelle, « De Marianne à Lulu, les images de la femme », *Le Débat*, n° 3, 1980, p. 142-151. Catalogue de l'exposition *Mucha (1860-1939)*, Éditions des musées nationaux, 1980.
24. Guido Laurent et Haver Gianni (dir.), *Images de la femme sportive*, Genève, Goerg, 2003, en particulier la contribution de Cécile Ottogali « Des sportives à part : entre transgression et concession. L'image des femmes alpinistes parisiennes avant la Seconde Guerre mondiale », p. 167-185.

Victor Margueritte se dit féministe, mais les féministes ne le soutiennent pas. Louise Bodin écrit dans *L'Humanité* du 18 septembre 1922 :

> « L'affranchissement sexuel de la femme pour elle (la garçonne) c'est la pratique de tous les vices, la luxure, c'est la dépravation, l'égalité des sexes c'est l'imitation de l'homme le plus corrompu [...]. Alors vraiment, si c'est cela l'affranchissement de la femme, rendez-nous la chasteté, la dignité de mœurs de nos mères... »

La plupart des féministes envisagent l'émancipation des femmes dans le respect de la morale traditionnelle. La sexualité est alors un sujet tabou, alors même qu'elles se battent pour l'égalité, et en particulier pour l'égalité politique. Symboliquement, constat fait *a posteriori*, le Sénat repousse le vote des femmes le jour même de la sortie de *La Garçonne*. Celles et ceux qui soutiennent Victor Margueritte sont des exceptions : Robert Desnos, Anatole France ou encore Madeleine Pelletier, une des rares féministes à manifester sa solidarité envers l'auteur.

Monique Lerbier, l'héroïne de Victor Margueritte, appartient au monde cosmopolite de la jeunesse parisienne dorée qui fréquente bars, cabarets et boîtes de nuit de Montmartre et de Pigalle. Dans les années 1920, les lieux de rencontre des « garçonnes » se multiplient à Paris. Les Américaines de la rive gauche – telles Gertrude Stein et Alice Toklas qui tiennent salon – sont au carrefour de ces réseaux lesbiens. Dans les milieux artistiques de la bohème parisienne règne une grande liberté de mœurs. C'est le temps de la « revue nègre », du succès du jazz et de Joséphine Baker qui triomphe aux Folies-Bergères. Le cinéma s'empare du sujet. Le film tiré du roman de Margueritte n'obtient pas le visa de censure. Mais *Loulou* de Pabst (1929) porte à l'écran un couple lesbien et révèle Louise Brooks qui devient, avec ses cheveux noirs coupés au carré, courts et plaqués, le prototype de la garçonne. Plusieurs films lesbiens suivent : *Jeunes Filles en uniforme* (1931), qui relate l'histoire d'amour d'un professeur et d'une de ses élèves, *La Reine Christine* avec Greta Garbo, ou *Morocco* avec Marlène Dietrich.

Le terme « garçonne » n'a pas été, à proprement parler, créé par Victor Margueritte qui a su cependant cristalliser dans son roman les tendances existantes dans la société française. Le mot rejoint des pratiques, même minoritaires dans l'espace urbain et dans la société. La garçonne apparaît, à la suite de la Grande Guerre, comme le produit d'une masculinisation des femmes; mais séductrice, maquillée, et court vêtue, elle incarne également la modernité des jeunes filles des années 1920. Type et stéréotype des « Années folles », la « garçonne » est érigée en symbole de l'émancipation des femmes. Elle fait des émules. Ainsi le roman contribue à la diffusion de la mode des cheveux courts, promue en symbole de la modernité. En 1924, la chanson du populaire Dréan enregistre le phénomène :

> « Elle s'était fait couper les cheveux
> Comme une petite fille
> Gentille
> Elle s'était fait couper les ch'veux

En s'disant ça m'ira
Beaucoup mieux
Parc'que c'est la mode commode
Elles se font toutes *(ter)* couper les cheveux. »

Mode et consommation de masse

Les années d'après-guerre, si elles signifient pour un certain nombre d'auteurs « la crise de la civilisation », sont aussi celles de la naissance d'une consommation de masse, phénomène dans lequel les femmes jouent un rôle majeur. La question des nouvelles normes corporelles entre en jeu : la minceur, la jeunesse et le sport sont valorisés. La masculinisation de la mode féminine valorise aussi un temps l'androgynie. Le bronzage n'évoque plus le travail paysan, mais le luxe des vacances à la montagne ou à la mer que les affiches publicitaires du PLM (Paris-Lyon-Méditerranée) font connaître à l'Europe entière. La démocratisation de la mode (cheveux courts et robes raccourcies) est non seulement un signe d'acculturation et d'acceptation des codes bourgeois et urbains, mais aussi un souci de soi qui devient commun à nombre de femmes. La mode est un puissant facteur d'individualisation et de socialisation (rôle des salons de coiffure et des boutiques de modistes et de couturières). La consommation se démocratise grâce aux magasins à succursales, aux catalogues et à la vente par correspondance.

> « Cheveux courts, allure sportive, goût des vêtements pratiques, plaisir de sentir son corps libre, de bouger sans entraves annoncent des changements profonds et durables. Auréolées du prestige de la haute couture, domaine d'excellence féminine, ces innovations sont de plus portées par une société de consommation naissante qui uniformise et démocratise le paraître, en vendant le modèle de la garçonne; c'est sous les traits de la femme émancipée que naît la consommatrice moderne[25]. »

L'histoire des « garçonnes » s'insère dans une nouvelle histoire culturelle qui met en avant le changement social et qui questionne la place respective des deux guerres mondiales dans le XXe siècle. Comme le souligne Françoise Thébaud (2002), plusieurs modèles ont été proposés par les historiennes. Mary Louise Roberts distingue dans l'« économie culturelle » de la France des années 1920, trois types de femmes : celle qui cristallise les peurs du changement social et sexuel, la garçonne; celle qui rassure, l'idéal-type de l'entre-deux-guerres, la mère (peu prolifique cependant dans la réalité) et la femme au foyer; le modèle, enfin, de la femme seule, célibataire, mais chaste, qui permet de concilier l'ancien et le nouveau. L'historienne britannique Syan Reynolds décrit les processus de changement de la période de l'entre-deux-guerres et souligne combien la mixité et la reconnaissance de l'expertise sociale des femmes – à défaut de celle de leur rôle politique – préfigurent les transformations de l'après 1945. Éliane Gubin, de l'université libre de Bruxelles, souligne combien les discours traditionnels ont masqué les chan-

25. BARD, 1998, p. 138.

gements dans la condition des femmes. Pour ne prendre qu'un exemple, l'importance en nombre des discours natalistes a longtemps masqué leur impact limité, qui peut être mesuré par la faible natalité de l'entre-deux-guerres. Christine Bard oppose, elle, le climat de liberté et d'innovation des années 1920 (en surestimant peut-être son importance, même si la mode des cheveux courts se généralise) au retour en arrière et à la crispation des années 1930. Sans doute la question de l'angle d'observation et de la mise en intrigue du discours historique expliquent ces différences d'interprétation.

Chapitre 10

FIGURES DE FEMMES

De l'histoire du symbolique, avec ses types et stéréotypes, traitée dans le chapitre précédent, nous entrons dans ce chapitre de plain-pied dans une histoire culturelle « celle qui assigne l'étude des formes de représentation du monde au sein d'un groupe humain dont la nature (sociale et politique) peut varier et qui en analyse la gestation, l'expression et la transmission ». Cette définition de Jean-François Sirinelli est citée et commentée par Odile Krakovitch et Geneviève Sellier qui soulignent cependant qu'il est rarement fait mention de la dimension sexuée de la culture[1].

Se démarquant d'une stricte histoire des représentations, la question des figures de femmes dans l'art peut être traitée avec plusieurs regards. D'abord, celui des femmes créatrices et artistes, alors que la création leur est constamment déniée : depuis le Romantisme, le génie est considéré comme le propre du masculin et les femmes sont, au mieux, reléguées au rôle de muses et d'inspiratrices; deuxième approche, celle des productions artistiques qui mettent en scène des femmes; mais il faut sur ce point bien garder en mémoire que les productions culturelles relèvent de l'imaginaire et que, pour paraphraser Baxandall *(L'Œil du Quattrocento)*, l'œil du milieu du XIXe siècle n'est pas celui de la fin du XXe siècle : il faut donc se garder à la fois de l'anachronisme et de la théorie du reflet; enfin, liée à ce qui précède, se pose la question de la réception de ces œuvres d'art, situées dans un champ artistique et à destination d'un public historiquement datés. Bien entendu, on ne peut prétendre ici à une vision exhaustive dans cette approche d'histoire culturelle relativement neuve en histoire des femmes et du genre. Nous nous bornerons à lancer des pistes, les moins schématiques possibles, afin d'éveiller l'intérêt et de renouveler l'approche classique en histoire de l'art par les œuvres et les courants principaux.

1. Krakovitch Odile et Sellier Geneviève (dir.), *L'Exclusion des femmes. Masculinité et politique dans la culture au XXe siècle*, Bruxelles, Complexe, 2001.

Femmes peintres et peinture

Il n'est pas possible de cantonner les femmes peintres des XIXe et XXe siècles à un genre ou à un style particulier. Elles sont de tous les courants, des plus conservateurs aux plus novateurs : de Marie Laurencin à Sophie Arp en passant par Sonia Delaunay, Veiria da Silva, Arlette Messager et Niki de Saint-Phalle, pour les plus connues, leurs œuvres empruntent différents chemins. Cependant, ces femmes artistes ont en commun un combat, collectif ou individuel, pour la reconnaissance de leur art. Dans la seconde moitié du XIXe siècle, de nombreuses femmes peintres se forment dans des ateliers, exposent au Salon, même si elles sont souvent taxées de dilettantisme[2].

Date du Salon	Nombre total d'exposants ou d'œuvres (section peinture)	Nombre d'exposantes ou d'œuvres (section peinture)
1791	258	19
1800	180	25
1822	475	67
1835	801	178
1863	1915	101
1870	3002	271
1880	3957	503
1889	2771	418

Nombre d'exposants au XIXe siècle.
Source : d'après l'article de Noël, 2004, p. 86.

L'Union des femmes peintres et sculpteurs, fondée en 1881 par la sculptrice Hélène Bertaux, se bat pour la tenue d'un Salon réservé aux artistes femmes (qui est organisé à partir de 1882 avec la caution officielle du président de la République) et pour l'entrée des filles à l'École des beaux-arts (obtenue en 1897). Quelques-unes s'efforcent de promouvoir l'idée d'un art féminin spécifique. Mais certaines, telle Camille Claudel – figure emblématique et tragique du rejet de la création féminine –, refusent de cautionner de telles revendications[3].

Il faut faire une place spécifique à une peintre devenue célèbre, Rosa Bonheur (1822-1899), qui prit pour sujet de peinture non de mièvres fleurs ou des humains, mais des vaches, des porcs et des lions. D'un père peintre et saint-simonien, elle hérita le goût pour le dessin et les animaux, tout comme une volonté peu commune d'indépendance. Elle fait précocement preuve de penchants virils et obtient du préfet une autorisation de travestissement en homme pour se rendre dans les abattoirs faire, pour sa peinture, des études d'animaux. Elle vécut toute sa vie avec une amie. Elle se

2. Noël Denise, « Les femmes peintres dans la seconde moitié du XIXe siècle », *Clio, Histoire, Femmes et Sociétés*, n° 19, Gabrielle Houbre, Christiane Klapisch-Zuber et Pauline Schmitt-Pantel (dir.), « Femmes et images », 2004, p. 85-103.
3. Heller Nancy, *Femmes artistes*, Herscher, 1991.

fait connaître à 27 ans, au Salon de 1849, avec une œuvre de grande dimension, *Labourage nivernais* (visible au musée d'Orsay), ode à la nature innocente contre la ville corrompue. *Le Marché aux chevaux*, quatre ans plus tard, l'impose sur le marché international de l'art (surtout auprès des Anglais et des Américains). Elle obtient même la Légion d'honneur en 1865. Peintre inclassable, Rosa Bonheur est le type même de femme indépendante qui a géré comme elle l'entendait sa vie et son œuvre. Pourtant un certain nombre de peintres veulent interdire la peinture aux femmes, tel Gustave Moreau qui écrit à propos de la jeune peintre Marie Bashkirtseff, morte en 1884 à l'âge de 25 ans d'une tuberculose, l'année même où elle expose au Salon, *Le Meeting*, toile réaliste sur les enfants des rues, achetée par l'État (musée d'Orsay) :

> « L'intrusion sérieuse de la femme dans l'art serait un désastre sans remède. Que deviendra-t-on quand des êtres dont l'esprit est si positif et terre à terre que l'esprit de la femme, quand des êtres aussi dépourvus du véritable don imaginatif, viendront apporter leur horrible jugeote artistique avec prétentions justifiées à l'appui? »

Camille Claudel est aussi fille de ce temps où le génie féminin n'était pas accepté, où on laissait aux femmes tout juste la possibilité d'être des amatrices. Sculptrice douée, sœur de Paul Claudel et amante de Rodin, elle n'est devenue que récemment un personnage reconnu pour elle-même, presque une héroïne qui conjugue beauté, génie, passion et folie. Portée à l'écran par Isabelle Adjani (1986), elle est devenue un mythe. Dès ses premières œuvres sa virtuosité éblouit : elle taille directement dans le marbre et réalise des œuvres « qui dépassent par l'invention et par la puissance d'exécution tout ce qu'on peut attendre d'une femme » selon le commentaire admiratif – mais fort misogyne – d'Octave Mirbeau (1893). Quand elle commence à exposer, seule une poignée de personnes reconnaissent son talent. Ses sculptures ne se vendent pas, ou à très bas prix. Elle exerce un métier masculin, dans un environnement masculin. Elle mène une vie libre sans se soucier des convenances de son époque. Sa mère n'accepte ni son métier ni sa passion et, à la mort de son mari, la fait enfermer (1913), et ce pendant trente ans (jusqu'à sa mort en 1943), en interdisant correspondances et visites. Redécouverte récemment, Camille Claudel est devenue le symbole de la création féminine entravée. D'autres artistes n'ont pas eu un destin si tragique, telles Eva Gonzalès, élève et modèle de Manet qui expose au Salon dès 1870 ; ou encore Berthe Morisot, qui, avec une touche très personnelle dans l'agencement des couleurs à la fois claires et floues, participe à toutes les expositions impressionnistes, ou encore Clémentine-Hélène Dufau (1869-1937), élève de Bouguereau, qui étudie à l'académie Julian et expose tous les ans au Salon à partir de 1893. Elle a réalisé les panneaux allégoriques sur les sciences qui sont à la Sorbonne et décore également la maison de Rostand. C'est une des créatrices du Salon d'automne.

Dans la seconde moitié du XIXe siècle, les femmes sont omniprésentes sur les toiles : le beau s'incarne dans le corps féminin et le nu devient une étape obligatoire dans un cursus artistique. Certes, les nus dans la peinture ne sont pas une nouveauté. Mais au milieu du XIXe siècle, la peinture orientaliste (servie par Ingres et Delacroix) et la peinture mythologique leur donnent une nouvelle importance. Les Salons regorgent de peintures mythologiques de style pompier (que le musée d'Orsay a remis en valeur) qui permettent de mettre en scène des figures féminines incarnant le mal ou le péché. La critique souligne ces aspects, en brodant parfois sur un sujet relativement banal, tel Proudhon, commentant un tableau de Courbet, *Les Demoiselles du bord de Seine* (1857) : « Elle est étendue sur l'herbe, pressant la terre de sa poitrine brûlante, ses yeux à demi ouverts nagent dans une érotique rêverie [...]. Il y a en elle du vampire [...]. Fuyez si vous ne voulez que cette Circé fasse de vous une bête[4]. »

Le corps féminin devient l'attrait quasi unique des spectateurs. Ceci est particulièrement notable dans l'Exposition universelle de 1867 qui célèbre, dans la capitale du luxe et du plaisir qu'est Paris, le développement industriel du Second Empire. *Vénus sortant des flots* de Cabanel (1863) – tableau acheté par l'Empereur – adapte l'Antiquité au goût moderne. « La déesse noyée dans un fleuve de lait a l'air d'une délicieuse lorette, non pas en chair et en os – ce serait indécent – mais une sorte de pâte d'amande blanche et rose » : la critique d'Émile Zola s'intitule « Nos peintres au Champ de Mars ». De même, dans *La Phrynée devant l'aréopage* de Léon Gérôme (1861), la nudité est accentuée par l'attitude pudique de la jeune femme à qui l'on ôte ses vêtements. On trouve aussi dans l'exposition de 1867 une *Bacchante* de Bouguereau, qui devient le peintre à la mode et peint en 1879 une nouvelle *Naissance de Vénus*. Le thème n'est pas nouveau, mais il est omniprésent dans ce dernier tiers du siècle. Toutefois, on passe progressivement d'un nu académique qui ne cache rien et ne montre rien, à des nus réalistes, dans des espaces naturels. Les peintres réalistes, tel Courbet, ont sacrifié au nu : *Les Baigneuses* datent de 1853; il ne s'agit pas de nudité mythologique, mais d'une femme aux formes rebondies à côté d'une paysanne, dans un décor champêtre. *Olympia* de Manet (1863) apparaît comme une jeune fille de son temps dans une esthétique qui se voue au réel et au vécu, tout comme *Le Déjeuner sur l'herbe* – une femme nue entre deux hommes habillés – visible en 1863 au Salon des Refusés. Enfin *L'Origine du monde* de Courbet (1866), qui scandalisa en son temps, et pendant longtemps, est à la fois hyperréaliste, mais ne montre qu'une partie, habituellement dissimulée, du corps féminin. À partir de Courbet et de Manet, la femme nue est dégagée des contextes artificiels, mythologiques ou exotiques : Renoir comme, dans un autre genre, Toulouse-Lautrec, peignent les femmes des milieux qu'ils fréquentent.

Des femmes peintres participent à toutes les révolutions esthétiques du XXe siècle. Avec le fauvisme s'illustre Suzanne Valadon (1865-1938), qui, avec la vigueur de son pinceau et l'éclat de ses couleurs, traite avec une grande

4. Moreau et Proudhon sont cités par DORTIN-ORSINI Mireille, « Portrait de femme : Gustave Moreau et Gustav-Adolf Mossa », *in* Christine Bard (dir.), *Un siècle d'antiféminisme*, Fayard, 2002, p. 121-122.

franchise le thème de la sexualité en particulier dans le tableau *Adam et Ève* (1909, visible au Centre Pompidou) ; elle y inverse les rôles, son amant (fort reconnaissable aux dires des contemporains) lui ayant servi de modèle pour figurer, dans le plus simple appareil, Adam. Le cubisme, et ses espaces fragmentés, avec des visages de femmes déstructurés, initiés par Picasso dans *Les Demoiselles d'Avignon* (1907), voit s'illustrer Sonia Delaunay qui, dès 1914, peint avec *Prismes électriques*, exposé au Salon des Indépendants, des compositions figuratives et des formes géométriques aux tons très spécifiques, presque pastels. Paris est, dans l'entre-deux-guerres, la capitale artistique de l'Europe et attire de nombreuses peintres étrangères, de Russie (Natalia Goncharova), de Suisse (Sophie Taueber Arp) et du Portugal, à l'instar de Veiria da Silva qui peint des paysages urbains abstraits et rectilignes.

Les femmes sculptrices se fraient des chemins originaux, telle Germaine Richier (qui s'est exercée dans l'atelier de Blondelle), fascinée par les insectes et qui fait des sculptures humaines en forme de chrysalides. Louise Bourgeois, de l'atelier Fernand Léger, compose des sculptures abstraites avec des formes géométriques encastrées. Niki de Saint-Phalle façonne ses fameuses Nanas énormes et boursouflées. Dans ses premières œuvres, elle avait installé un bar à l'intérieur des statues et, dans un happening, invitait à y pénétrer. Annette Messager s'efforce, elle, d'effacer la différence entre peinture et photographie en dénonçant les stéréotypes médiatiques. En 1973, elle inverse les rôles traditionnels et braque ostensiblement son téléobjectif sur les pantalons des hommes : l'ère des performances est ouverte. Deux ans plus tard, elle s'essaie à des peintures corporelles : le corps féminin, modelé et remodelé, devient art…

Cinéastes et cinéma

Dès l'invention du cinéma, les figures de femmes sont omniprésentes. Dans le monde des frères Lumière, elles apparaissent lors du premier film, *La Sortie des usines Lumière* (1895), où se pressent de nombreuses ouvrières, et également dans le portait de l'intimité familiale de la bourgeoisie lyonnaise *(Le Goûter de bébé)*. Sans vouloir y voir de façon schématique le reflet de la société, nous nous interrogerons sur les images dominantes dans certaines périodes historiques et aussi, plus récemment, sur la mutation des genres dans le monde des cinéastes avec la visibilité des « films de femmes » et des festivals qui les mettent en scène dans la période post-68. Pourtant, dès 1896, une réalisatrice, complètement oubliée, Alice Guy, produit 400 films de 1896 à 1907. Musidora, première actrice de cinéma dans la série « Les Vampires » de Louis Feuillade, crée en 1917 sa propre maison de production (qui fait faillite rapidement). Le nom sera repris par un groupe de réalisatrices et d'artistes qui organisent en 1974 le premier festival de films de femmes. Les représentations filmiques sont des produits culturels, enjeux pour la société de leur temps.

« La guerre des sexes dans le cinéma français »

Si, dans les années 1930, les figures de femmes étaient surtout des filles délurées, garces ou ingénues, rouées ou naïves dont l'autonomie était mise au pas par des hommes d'âge mûr et de structure patriarcale (incarnés à merveille par Raimu ou Vanel), pendant la période de Vichy, les femmes sont rédemptrices, consolatrices ou maternelles. Les jeunes filles sont douces et timides. Plus d'histoires de boulevards ou d'amours coquines, le temps est à la vertu et au dévouement. Les valeurs féminines sont utilisées comme une régénération du masculin en crise depuis la défaite et l'Occupation ; une vingtaine de films traitent de l'absence des hommes... ou de leur fuite. *Les Enfants du paradis* ou *Le Corbeau*, par exemple, sont dans ce cas. L'immédiat après-guerre rompt avec l'idéalisation des figures féminines du cinéma de l'Occupation. Les « garces » vont séduire les hommes par leur beauté : cette diabolisation des femmes est sans doute le produit des humiliations masculines de la défaite et des « années noires » et s'accorde avec la virilisation des images à la Libération[5]. En 1952, dans *La Vérité sur Bébé Donge* de Henri Decoin, Élisabeth empoisonne à l'arsenic son mari avec qui elle vivait depuis dix ans ; Danielle Darieux interprète souvent une de ces femmes de plus en plus haïssables que l'exigence d'égalité ou la cupidité conduit au crime[6]. D'autres films, au début des années 1950, exaltent le mythe de la mère au foyer en dévalorisant le travail féminin : c'est le travail ou l'amour. Une nouvelle version de *La Maternelle*, tournée d'après le roman de Léon Frapié de 1904, est particulièrement révélatrice de cette tendance : l'institutrice reste seule dans un quartier que l'on dirait aujourd'hui « difficile », délaissée par son fiancé, car elle a refusé d'abandonner son métier pour se marier. Il s'agit d'une vision tragique de l'existence des femmes : la charge contre le travail féminin passe par le mélodrame social. C'est avec une veine comique inhabituelle que Jean Renoir dirige l'actrice Ingrid Bergman, égérie des hommes de pouvoir, dans *Elena et les hommes* (1956). Dans *Le Déjeuner sur l'herbe*, le même Jean Renoir oppose une femme avide de pouvoir à une paysanne sans instruction, mais aimée parce que représentante de la « vraie féminité ». Au même moment se déploie chez de jeunes créateurs une nouvelle esthétique des personnages féminins.

BB, star et garce de la Nouvelle Vague[7]

Et Dieu créa la femme sort sur les écrans le 4 décembre 1956 et consacre une femme de 21 ans, Brigitte Bardot, épouse depuis trois ans du réalisateur Roger Vadim. Ce dernier se veut ethnologue de la jeune fille cuvée 1956 :

---

5. Capdevila Luc, « Le mythe du guerrier et la construction sociale d'un "éternel masculin" après la guerre », *Revue française de psychanalyse*, 1998, n° 2, p. 607-623.
6. Exemple cité par Genviève Sellier, in *Un siècle d'antiféminisme*, p. 288.
7. De Baecque Antoine, « Des corps modernes. Filles et petites filles de la Nouvelle Vague », *in* Geneviève Dreyfus-Armand, Robert Frank, Marie-Françoise Lévy et Michelle Zancarini-Fournel (dir.), *Les Années 68 : le temps de la contestation*, Bruxelles, Complexe, 2000, p. 125-139.

« À la façon d'un ethnologue, je recherchais cependant le spécimen type. Il existait en effet. Je l'ai trouvé un jour d'été sur la couverture d'un magazine. C'était la jeune fille d'aujourd'hui. Elle avait quinze ans et demi, un visage où la sensualité se mêlait à la candeur. Elle s'appelait Brigitte Bardot. Elle faisait de la danse et allait à l'école… » Un film est tourné rapidement en extérieur avec un petit budget, mais qui valorise les formes de celle qui deviendra simplement BB. L'irruption de ce corps jeune et sensuel séduit les jeunes spectateurs, attire les adultes en apparence scandalisés : elle est le témoignage du rejet des principes moraux sur la famille, l'amour et la sexualité et de la notion même de faute et de péché. La presse unanime est scandalisée. Citons *Libération* (le titre issu de la Résistance, dirigé par d'Astier de la Vigerie) du 6 décembre 1956 :

> « *Et Dieu créa la femme* exploite impudemment tout ce que l'indécence est en droit de proposer au public sous le couvert de la décence-limite et de la jeunesse : baignade suggestive, vêtements collés au corps, cuisses ouvertes, peau luisante, cha-cha-cha exacerbé, chute des corps les uns après les autres, lits défaits, pieds nus, soupirs, regards, frénésie, soleil, hébétude, jusqu'à une nuit de noces consommée en plein midi, pendant le repas familial des dites noces ! Le produit obtenu est un hybride assez malsain. Ce ramassis de bestialité intellectuelle recèle pourtant une trouvaille. Une vraie… Et cette trouvaille c'est le mythe naissant de B.B. »

La description dit bien ce qui est de l'ordre du supportable pour la morale publique et fait le constat, prémonitoire, de la naissance d'une star reconnaissable à ces initiales et à la liberté de son corps. Seule la revue de critique *Les Cahiers du cinéma* défend le film. Les jeunes critiques – François Truffaut, Claude Chabrol, Jean Luc Godard et Jacques Rivette – voient en elle une autre façon de faire du cinéma et d'être une star, qui détrône la conception hollywoodienne incarnée par Marylin Monroe. Ce film est, pour eux, un véritable documentaire sur les filles de leur génération, qui dit le vrai, contre le cinéma en studio des vieux réalisateurs. Ce réalisme cinématographique, servi par les nouveautés techniques (les caméras légères avec son incorporé), est le manifeste du cinéma d'auteurs de la Nouvelle Vague qui veut « filmer les gens et les choses tels qu'ils sont », écrit Godard trois ans plus tard. Il s'agit donc de filmer les jeunes filles du temps présent avec leurs gestes, leur habillement, leurs manières de faire, comme pour un cliché instantané. Mais il ne s'agit pas de tous les jeunes des années 1960, mais de ceux que l'on nomme alors les « blousons dorés » (en opposition aux blousons noirs des quartiers populaires). Antoine de Baecque montre comment cette femme-corps libérée est, en réalité, une véritable femme-objet : on est passé de la prostituée au grand cœur des films des années 1930-1950 aux femmes-objets des années 1960, le commerce des corps – qui deviennent monnaie d'échange – étant partie prenante de la société de consom-

---

SELLIER Geneviève, « Images de femmes dans le cinéma de la Nouvelle Vague », *CLIO, Histoire, Femmes et Sociétés*, n° 10, 1999, p. 216-232.

mation (vision prémonitoire du commerce contemporain du sexe). « Jean-Luc Godard dans *Vivre sa vie* montre des fragments du corps d'Anna Karina/Nana découpés par les angles des plans, échangés contre des sommes de billets précises et convenues. » La manière de filmer (montage cut) ou de dire (récits fragmentés), de montrer enfin (regards-caméra) brouillent alors les pistes et les habitudes. *Le Mépris* de Godard (1963), dernier film de la Nouvelle Vague, montre BB comme l'incarnation-même de la femme moderne : le film ouvre sur le corps dénudé de Bardot filmée de « la pointe des pieds à la pointe des seins », femme-document, femme-objet, mais aussi femme-mystère d'un corps mis en fait à distance : tout passe par le regard-caméra et le regard-spectateurs.

Certaines analyses plus sociologiques qu'esthétiques, dont celles de Geneviève Sellier, considèrent que ce cinéma d'auteur – celui de la Nouvelle Vague – vu seulement par une petite élite intellectuelle, qui coexiste par ailleurs avec un cinéma populaire traditionnel, est un « cinéma au masculin singulier ». Non seulement par le sexe des cinéastes : 150 cinéastes font un premier film entre 1957 et 1962 et il n'y a aucune femme parmi eux. Mais aussi par les sujets traités : cinéma d'antihéros, les films de la Nouvelle Vague peignent des personnages masculins, seuls, dans des relations familiales et conjugales en crise, qui ne s'accommodent guère de la médiocrité du quotidien. Les femmes, mystérieuses et fascinantes, vont jusqu'à détruire les figures masculines, héritées parfois du romantisme, comme celle de Jean-Paul Belmondo dans *À bout de souffle*, premier film de Godard. L'héroïne féminine, Patricia, incarnée par Jean Seberg, est ambivalente : elle aspire à l'autonomie, mais elle est menaçante (elle finit par donner son amant à la police). *Jules et Jim* de François Truffaut (1962) met en scène une femme (incarnée par Jeanne Moreau) qui est à la fois une figure maternelle et une femme fatale, enjôleuse et fascinante avec ses bagues et ses bracelets (cf. la chanson). Catherine, choquée par les propos misogynes de son compagnon (qui cite en fait Baudelaire), se jette dans la Seine, seul geste d'autonomie, qui résout définitivement la peur masculine de la femme, comme le précise cyniquement une voix off : « Jules n'aurait plus cette peur qu'il avait depuis le premier jour d'abord que Catherine le trompe, puis seulement qu'elle meure… puisque c'était fait. »

Une exception majeure dans ce panorama de la Nouvelle Vague, Agnès Varda qui, avec *Cléo de 5 à 7* (1962), fait muter son héroïne du statut d'objet du regard à celui de sujet. Le film raconte « en temps réel » deux heures de la vie d'une chanteuse qui craint d'avoir un cancer. Dans un premier temps, elle paraît subir sa vie et sa peur, puis elle s'arrache à son image aliénée (figurée par la perruque et le costume de scène qu'elle abandonne) et aborde le monde extérieur : elle apprend à la fois la menace réelle de son cancer et le départ pour la guerre d'Algérie du jeune homme, érudit, rencontré par hasard : tous deux sont donc des morts en sursis.

Autre exception, analysée par Geneviève Sellier, celui du premier film de Resnais, *Hiroshima mon amour*, centré non sur un personnage masculin romantique, comme les films de la Nouvelle Vague, mais sur un personnage féminin : c'est l'histoire d'une rencontre amoureuse entre un Japonais et une Française où s'entrecroisent et se choquent histoire officielle et mémoires individuelles. L'un et l'autre revivent douloureusement des souvenirs traumatiques de 1944-1945 (elle a été une de ces femmes tondues pour avoir eu un amant allemand). La critique de l'histoire officielle et le surgissement du vécu individuel mémoriel se fait cependant par le biais du personnage masculin, même si c'est la femme qui est le principe organisateur du récit filmique. On est loin, avec *Cléo de 5 à 7* et *Hiroshima mon amour*, du corps-objet de Brigitte Bardot. Ces deux films annoncent la mutation des rapports hommes/femmes dans la décennie féministe des « années 68 ».

À la recherche d'une disparue : l'ouvrière de Wonder, *Reprise* d'Hervé Le Roux (1996)

La représentation des ouvriers dans le cinéma français est relativement faible : Michel Cadé estime qu'il y a une centaine de films sur 7000 longs métrages réalisés depuis le cinéma parlant[8]. On les voit à l'écran autour du Front populaire, de la Libération et de 1968, enfin après 1995, période où l'on peut parler d'espace de réception pour ce type de films, avec *Reprise*, *Rosetta*, *Paroles de Bibs*, *Ressources humaines*. L'ouvrier-type est passé de l'ouvrier qualifié des années 1936-1945, à l'ouvrière OS pour le cinéma post-68. Les OS, promus comme symboles de l'exploitation de la classe ouvrière, sont alors les héros d'un cinéma militant, mais aussi d'un cinéma grand public, comme *La Classe ouvrière va au paradis* (1972). Après 1968 et le développement d'un cinéma militant, une place est faite aux OS femmes (comme aux immigrés) pendant une dizaine d'années environ (films de Jean-Pierre Thorn ou de Marin Karmitz).

Le film d'Hervé Le Roux, *Reprise* (1996), est une sorte de pont entre le cinéma militant des « années 68 », dont l'icône est *La Reprise du travail aux usines Wonder* (juin 1968), et le cinéma d'auteur qui, depuis le début des années 1990, porte à nouveau ouvriers et ouvrières à l'écran. Hervé Le Roux trace, grâce à l'image, au son et au montage, un portrait attachant de destins pluriels d'hommes et de femmes qui ont partagé un temps, à Saint-Ouen, dans la proche banlieue parisienne, le même espace de travail, l'usine Wonder. Connue dans le monde entier par la publicité – sa « réclame », selon les termes de l'époque, répétée inlassablement sur les ondes : « la pile Wonder ne s'use que si l'on s'en sert » –, l'entreprise était le type même d'un établissement familial de la seconde industrialisation dirigé par un patron paternaliste. Le succès de ce film est dû au réalisateur qui a su imbriquer trois films en un. D'abord une recherche quasi policière, la quête d'une voix et d'une figure perdues, celle de l'héroïne malgré elle d'un des films emblématiques

8. CADÉ Michel, « Ouvriers au miroir du cinéma français », *Historiens-Géographes*, n° 350, p. 291-309.

de 1968 sur la reprise du travail. Ce plan-séquence de douze minutes, tourné le 10 juin 1968 par des élèves de l'IDHEC, est introduit dans le film d'Hervé Le Roux, découpé en différents plans qui structurent le film et qui réapparaissent de façon récurrente, quasi obsessionnelle, soulignant ainsi la permanence dans l'imaginaire social de la référence à Mai 68. *La Reprise du travail aux usines Wonder*, diffusé largement à la télévision et en ciné-club lors des commémorations de 1968, en 1978 et 1988, est devenu un film emblématique de la révolte, celle d'une femme anonyme, et celle d'une classe. Hervé Le Roux l'emploie ici comme objet révélateur de mémoire, morceau de temps propice à la mobilisation des souvenirs, à l'image de l'usage que fait Marie-Claire Lavabre des photographies avec des militants du PCF dans *Le Fil rouge. Sociologie de la mémoire communiste*. Le réalisateur a, par ailleurs, recueilli en 1994-1995 des récits pluriels de personnes qui n'ont pas souvent eu le droit à la parole. *Reprise* marque l'intrusion sur la scène d'un groupe social qui, n'ayant plus de porte-parole légitime, est, en cette fin de siècle, considéré comme disparu : la « classe ouvrière » est devenue un non-lieu. Pourtant, les ouvriers et les ouvrières existent, les contremaîtres aussi. Hervé Le Roux les a rencontrés; il les écoute et il les montre, physiquement, à l'écran dans leur diversité – diversité par la place occupée autrefois dans l'entreprise et par leur devenir social, diversité de sexe et de genre, diversité de prises de position politique, syndicale ou tout simplement individuelle, vis-à-vis du travail, du patron ou des syndicats.

Ce film raconte aussi une histoire de genre : l'éducation des filles, l'emploi des femmes, les métiers des hommes. C'est une histoire de la construction sociale du masculin et du féminin marquée par les relations de pouvoir. De Mme Campin, « la chef de l'atelier du noir », celle que l'on voit et revoit à l'écran rentrer dans l'usine en juin 1968 avec son sac à main serré contre elle, on dit que « c'est un vrai homme », dure et autoritaire, sous la férule de laquelle travaillaient une centaine d'ouvrières dans des conditions très difficiles, semblables à celles du XIXe siècle. Dans ce film, récit au passé, les filles et les femmes avaient un emploi, les hommes un métier. Les filles qui entraient très jeunes à l'usine, à 14 ans avec ou non leur certificat d'étude en poche, étaient souvent poussées par leurs mères à qui elles remettaient leurs paies quand ces dernières ne venaient pas la chercher elles-mêmes à l'usine. Une des interviewées, Lucienne, dit même que « question de dignité, elle remettait sa paie à sa mère au coin de la rue et pas devant les autres ». L'éducation autoritaire, celle des mères des milieux populaires, est soulignée à plusieurs reprises et marque toute la distance avec la conception de l'enfance et de l'adolescence qui prévaut aujourd'hui. La jeunesse à l'embauche explique à la fois le *turn over* incessant, surtout dans les ateliers les plus durs, et inversement, la longévité de certaines carrières ouvrières, une trentaine d'années, certaines allant jusqu'à la fermeture de l'usine. D'autres, au contraire, quittent l'entreprise grâce à un mariage précoce (Lucienne, par exemple, à 19 ans). On trouve son conjoint là où l'on est plus de neuf heures par jour et les « mariages wonder » sont fréquents. Le couple Morin, qui s'est connu dans l'usine, est emblématique de cette différence entre les sexes : elle est, et reste, OS toute sa vie à l'emballage, lui est, et reste, ouvrier professionnel et délégué syndical CFDT. Dans la discussion – la dispute ou le différend – avec sa femme, il prétend toujours avoir le dernier mot et montre ainsi un autoritarisme certain dans sa gestion des rapports de couple.

Les entretiens dessinent les subtiles hiérarchies à l'œuvre dans l'entreprise. Plusieurs mondes se côtoient sans toujours se mélanger, les « intellectuels » de la recherche et des bureaux d'étude, les employées, les ouvriers professionnels et les OS, des femmes le plus souvent. Les conditions de travail des OS, à la chaîne ou non, sont dures. Horaires longs, paies légères, cadences difficiles à suivre et encadrement tatillon marquent le travail et sont évoqués par toutes. Les victoires obtenues par des revendications et, plus rarement, des grèves paraissent dérisoires : avoir du savon, une douche pour les ateliers les plus sales, une pause pour aller aux toilettes ou prendre un goûter. Nombre de ces revendications seront satisfaites après 1968 qui, de l'avis général, a changé l'atmosphère de l'usine. Les OS femmes sont en partie remplacées dans les années 1970 par des immigrés : « 22 nationalités » dit Jean-Louis Blanc : on évoque pêle-mêle des Portugaises, des Africains, des Antillais. Les hommes eux ont donc des qualifications et parfois, grâce à l'ancienneté et au dévouement à l'esprit-maison, une carrière de mobilité ascendante jusqu'à la position de cadre. Qu'ils soient dans l'encadrement ou syndicalistes, ils sont souvent en position de pouvoir (et de savoir) par rapport aux OS femmes. Mais tous, OS femmes ou professionnels hommes, sont traités à la même enseigne lors de la fermeture de l'usine. Les divisions traditionnelles de la main-d'œuvre sont ainsi bouleversées par la crise et la recomposition industrielle.

C'est aussi une histoire politique et syndicale de l'usine et de la banlieue. Les syndicalistes occupent une place particulière dans le film. Ils marquent le poids et l'ancienneté de la présence syndicale et politique de la CGT et du PCF dans la « banlieue rouge » où se trouve Saint-Ouen. Cependant, l'autre courant syndical, le syndicalisme chrétien, est bien présent, incarné dans les personnes de Louis Morin et de la sœur Marie-Thérèse. C'est ce qui évite sans doute à Hervé Le Roux de verser dans le manichéisme. Les syndicalistes chrétiens semblent moins organisés, plus isolés, mais tout aussi déterminés. OS, sœur Marie-Thérèse paraît être en mission dans l'entreprise. Son rôle consiste à encadrer les filles de son atelier et à faire en sorte que leurs revendications puissent être formulées et aboutir. Elle use même de stratagèmes pour contraindre le patron à négocier. Malgré les menaces de licenciement, les ouvriers et les ouvrières, parfois contre leurs dirigeants syndicaux, agissent : ils brûlent une effigie de Tapie et le séquestre ainsi que des cadres, comme ils avaient mené la grève avec occupation en 1968 en dehors des structures établies. Pourtant, certains manifestent, malgré tout, un véritable attachement à l'entreprise.

Ceci peut expliquer l'évocation nostalgique d'une communauté et d'une vie perdue, celle où l'on appelait par son prénom le directeur ou le patron qui traitait ouvrières et employées avec une égale dignité, pense Mlle Marguerite devenue chef d'atelier. La mobilité, la précarité des emplois dans les années 1980-1990 ont dissous la notion d'appartenance à une communauté de travail ou d'entreprise. Les portraits de celles et ceux qui pourraient apparaître comme des « idéaux types » sont, en réalité, de vrais personnages, en chair et en os, qui s'imposent à l'écran comme individus pluriels par le langage et la mémoire des corps. Denise, par exemple, l'ouvrière fidèle qui incarne l'incorporation de l'ordre usinier, le dévouement au patron et à l'entreprise et sa défense sans condition, est touchante par son attachement à son travail passé dont elle mime soigneusement tous les gestes. Mais l'auteur la montre également à la tête d'une manifestation contre Tapie dans les années 1980. Mlle Marguerite, qui a grimpé les échelons à la force du poignet et grâce à son célibat, est montrée dans sa fragilité vis-à-vis des autres chefs d'atelier. Et c'est elle qui frappe Tapie avec son parapluie, car ce patron indigne lui ôte son lieu de vie et de travail. Jamais manichéens ces portraits individuels disent toute la diversité et la complexité de points de vue que ne transcende pas forcément une position identique dans le processus de travail. Ce documentaire et film de fiction est aussi un film d'histoire, un vrai récit historique. Aller et retour constant entre passé et présent, rapport entre histoire et mémoire, réflexion sur le temps sont bien des préoccupations majeures de l'Histoire du temps présent ou du très contemporain. On pourrait même dire que ce film joue, implicitement, sans que cet effet soit recherché, le rôle d'un manifeste pour une histoire sociale renouvelée dans ses approches et ses méthodes, ayant abandonné l'histoire du groupe, de la classe pour celle des individus, des contextes, des conjonctures et des événements remarquables qui marquent les parcours individuels.

Des réalisatrices et des « films de femmes » ?

Les réalisatrices représentent aujourd'hui entre 15 à 20 % du total des réalisateurs de cinéma, ce qui est une situation unique en Europe et dans le monde. Mais ce phénomène, relativement récent, s'est développé dans les « années 68 », même si une réalisatrice comme Agnès Varda avait commencé sa carrière beaucoup plus tôt avec un documentaire sur un village de pêcheurs (*La Pointe courte* en 1954). Ces réalisatrices ont débuté dans le cinéma, dont les caméras étaient devenues plus légères, et dans la vidéo plus maniable ; on les trouve aussi dans le script et le montage[9]. Parfois dans la réalisation de films militants, par exemple dans la campagne pour la contraception et l'avortement. Certains ont été censurés comme, en 1973, *Histoire d'A* de Marianne Issartel et Charles Belmont, qui a dû son succès à son interdiction. Certains sujets sont plus particulièrement traités dans les « années 68 » : la sexualité (Nelly Kaplan, *La Fiancée du pirate*), les problèmes des couples,

9. ROLLET Brigitte, « Femmes-cinéastes en France : l'après Mai 68 », *CLIO, Histoire, Femmes et Sociétés*, n° 10, 1999, p. 233-248.

les rapports mères-filles, le viol… Servi magnifiquement par l'actrice Delphine Seyrig, le film de Chantal Ackermann, *Jeanne Dielman, 23 quai du commerce, 1080, Bruxelles* est, comme son titre l'indique, un film atypique, qui fait coïncider le temps de l'histoire et le temps du récit : c'est ainsi une dénonciation forte de l'aliénation du travail domestique et de la femme au foyer. Pourtant le qualificatif de « films de femmes » est refusé par un certain nombre d'entre elles (dont Coline Serreau) qui ont choisi l'intégration dans la création artistique ordinaire, ses circuits de production et de commercialisation. Ainsi *Trois hommes et un couffin* (1985) pose la question de genre sur les « nouveaux pères » et rencontre un immense succès (10 millions d'entrées).

Plus récemment, deux tendances se sont dessinées chez de jeunes réalisatrices : faire des films à connotation plus sociale et, par ailleurs, des films qui brisent les tabous et, en particulier, les tabous sexuels (les films de Catherine Breillat par exemple).

Les médias : télévision et radio

Il est désormais acquis que l'histoire du temps présent ne peut se dispenser d'une étude des images et des moyens de communication. Le cinéma, la télévision, les nouvelles techniques de communication et d'information ont bouleversé les sociétés contemporaines. L'opinion publique, plus ou moins travaillée par les représentations véhiculées par les différents médias, occupe une place de plus en plus grande dans les démocraties occidentales et devient objet d'histoire. Sources et traces du passé, les images et les sons permettent la compréhension des origines de l'imaginaire social d'une époque. Les discours tenus sur les femmes tels qu'ils se sont construits à la radio et à la télévision participent eux aussi de la mutation du statut juridique, économique et social des individus-femmes au cours des décennies 1960-1970. Il est ainsi possible de dresser le portrait de femmes et de jeunes filles du temps présent, tout comme les contours et les formes de la crise et des mutations des identités masculines. La télévision est une source de l'histoire du temps présent, parfois négligée, bien que certaines études pionnières existent et permettent de mesurer l'importance de ce média de masse dans l'histoire de la société française depuis les années 1950. Voilà pourquoi la bibliographie sur le sujet sera plus étoffée[10].

10. Delporte Christian, « Au miroir des médias », *in* J.-P. Rioux et J.-F. Sirinelli (dir.), *La Culture de masse en France de la Belle Époque à aujourd'hui*, Fayard, 2002, p. 305-351. Jeanneney Jean-Noël, « Les médias », *in* R. Rémond (dir.), *Pour une histoire politique*, Seuil, 1988, rééd. Points Histoire, 1996. Jeanneney Jean-Noël, « Le devoir de s'en mêler », *in* J.-P. Rioux et J.-F. Sirinelli (dir.), *Pour une histoire culturelle*, Seuil, coll. « L'Univers historique », 1997, p. 147-163. Lévy Marie-Françoise (dir.), *La Télévision dans la République*, Bruxelles, Complexe, 1998 (voir l'introduction fondamentale). Lévy Marie-Françoise, « Les femmes du temps présent à la télévision : la mutation des identités », *Les Années 68 : le temps de la contestation*, *op. cit.*, p. 199-216. Lévy Marie-Françoise, « Les représentations sociales de la jeunesse à la télévision française. Les années soixante », *Hermès*, n° 13-14, 1994. Lévy Marie-Françoise, « Famille et télévision. 1950-1986 », *Réseaux*, n° 72-73, 1995.

En 1960, 13 % des foyers sont équipés d'un poste de télévision, ce qui représente 1,3 million de postes déclarés. En 1966, la couverture en émetteurs du territoire national permet à la moitié de la population de recevoir les émissions de télévision. En 1970, 70 % des ménages sont équipés. Depuis les années 1960 – qui correspondent à la période gaullienne –, la télévision française est en plein essor. La télévision se regarde en famille et s'adresse de façon privilégiée aux familles dont elle protège la morale (le carré blanc existe depuis 1961). La télévision se veut d'abord instructive, éducative et ensuite distrayante. L'importance prise par la télévision dans la société française est manifeste en 1968 où se forge le mythe de l'« écran noir[11] ». Quelle historicisation peut-on faire de ces représentations de femmes à la télévision?

La présence des femmes dans les médias ne date pas de la naissance de la télévision. La radio leur faisait déjà une large place avec plusieurs magazines qui leur étaient consacrés. De même, en 1952, est créé le premier magazine féminin à la télévision (il dure jusqu'en 1971). La figure dominante est celle de l'épouse et de la mère au foyer. Elles apparaissent aussi dans certaines séries documentaires comme *État d'urgence*, en 1954, avec une incursion dans les foyers ouvriers ou paysans. Dans les documentaires de la série *À la découverte des Français* de Jean Claude Bergeret et Jacques Krier (14 émissions d'avril 1957 à mai 1960), on voit les femmes s'activer dans leur univers domestique. Au début des années 1960 se profile un changement majeur : la vie conjugale devient un thème d'un certain nombre d'émissions. Marie-Françoise Lévy a étudié à la fois les sources écrites relatives aux émissions, mais également la télévision diffusée (ce qui est passé à l'antenne), qui diffère de la télévision conservée (ce qu'il en reste aujourd'hui dans les archives de l'INA). De l'inventaire des émissions de la télévision conservée, elle distingue trois phases : de 1960 à 1964, une visibilité des pratiques quotidiennes dans le travail domestique; de 1964 à 1968, l'émergence de paroles et d'images de femmes sujets de leur histoire; de 1968 à 1975 l'intrusion du débat social et politique des « années 68 » avec l'éclosion du mouvement féministe et la question de la légalisation de la contraception et de l'avortement.

Les couples à la télévision : gestion du quotidien et éducation des enfants (1960-1964)

Le couple apparaît à la télévision avec l'évocation du mariage, par exemple dans un numéro du magazine de reportage *Cinq colonnes à la une* où plusieurs mariages sont présentés comme des idéaux-types – un mariage ouvrier, un mariage paysan, un mariage bourgeois (toujours à la mairie et à l'Église). L'émission s'interroge sur les rôles respectifs des époux autour de l'autorité du chef de famille et du travail des femmes après le mariage. Une autre émission du même magazine (janvier 1960) concerne le prix Cognacq-Jay des-

11. LÉVY Marie-Françoise et ZANCARINI-FOURNEL Michelle, « La légende de l'écran noir : l'information en mai-juin 1968 à la télévision », *Réseaux*, septembre 1998.

tiné à récompenser les familles nombreuses : le reportage présente les difficultés du quotidien de ces familles et s'interroge pour savoir si ces enfants étaient désirés : se pose donc ici, par une voie détournée, la question du contrôle des naissances. Les réponses des parents sont diversifiées, de l'acceptation totale pour un couple catholique à une réponse plus nuancée pour d'autres couples. Pour tous, pas de remise en cause des rôles : les femmes gèrent le lourd quotidien domestique et les hommes gagnent l'argent de la famille. En 1960, dans l'émission *Faire face* : Étienne Lalou et Igor Barrère à 20 h 30 font une émission sur « le contrôle des naissances » (à noter que c'est la première fois que les téléspectateurs peuvent intervenir en direct en posant des questions par l'intermédiaire du standard ; une question des téléspectatrices permet d'évoquer la pilule alors que la loi interdit toute propagande anticonceptionnelle). Deuxième émission, le 3 novembre 1961, dans la série *Cinq colonnes à la une*, à une heure de grande écoute après le journal télévisé. Cette émission, au retentissement certain, marque le début d'une parole publique sur une sexualité dissociée de la procréation. Elle relate l'histoire de la création du premier centre de planning familial en France inauguré à Grenoble, le 10 juin 1961. Acte illégal, l'ouverture du premier centre de planning familial français a eu une certaine répercussion parce que l'événement est relayé par les médias. La presse lui a fait une large place. Les magazines féminins contribuent à la popularisation de l'expérience et au succès de l'entreprise : *Marie Claire* écrit le 7 juillet 1961 : « Les femmes qui dès demain se rendront au centre de Grenoble profiteront d'un acte révolutionnaire. Elles seront devenues des êtres conscients, libres, capables de choisir leur maternité, de vouloir leur enfant [...]. Là sera la véritable libération de la femme. » La télévision s'en empare et participe ainsi au débat public sur la vie conjugale et familiale.

Les femmes sujets de leur histoire (1964-1968)

C'est à partir de 1963-1964 que, dans des récits de fiction, dans des documentaires ou encore dans des magazines d'information à destination des jeunes ou des femmes, sont exposés des points de vue novateurs sur l'amour, le mariage et même les naissances illégitimes, avant ou hors mariage. Dans la série de documentaires *Les Femmes aussi* (diffusés entre 1964 et 1973 sur la première chaîne le jeudi à 21 h 30) la productrice Eliane Victor fait des émissions qui s'adressent aux femmes en tant qu'adultes responsables. Les sujets traités concernent le travail salarié des femmes et l'imbrication avec le travail domestique et l'éducation des enfants. Ce que recherche la réalisatrice, c'est l'expression individuelle d'une conscience de soi. De longues semaines de repérage, trois semaines de tournage avec une équipe restreinte, dans l'intimité de chacune, sont nécessaires pour tracer des portraits individuels de femmes « ordinaires » : l'émission promeut l'expression des femmes sur leurs difficultés et les accommodements qu'elles doivent faire au quotidien. Ces émissions interviennent dans un contexte politique, social et juridique en mutation : le Planning familial (depuis 1960) milite en faveur de la possibilité d'information sur la contraception; la loi de 1965 qui réforme les régimes matrimoniaux autorise les femmes à exercer une profession sans l'autorisation du mari et leur permet aussi d'ouvrir librement un compte en banque. La campagne pour les élections présidentielles de 1965 fournit au candidat de l'opposition, François Mitterrand, l'occasion d'avancer à la télévision des propositions considérées comme audacieuses, eu égard au conservatisme de la politique gaulliste sur cette question : il affirme le droit d'avoir des enfants dans des conditions satisfaisantes et pour cela préconise la légalisation de la contraception (Archives INA, interview de François Mitterrand par Benoîte Groult, 1er décembre 1965).

Dans ce domaine, la télévision a contribué à promouvoir le débat dans l'espace public et dans l'opinion; les émissions, diffusées à cette date dans 45 % des foyers en France, ont un écho plus grand que le simple chiffre des auditeurs : elles sont relayées dans la presse quotidienne et hebdomadaire par les annonces et les comptes rendus des émissions. Une évolution sur la conception de la vie privée et des rôles des filles et des femmes est perceptible, dès les années 1964-1965, dans les œuvres de fiction ou les magazines d'information télévisés. Les portraits de jeunes filles dessinent des expériences individuelles qui rompent avec les destins traditionnels féminins; le mariage n'est plus forcément l'horizon d'attente. Les mères de famille elles-mêmes disent leurs sentiments et donnent leurs avis sur la famille, le quotidien, l'éducation des filles. Si le divorce et l'avortement restent des sujets tabous sur le petit écran, la contraception et le contrôle des naissances sont abordés. Rétrospectivement, certains sujets traités apparaissent comme extraordinairement d'actualité : c'est ainsi qu'une émission sur *Madame le maire, madame la conseillère* est programmée le 30 janvier 1967 : il s'agit de l'histoire d'une maire d'une petite commune rurale et d'une adjointe au maire d'une commune de la banlieue parisienne. Elles démontrent qu'une femme peut exercer une activité politique, non sans débat au sein de la famille et du couple. Toutes ces tranches de vie de femmes ordinaires portées à l'écran traduisent les mutations en cours dans les familles et les couples et révèlent aussi une crise de la conjugalité, parfois à l'insu des femmes elles-mêmes.

Ruptures et décalages : 1968-1975

Le vote de la loi Neuwirth sur la pilule en décembre 1967 – même si elle n'est pas mise en œuvre dans l'attente des décrets d'application – autorise, à la télévision, la discussion sur la contraception. Dans l'émission *Zoom* (deuxième chaîne), en février 1968, a lieu le premier débat sur l'information sexuelle. À cette occasion est mis en cause le mariage comme seul lieu de la sexualité, en vue de la procréation. Pour les jeunes, la vie sexuelle apparaît comme fondamentale pour l'équilibre d'un couple : ainsi se disent les aspirations à un changement de mœurs et de comportements dans la vie sentimentale. Si l'émission *Les Femmes aussi* se poursuit jusqu'en 1973, elle a moins d'impact dans les débats sur la vie privée des Françaises. Elle est supplantée par l'actualité du mouvement féministe qui s'impose à la télévision dans les actualités et dans les débats de société. Après 1968, les experts – sociologues et médecins – se penchent sur les familles et les relations parents-enfants, mettant en scène les conflits d'ordre privé, avec pour effet, sinon pour but, une euphémisation de la révolte, des jeunes comme des femmes. Si les questions posées par les différentes manifestations féministes pour la contraception et l'avortement sont présentes sur le petit écran, on entend moins, dans cette période, le témoignage privé des hommes et des femmes ordinaires, relayés par les experts dans les débats et par les militantes féministes dans les actualités télévisées.

La radio : l'irruption du moi

À la radio, l'émission quotidienne de Ménie Grégoire sur RTL, après une brève période d'incertitude, connaît un succès foudroyant[12]. La sociologue, devenue animatrice de radio, a reçu 100 000 lettres entre mars 1967 et juillet 1981. Elles déclinent une histoire de la sensibilité au corps, et témoignent de la part des auditrices à la fois d'une attitude de victimisation et d'une prise de conscience. Les revendications féminines culminent en 1972-1973, en même temps que la « seconde vague » du féminisme. L'émission a contribué à montrer aux femmes qu'elles n'étaient pas isolées, à rendre publique la vie privée et à donner un nom à des choses innommées jusqu'alors, comme la dépression, le viol ou l'inceste. Une autre historienne a analysé un millier des 10 000 lettres d'hommes reçues entre 1967 et 1969 par Ménie Grégoire[13]. Ces lettres dessinent les contours d'une identité masculine « au bord de la falaise » (pour reprendre l'expression de Michel de Certeau), avant le grand basculement des années 1970. Elles soulignent la lenteur des évolutions. Dans une France imprégnée de culture religieuse, l'éducation dans les familles est encore très contraignante ; le mariage et les fiançailles sont soumis à l'avis des parents ; la fidélité à l'institution conjugale est de mise et le divorce non admis même en cas de mésentente flagrante entre les conjoints. La sentimentalité puritaine est sensible dans les écrits et les pratiques de sexualité prostitutionnelle ou homosexuelle sont avouées avec honte. L'image de la virilité est dans une sorte de basculement : les lettres parlent d'amour, mais disent aussi un manque douloureux d'assurance. La timidité et la solitude sont considérées comme des pathologies et l'honneur viril, sûr de lui, la norme à atteindre.

Les divers médias ont ainsi fait connaître les modifications sociales en cours dans les identités de genre. Au milieu des années 1960, alors que le

12. SOHN Anne-Marie, « Les individus-femmes entre négation du moi et narcissisme. Les auditrices de Ménie Grégoire 1967-1968 », *Les Années 68 : le temps de la contestation*, *op. cit.*, p. 179-197.

13. GAUTHIER Marie-Véronique, *Du masculin dans les années soixante. Des hommes écrivent à Ménie Grégoire*, Imago, 1999.

développement de l'« État providence » suscite la création de nombreux emplois féminins liés à la sécurité sociale, à la protection sociale et à l'éducation, l'image de la femme au foyer n'est plus dominante : celle de la femme active s'impose progressivement. Images et réalités quotidiennes s'imbriquent ainsi étroitement.

Chapitre 11

ÉCRITS ET ÉTATS DE FEMMES

Le titre de ce chapitre est en partie un décalque du titre du beau livre de Nathalie Heinich, *États de femmes*, paru chez Gallimard en 1996. Au-delà de « l'identité féminine dans la fiction occidentale » (son sous-titre), nous nous intéresserons aux écritures de femmes, issues de diverses sources – des écritures ordinaires aux écritures provoquées –, et sous diverses formes – de l'autobiographie au journal intime, en passant par la correspondance et le roman. Michelle Perrot dans l'introduction au tome 4 de *L'Histoire de la vie privée* nous invite cependant à des précautions méthodologiques dans l'usage de ces sources spécifiques :

> « Correspondances familiales et littérature "personnelle" (journaux intimes, autobiographies, Mémoires) irremplaçables témoignages ne constituent pas pour autant les documents "vrais" du privé. Ils obéissent à des règles de savoir-vivre et de mise en scène de soi par soi qui régissent la nature de leur communication et le statut de leur fiction. Rien de moins spontané qu'une lettre ; rien de moins transparent qu'une autobiographie, faite pour sceller autant que pour révéler ces subtils manèges du cacher/nommer qui nous introduisent au moins au seuil de la forteresse[1]... »

Essayons donc de pénétrer sans effraction dans la forteresse en nous intéressant à ce que Philippe Artières nomme les « archives de soi ». Depuis une vingtaine d'années – notamment à la suite de la publication des mémoires du parricide Pierre Rivière par Michel Foucault –, l'historiographie française est marquée par la valorisation des sources autobiographiques. La *microstoria* et la place nouvelle faite aux acteurs dans les sciences sociales, la part croissante consacrée à l'écriture et à la question du récit vont ce sens. Nous sommes entrés, selon Annette Vierwiorka, dans l'ère du témoin[2]. Si l'on s'est intéressé chronologiquement, dans un premier temps, aux écritures de l'intime – autobiographies, correspondances et journaux intimes –, nous com-

1. PERROT Michelle, *L'Histoire de la vie privée*, tome 4 : *De la révolution à la Grande Guerre*, Seuil, 1987, p. 11.
2. VIERWIORKA Annette, *L'Ère du témoin*, Plon, 1998.

mencerons par aborder ici les écritures féminines ordinaires, dont l'étude relève d'une approche qui est aussi anthropologique.

Écritures féminines ordinaires d'aujourd'hui

Depuis qu'elles ont accédé à l'alphabétisation, l'écriture domestique est devenue l'apanage des femmes. Ces « écritures ordinaires » prennent des formes différentes en relation avec le sexe et l'âge[3].

Les jeunes filles

À l'âge de l'adolescence, celui où « l'on fait la jeune fille » (Yvonne Verdier, 1979) sont surtout privilégiés les journaux intimes et également, à la fin du XXe siècle, les « cahiers d'amitié ». Philippe Lejeune dans *Le Moi des demoiselles* a établi un lien entre le développement de l'enseignement secondaire féminin et la pratique du journal intime. Le développement de l'enseignement obligatoire et la prolongation récente de la scolarité jusqu'à 16 ans ont confirmé le phénomène pour la période contemporaine : en 1992, une enquête dans les lycées toulousains montre que 80 % des filles, mais seulement 17 % des garçons, tenaient leur journal au moment de l'enquête. Les études ethnologiques ont montré aussi que l'objet « journal » fait partie, pour les jeunes filles, des cadeaux rituels, au même titre que les beaux papiers à lettres ou les bijoux. Il s'agit, à la fois, de l'expression et d'une prescription d'une identité féminine juvénile fondée sur le développement d'une culture des sentiments et des émotions intériorisés, l'incorporation d'un habitus selon Bourdieu. Le petit cadenas qui scelle habituellement l'objet « journal intime » porte le sceau du secret de l'écriture (secret à l'égard des parents et de la famille). Une enquête de Dominique Blanc dans des classes de filles des sections G de lycées toulousains montre également l'importance des « cahiers d'amitié ». Ces cahiers richement ornés de collages de photos d'artistes ou de sportifs, agrémentés de dessins et de confidences sont des « amours de papier entre deux amies de plume ». L'expression est parfois ambiguë puisque ces cahiers, échangés entre amies, renferment nombre de déclarations d'amour. Les adolescentes écrivent aussi hors de la classe aux journaux et aux productrices de télévision. Il s'agit d'une forme de « correspondance avec l'inconnu » puisque les jeunes filles se servent des animatrices comme médiatrices pour une quête amoureuse sans objet précisément défini. Ce « moi des demoiselles » occupées à attendre, rêver, enregistrer les émois de leur ren-

3. FABRE Daniel (dir.), *Écritures ordinaires*, POL, 1993. ALBERT Jean-Pierre, « Écritures domestiques », *in* Fabre, 1993, p. 37-95. FABRE Daniel (dir.), « Parler, écrire, lire, chanter », *CLIO, Histoire, Femmes et Sociétés*, n° 11, 2000. FINE Agnès, « Écritures féminines et rites de passage », *Communications*, Seuil, « Passages », n° 70, p. 121-142. LAHIRE Bernard, « Masculin-féminin. L'écriture domestique », Daniel Fabre (dir.), *Par écrit*, Éditions Maison des sciences de l'homme, 1997, p. 145-161.

contre à venir avec le prince charmant… est une phase qui se termine lorsqu'elles rencontrent un amoureux en chair et en os. Dernier objet d'écriture de l'état de jeune fille, le faire-part de mariage. Ce sont elles qui, le plus souvent, choisissent le papier, les décors, la forme des lettres et le texte. Sont privilégiés l'ivoire et le papier « naturel » (le blanc se fait moins fréquent dans les temps de cohabitation juvénile généralisée). Le faire-part est, en général, placé en tête des albums de photographies familiaux que la jeune épouse va désormais confectionner.

Les mères

Les albums de naissance se sont récemment multipliés (on en trouve même dans les supermarchés); ce sont des livres cartonnés, avec une partie imprimée à remplir qui permet de noter tout ce qui peut faire l'identité d'un enfant : sa taille et son poids de naissance en passant par les premiers pas, les premières dents, les maladies, etc. Ils tiennent lieu, à la fois, d'album de photos (des places sont prévues pour elles), de carnet de santé et de journal où l'on note tous les événements relatifs à la vie de bébé. Ces albums sont apparus dans le premier tiers du XXe siècle aux États-Unis; puis la mode s'est répandue lentement en Europe et a atteint la France au cours des deux dernières décennies du XXe siècle. L'exercice suppose un ordonnancement des événements de la vie de l'enfant, un choix de ce qui doit être conservé et fixé sur le papier, et aussi la désignation des personnages de l'entourage familial ou amical dont il faut garder mémoire : l'album compose ainsi une histoire de l'enfant. C'est devenu quasiment une norme pour les enfants adoptés. Ce qui est censé être une biographie de l'enfant est en réalité le journal des mères; pour elles, il s'agit d'un objet personnel et précieux qu'elles veulent léguer à l'enfant. Ces albums sont le reflet de l'image de la « bonne mère », reflet aussi de la conception de la place des enfants dans la société contemporaine. Pour les femmes, l'écriture des albums de naissance est une forme d'écriture de soi à l'âge de la maternité : écriture réduite à un discours sur l'enfant (et non sur la mère) comme si l'enfant et la mère ne faisait qu'un car la mère écrit en lieu et place de l'enfant. L'anthropologue Agnès Fine constate que les mères écrivaient surtout pour le premier enfant, là où l'expérience de la maternité (ou de l'adoption) est un véritable bouleversement dans la vie des femmes, le passage d'un statut social à un autre. Ce phénomène est amplifié par l'effacement des rituels d'alliance (cf. la baisse du nombre de mariages), la grossesse et la naissance jouant le rôle, pour les femmes, de rite de passage dans la vie adulte. L'analyse des formes actuelles des écritures ordinaires des filles et des femmes confirme donc la force des modèles identitaires, même si certaines formes ont évolué : le stylo a remplacé l'aiguille à broder (le trousseau). La forme préfabriquée des journaux de bébé est cependant rejetée par les femmes de catégories socioculturelles plus élevées qui préfèrent une expression originale (mais les cahiers existent aussi sans modèle préformaté).

Les grands-mères, veuves, divorcées, retraitées...

Plus récents encore « les livres de grands-mères » concernent des enfants plus grands et visent à leur faire connaître leur filiation, à leur indiquer leur place dans la lignée, et sont aussi censés développer un apprentissage du temps et de l'histoire. Ces albums prêts-à-écrire épousent la tendance patrimoniale et généalogique du monde contemporain. Le temps des grands-mères serait donc l'étape ultime d'un parcours de femmes accompli à travers les générations : représentations anciennes de l'identité féminine, que l'on trouve dans la fiction occidentale au XXe siècle.

Par ailleurs, un nombre croissant de femmes seules, veuves, divorcées, retraitées ou célibataires, contraintes ou non, s'adonnent aux joies de l'écriture personnelle : la fiction propose, dès l'entre-deux-guerres, des modèles d'accès à l'autonomie par le biais de l'écriture. Aujourd'hui, on peut souligner les différents « états de femmes » en fonction des destins subis ou choisis. On distinguait, autrefois, les filles et femmes qui avaient une identité féminine fêlée ou déviée (fiancée abandonnée, « veuves blanches » de la Première Guerre mondiale, femmes mortes en couches, personnage de la « vieille fille » ou « filles-mères »). Ensuite est née la figure de la femme libre, « la femme non liée » selon l'expression de Nathalie Heinich.

Autobiographies, journaux intimes, correspondances

Le XIXe siècle est par excellence le siècle de l'écriture personnelle des femmes. Mais l'effacement de ces traces, par les femmes elles-mêmes, au seuil de leur vie, est un phénomène récurrent : « L'image des femmes tisonnant leurs carnets intimes ou leurs lettres d'amour au soir de leur vie suggère la difficulté féminine d'exister autrement que dans le fugace instant de la parole et par conséquent, celle de retrouver une mémoire dépourvue de traces » écrit Michelle Perrot. Certains écrits ont cependant été conservés et sont analysés depuis une vingtaine d'années. Le corpus de ces documents du privé est assez riche (même s'il est plus étoffé pour les bourgeoises que pour les femmes des classes populaires rurales et urbaines) pour avoir donné lieu à des synthèses. Pour le XXe siècle, nous nous attarderons sur des autobiographies individuelles de femmes, connues ou moins connues, que la vogue actuelle du patrimoine et de la généalogie contribue à valoriser. Il y a une approche littéraire possible de ces différentes formes d'écrits personnels qui s'intéresse à la généalogie de l'écriture. Ces études génétiques sont très instructives, mais nous choisirons ici un point de vue d'historien ou d'historienne, d'où les références citées en note qui ne comportent pas d'ouvrages sur le genre littéraire autobiographique[4].

4. ARTIÈRES Philippe et KALIFA Dominique (dir.), « Histoire et archives de soi », *Sociétés et représentations*, n° 13, avril 2002. CHARTIER Roger (dir.), *La Correspondance. Les usages de la lettre*

Les historiens se sont d'abord intéressés après 1968, aux mémoires des sans-grade, des « sans-qualités », des exclus privés de paroles comme les ouvriers, les marginaux et les femmes. Une collection intitulée « Actes et mémoires du peuple » chez l'éditeur François Maspéro publie des mémoires de femmes. De même, la collection « Terre humaine » égrène la vie d'inconnu/e/s. En 1980, dans la préface d'un livre consacré à un meunier frioulan du XVIe siècle, *Le Fromage et les vers*, Carlo Ginzburg écrit : « Les historiens se tournent toujours davantage vers ce que leurs prédécesseurs avaient tu, écarté ou simplement ignoré. Qui a construit la Thèbes aux sept portes?, demandait déjà le lecteur de Brecht. »

Le second moment correspond à la période d'anthropologisation de l'histoire (années 1980). Une attention est alors accordée aux gestes et aux pratiques du quotidien qui sont visibles dans les archives de soi : voir la publication de *L'Histoire de la vie privée* (1987). Ensuite, on s'intéresse aux conditions de production de ces écrits : enquêtes sur les écritures ordinaires, les correspondances, la lecture (Chartier, 1991). Nous sommes aujourd'hui dans un troisième temps qui est, avec l'importance du témoignage et de la mémoire, celui de la banalisation de ces archives personnelles, soumises à la critique comme les autres sources.

Il faut bien faire la différence entre autobiographie et journal intime. En effet, le temps de l'écriture et celui du vécu ne sont pas identiques dans le récit autobiographique, œuvre de longue haleine durant laquelle l'auteur prend le temps de réfléchir au sens public qu'il veut donner à sa vie, et dans le journal intime, souvent écrit à chaud, au jour le jour. Le journal intime est normalement destiné à rester secret, l'autobiographie est destinée à être lue et parfois publiée.

Journaux intimes

Dans une des premières études (1985) consacrées à un journal intime, celui de Caroline B., Michelle Perrot présente ce journal, retrouvé par hasard par Georges Ribeill chez un bouquiniste. Relié comme un livre et classé dans la rubrique « Théologie et religion » de la bibliothèque d'une femme pieuse et distinguée, ce journal intime a échappé, de ce fait, à la destruction. L'enquête a permis de retrouver les traces de la vie de Caroline Brame devenue Orville par son mariage : son père était un haut fonctionnaire du corps des Ponts et Chaussées; sa mère Paméla de Gardanne était liée aux milieux artistiques du Second Empire. Les Brame faisaient partie de la bourgeoisie industrielle lilloise. L'historienne et l'historien ont retrouvé une série d'autres traces monumentaires (maisons et cimetières), mais aussi documentaires (des lettres), qui permettent de dessiner le portrait d'une femme qui aurait souhaité un couple plus égalitaire « une femme qui veut être une personne » écrit Michelle Perrot[5].

au XIXe siècle, Fayard, 1991. DAUPHIN Cécile, PÉZERAT Pierrette et POUBLAN Danièle, *Ces bonnes lettres. Une correspondance familiale au XIXe siècle*, Albin Michel, 1995. LEJEUNE Philippe, *Le Moi des demoiselles. Enquête sur le journal de jeune fille*, Seuil, 1993.

5. *Journal intime de Caroline B.*, enquête de M. Perrot et G. Ribeill, Arthaud-Montalba, 1985.

« Caroline, une jeune fille du faubourg Saint-Germain sous le Second Empire », tel est le cadre dans lequel se déroule la vie de Caroline Brame (1847-1892) qui vécut pratiquement toute son existence dans ce qu'on appelait le Faubourg. Commencé le 24 octobre 1864, la partie retrouvée du journal s'arrête le 26 octobre 1868. Caroline est alors mariée depuis deux ans à Ernest Orville. S'agit-il d'un fragment ou du journal entier? La question reste ouverte. Après le mariage de Caroline, le ton du journal change beaucoup : il avait été le confident et le compagnon d'une adolescente inquiète, pratique répandue au XIXe siècle, spécifique de l'écriture féminine. L'Église catholique oriente le journal intime des jeunes filles vers la réflexion propice à l'édification. Mais progressivement le journal devient aussi le lieu d'une expression personnelle, le lieu où dire le moi intime. Dans les premières pages, le journal de Caroline apparaît comme le lieu d'expression d'une jeune fille dévote qui fait son examen de conscience avant la prière du soir. Elle raconte ainsi par le menu ses occupations, ses déplacements et ses rencontres. À l'automne 1865, les préoccupations religieuses s'estompent et le ton devient plus personnel. Les occupations mondaines et les déplacements saisonniers rythment le temps. Les espaces sont limités, comme les moments de liberté de la jeune fille, qui ne sort qu'avec sa gouvernante ou son père, amateur des soirées parisiennes de la bonne société. L'espace de sa paroisse, autour de la rue Saint-Dominique, est le monde familier de Caroline B. De la maison, elle ne parle que de sa chambre – chambre de jeune fille puis chambre nuptiale – et du salon. Son principal problème est la direction des domestiques, sa mère, morte à 38 ans, l'ayant laissée dans une grande solitude : elle doit assumer seule les manières de faire d'une maîtresse de maison accomplie. Sa mère est morte lorsqu'elle avait 15 ans; son jeune frère est interne dans un collège parisien et elle a peu de contact avec lui. Son cercle de relations, ses amies, s'est constitué autour de la vie religieuse de la paroisse, des œuvres, des messes et des sermons. Sauf avec ses amies les plus proches, Caroline s'efforce de contenir les rires et les larmes, comme il sied à une bonne éducation. Elle s'effraie de n'être pas encore mariée à 18 ans, car on se marie jeune dans le Faubourg, en général avec un homme plus âgé. Caroline se fait l'écho dans son journal des rites immuables de la vie mondaine consacrée aux visites dans les salons et aux repas. Reprenant le flambeau de sa mère, elle reçoit le mercredi pour s'affirmer comme femme du monde. Assumer les trois types de devoirs – familiaux, mondains et religieux –, est un véritable travail, au temps soigneusement compté. L'idéal aristocratique et catholique du Faubourg promeut un catholicisme ultramontain et clérical, où assistance journalière à la messe, confession et communion se succèdent. Elle s'occupe aussi d'un ouvroir pour jeunes filles pauvres aux Batignoles, rare moment où elle sort de l'espace aristocratique du Faubourg. Le journal est un moyen de contenir l'expression de soi et de

---

Présentation et commentaire de Michelle Perrot repris dans *Les Femmes et le silence de l'Histoire*, Flammarion, 1998, p. 57-114.

ses désirs ; elle ne parle de son corps que lorsqu'elle est souffrante et refrène ses pulsions. À l'initiative d'une tante, sœur de sa mère, elle est mariée, en quatre mois, à 19 ans, à un homme, choisi par ses proches. Des lettres d'une période postérieure – 1870-1871 – montrent cependant une femme aimante qui veut casser l'apparente froideur indifférente de son mari.

À cette étude se sont ajoutés, grâce à la publication du *Journal*, d'autres écrits familiaux transmis par sa petite-fille. Caroline avait eu deux filles (en 1880 et 1886), la première étant née 14 ans après son mariage. Caroline est morte en 1892 à 44 ans. Sur la petite enfance de sa première fille, Marie, elle a tenu un journal, qui témoigne d'un vif sentiment d'attachement au bébé qui grandit avec une nourrice sur place, puis avec plusieurs nurses anglaises, enfin avec une institutrice à partir de 6 ans. Sa mère voit progressivement sa fille s'éloigner d'elle, ce qui la désole. Elle s'est efforcée de lui transmettre ce que sa propre mère lui avait légué : la foi, et une manière d'être, un ensemble d'éléments de conduite et de morale qui font une « bonne » éducation. Ces différents écrits familiaux – journal intime, lettres et journal d'enfance – dessinent donc une vie de femme, mais aussi celle d'un milieu social qui s'efforce de garder son rang et ses apparences.

Aiguillonné par la publication de ce journal intime de Caroline B. et après la découverte du journal d'une jeune fille de Bourg-en-Bresse écrit dans les années 1860, Philippe Lejeune, professeur de littérature, a recherché et trouvé près d'une centaine de journaux intimes de jeunes filles du XIXe siècle. Dans *Le Moi des demoiselles* (1993), il fait, en littéraire, le bilan d'une pratique d'écriture tout au long du siècle.

Autobiographies

> « Toutes les existences sont solidaires les unes des autres, et tout être humain qui présenterait la sienne isolément, sans la rattacher à celle de ses semblables, n'offrirait qu'une énigme à débrouiller. »
>
> George Sand, *Histoire de ma vie, 1854-1855.*

> « Mes vingt premières années se sont déroulées entre Notre-Dame-des-Champs et Saint-Germain-des-Prés sans qu'il m'arrivât rien d'exceptionnel : c'est pourquoi mon enfance et mon adolescence me paraissent exprimer d'une manière typique une époque et un milieu. Cependant alors que mes semblables embrassaient unanimement une même carrière, le mariage, les circonstances et mes goûts m'amenèrent à pousser mes études afin de gagner ma vie [...]. À mon histoire s'emmêlent celles de mes deux plus intimes amis, un garçon et une fille, qui n'eurent pas comme moi la chance de pouvoir échapper à leur condition et qui tous deux échouèrent tragiquement à s'en accommoder. »
>
> Extraits du prière d'insérer rédigé en octobre 1958
> par Simone de Beauvoir, lors de la parution
> des *Mémoires d'une jeune fille rangée* chez Gallimard.

À un siècle de distance, George Sand et Simone de Beauvoir présentent de la même façon leur autobiographie respective. Auparavant, l'une comme l'autre avaient écrit des journaux de voyage pour George Sand et un journal intime pour Simone de Beauvoir. L'autobiographie se distingue donc de ces deux genres littéraires, et nous allons nous intéresser – en historien/ne – à ce qui fait la particularité du récit autobiographique comme « histoire de vie sociale ». Les deux autobiographies, écrites à un moment semblable de leur vie d'écrivaines (elles avaient alors obtenu la reconnaissance par la publication antérieure d'essais et de romans), diffèrent cependant sensiblement du fait de la distance temporelle qui les sépare, ainsi que des goûts et des attentes du public[6].

En consacrant toute la première partie de son autobiographie à l'histoire de ses parents, George Sand fait le récit de son enfance et de son adolescence et dans la cinquième partie intitulée « Vie littéraire et intime », l'histoire de ses amies. Elle ne se livre pas dans *Histoire de ma vie* à une description de ses amours. Son récit, qui ne veut pas donner prise à une impudique curiosité publique, raconte la double conquête de son identité et de l'écriture, dans une société qui refuse à la fois l'identité et la créativité féminines. En plaçant le « moi » au centre du récit, elle le structure autour de trois forces menaçantes : la famille, l'homme, la société. Dès sa naissance apparaît en effet la contradiction entre la famille paternelle, reconnue, et la famille maternelle que la société méprise : « La branche paternelle, c'est l'aristocratie, la branche maternelle, c'est le peuple »; elles sont représentées par deux femmes, la grand-mère paternelle, aristocrate et la vraie mère, qui est du peuple et qui est obligée de l'abandonner à Nohant. À la différence cardinale avec Simone de Beauvoir, George Sand exalte l'amour maternel; elle retrouve la figure idéale de la mère dans l'histoire de son amie, Marie Dorval. Outre la filiation, le mariage et le divorce tiennent une grande place dans l'autobiographie de George Sand : son union avec Dudevant est évoquée comme le symbole de l'abrutissement et de l'interdiction de la créativité : « Mon mari me jugea idiote. Il n'avait peut-être pas tort, et peu à peu il arriva, avec le temps, à me faire tellement sentir la supériorité de sa raison et de son intelligence que j'en fus longtemps écrasée et comme hébétée devant le monde. » Le mariage se termine par un procès et par une séparation, à une époque où le divorce était encore interdit. Mais cet anéantissement du moi par la vie conjugale est le point de départ de l'écriture dans ce qui a été précocement « une chambre à soi », l'ancien boudoir de sa grand-mère. L'écriture avait commencé, à l'adolescence, dans le couvent des Anglaises où la volonté familiale d'une bonne éducation l'avait conduite; elle y évoque les passions féminines épistolaires de ses compagnes, car « la grande erreur de l'éducation monastique est de vouloir exagérer la chasteté ». Elle s'abîme alors dans des rêveries où elle construit un personnage romanesque qui disparaît avec la parution de son premier roman, *Indiana*, publié sous son nom de plume. L'écriture est aussi, avec le refus de sa condition d'héritière, une conquête de son indépendance financière qui la rapproche de la condition

6. Didier Béatrice, « Femme/identité/écriture. À propos de *L'Histoire de ma vie* », *L'Écriture femme*, PUF, 1981, p. 187-207. Lecarme-Tabone Éliane commente *Mémoires d'une jeune fille rangée* de Simone de Beauvoir, Gallimard, coll. « Folio », 2000.

populaire de sa mère. Elle exerce divers autres métiers et se fait un nom de plume en prenant le pseudonyme – masculin – de George Sand, tout en se gaussant des critiques qui avaient écrit à propos de ces premiers ouvrages que « le style et les appréciations avaient trop de virilité pour n'être pas d'un homme ». Dans le contexte du milieu du XIXe siècle, il était difficile à une femme de lettres de se faire un nom. Mais George Sand aime se vêtir en homme et mettre en scène des travestis – femmes habillées en hommes. Grâce à son costume masculin et à son nom, George Sand peut échapper aux entraves faites alors aux femmes. Lorsqu'elle écrit son autobiographie, elle est redevenue « la dame de Nohant », mais elle se démarque encore des nobles et des bourgeois : « Aujourd'hui, comme il y a vingt ans, je vis au jour le jour de ce nom qui protège mon travail et de ce travail dont je ne me suis pas réservé une obole… » Elle a gagné son nom par l'écriture en échappant au nom familial, Aurore Dupin et au nom d'épouse, Mme Dudevant. Grâce au pseudonyme de George Sand, elle assume sa bisexualité et, indirectement, nous parle aussi de sa sexualité. *L'Histoire de ma vie* est donc bien l'aboutissement de la quête d'identité et de création littéraire dans la société de son temps, oppressive pour les femmes.

Simone de Beauvoir publie son autobiographie, *Mémoires d'une jeune fille rangée*, en 1958, une fois acquise sa notoriété d'écrivaine, après avoir publié en 1949 l'essai qui a fait scandale, tout en devenant un best-seller international, *Le Deuxième Sexe*, et avoir obtenu le prix Goncourt en 1954 pour *Les Mandarins*. Récit d'enfance et de jeunesse, qui se déroule, dans un ordre chronologique, à partir de la naissance de Simone, le 9 janvier 1908, et se termine avec le succès à l'agrégation de philosophie et la rencontre-union avec Sartre (été 1929) ; récit de libération du conformisme social et religieux familial par une ouverture intellectuelle. C'est également le récit de vocation d'une écrivaine. L'autobiographie est une recherche d'identité qui se forge dans le rejet de la mère incarnant le conditionnement féminin, et dans l'affirmation tranquille d'une bisexualité ancrée dans l'assimilation des valeurs masculines transmises par le père. L'histoire individuelle – celle d'une enfance et d'une adolescence – s'articule avec le portrait d'une époque et d'un milieu conservateur, antidreyfusard et maurrassien, à la fois aristocrate et bourgeois ; mais la famille est ruinée après la Première Guerre mondiale et le confort matériel s'en ressent. Dans ce milieu où la mère surveille toutes ses correspondances, ses fréquentations et en principe ses lectures – elle interdit par exemple les livres de Colette –, les ouvrages puisés dans la bibliothèque paternelle sont des sources d'identification à diverses héroïnes. Au cours Désir, avec les professeurs « dérisoires bigotes… plus riches en vertus qu'en diplômes » et ses condisciples, des jeunes filles guindées et bien élevées, l'éducation vise à réprimer les sentiments et les passions et récompense le zèle et la sagesse plus que les progrès scolaires (analyse que démentent, après la parution des *Mémoires d'une jeune fille rangée*, un certain nombre de femmes ayant fréquenté le cours Désir dans leur jeunesse). Surveillance incessante, homogénéisation sociale des fréquentations, cohésion idéologique – religieuse et politique – de l'école privée et de la famille, espace social parisien limité aux VIe-VIIe-VIIIe arrondissements, tels sont les ingrédients d'une éducation qui est un véritable dressage social. De la relative pauvreté matérielle familiale naît au moins un avantage : contrairement aux traditions de leur milieu social, les filles Beauvoir, sans dot, échappent au mariage obligé et devront travailler ; c'est la raison pour laquelle les études sont encouragées, en particulier par le père. Simone de Beauvoir échappe ainsi à la soumission des femmes de son temps et de son milieu. En devenant une intellectuelle, elle se départit de son conditionnement social et religieux et elle échappe à la fois à sa classe et à son sexe. Le refus précoce de la maternité la détourne de l'habituel de la condition féminine.

D'autres types d'autobiographies, d'hommes et de femmes « ordinaires », sont des traces de vies et des sources pour les historiens. Parfois ces autobiographies peuvent avoir été provoquées par les conditions dans lesquelles se trouve celle qui fait le récit : c'est le cas, par exemple, des autobiographies suscitées par Lacassagne, professeur de médecine et expert auprès des tribunaux dans la région lyonnaise, qui incite les criminels emprisonnés à la prison Saint-Paul, à Lyon, à écrire leurs autobiographies. *La Vie d'une femme galante*, autobiographie de Louise Chardon écrite en 1901, ne nous serait sans doute jamais parvenue si le professeur Lacassagne ne s'était pas intéressé à l'amoureux de Louise, lui aussi emprisonné. Personnage omniprésent dans les romans, la prostituée n'a pas droit à la parole et son témoignage ne sera pas utilisé ultérieurement par Lacassagne. Comme l'écrit Philippe Artières, c'est « le murmure d'une impossible demoiselle[7] ». Heureusement, il a été conservé et devient source pour l'historien.

Le récit de vie, l'autobiographie traversent aujourd'hui une période faste comme l'atteste le succès de l'Association pour l'autobiographie et le patrimoine autobiographique (l'APA sise à la bibliothèque municipale d'Ambérieu dans l'Ain), créée en 1991 par Philippe Lejeune. Ce dernier affirme, en 2000, dans un article de la revue *Espaces Temps*, intitulé significativement « L'autobiographie comme patrimoine » : « Je prends enfin au pied de la lettre la dernière phrase des *Mots* : "Un homme, fait de tous les hommes, et qui les vaut tous et que vaut n'importe qui !" » Jusqu'à une période récente, l'Histoire s'était intéressée plus aux groupes qu'aux individus ; elle a souvent aussi ignoré, au nom de l'objectivité, les subjectivités, celle des historien/ne/s comme celle des témoins. On confond, de fait, nécessaire tension du récit historique vers la vérité et neutralité supposée de la science. De l'intérieur de l'histoire des femmes, la mise à l'écart, au milieu des années 1980, de la notion de culture féminine, a conduit à s'intéresser plus aux processus, et aux mécanismes d'interaction entre le masculin et le féminin, qu'aux individu/e/s. De même, les écrits de Foucault sur les processus de subjectivation n'ont pas, ou peu, été pris en compte en France jusqu'à une période récente. L'association de recueil des autobiographies d'Ambérieu a publié

7. *Clio, Histoire, Femmes et Sociétés*, n° 10, 1999, p. 159-163.

dans sa revue – *La Faute à Rousseau* – un numéro sur masculin/féminin. On peut, à l'aide de ces autobiographies, approcher l'histoire de la construction des subjectivités et des identités masculines et féminines. On peut le faire dans les moments spécifiques de déstabilisation des vies et des relations humaines qu'ont été les périodes des guerres et des crises et peser ainsi le poids des événements, mais aussi, dans des moments ordinaires, étudier à travers les autobiographies la perception, au temps de l'adolescence, des relations entre garçons et filles dans l'espace scolaire et dans l'espace public. Des historiennes se sont aussi intéressées, à travers le filtre des autobiographies, à l'histoire de l'intime et de la sexualité[8].

La pudeur des individus « ordinaires » a longtemps cantonné l'histoire des sexualités au secret. Les archives autobiographiques du fonds de l'APA (Association pour l'autobiographie et le patrimoine autobiographique) sont cependant, sur ce point, d'une grande richesse. S'intéresser à la contraception et à l'avortement permet de s'interroger sur les représentations que se font les individus « ordinaires » de leur sexualité et sur les stratégies que les femmes notamment mettent en place. Avant la Seconde Guerre mondiale, c'est surtout la chasteté, le coït interrompu et l'injection vaginale après les rapports sexuels, que l'on trouve décrits dans les autobiographies. Jusqu'à la loi Neuwirth de 1967, le seul moyen de contraception autorisé, par crainte des maladies vénériennes, est le préservatif. Mais son usage reste limité à quelques initiés et, jusqu'au milieu des années 1950, il est surtout utilisé pour les rapports vénaux. D'autres moyens de contraception féminins existent, comme les diaphragmes puis les stérilets, mais ne sont pas des moyens faciles d'accès pour les jeunes femmes. Pour se les procurer, il faut avoir recours à des médecins complaisants ou les acheter à l'étranger à l'occasion de vacances. Les techniques de contraception restent limitées, car interdites ou difficiles d'accès, mais la contraception devient un sujet important dans les récits de vie : quelques témoignages font état du passage dans les années 1950-1960 de méthodes de contraception naturelles à des méthodes dites modernes (diaphragmes, gels spermicides, puis stérilets). La diffusion de la contraception demeure cependant fort aléatoire. Cette inefficacité apparente de la contraception, des années 1920 au début des années 1970, a pour corollaire la multiplication des avortements.

Malgré les risques physiques, sociaux et culturels que présente l'avortement, un tiers des femmes « ordinaires » d'après les autobiographies y ont recours. En règle générale, l'enfant est refusé quand la femme n'est pas mariée, les filles-mères subissant l'opprobre général. Les femmes mariées peuvent aussi refuser de nouvelles grossesses, difficiles à supporter physiquement, financièrement ou moralement. Le vocabulaire qualifiant la grossesse non désirée l'assimile à un piège. L'enfant est un intrus qu'il faut chasser, comme le suggèrent les expressions « le faire passer » ou « se faire

8. Rebreyend Anne-Claire, « Contraception, avortement et nouvelles représentations des sexualités dans la France des années 1920 au début des années 1970 », *Clio, Histoire, Femmes et Sociétés*, n° 18, 2003.

dépanner ». Certes, le désir d'enfant reste souvent le moteur de la sexualité, notamment dans les années 1950. La crainte de la grossesse peut cependant rendre problématique l'épanouissement sexuel comme dans le cas de Caroline qui avoue dans son journal en juin 1955 : « Aujourd'hui je tremble de refaire un bébé trop vite. Cette crainte me rend frigide, ce qui me désespère. Qu'est-ce que je connais du mariage? J'ai vécu trois semaines tranquille. Dès le 10 août, j'avais des nausées. » Dès la fin des années 1940-début 1950, de plus en plus d'écrits autobiographiques mentionnent les joies physiques de l'amour, surtout dans le cas de couples « illégitimes » hétérosexuels ou homosexuels. Les rares femmes faisant état de relations homosexuelles dans leur autobiographie insistent sur le désir et le plaisir. Les individus qui ont une aventure hors mariage estiment leur sexualité épanouie, contrairement à la sexualité conjugale, souvent éludée ou décrite comme un devoir – le fameux devoir conjugal, surtout par les femmes. Les archives autobiographiques suggèrent que les femmes « ordinaires » ne sont pas contraintes de rester soumises aux lois interdisant contraception et avortement. Des espaces de liberté apparaissent dans leur vie intime à travers l'expression de leur plaisir, de leurs désirs, de leur goût pour les relations sexuelles, notamment hors mariage. Elles n'associent pas forcément sexualité et procréation et ne considèrent pas toutes la sexualité comme un simple devoir conjugal, mais en font un droit.

Si on doit légitimement s'interroger sur le caractère rétrospectif de certains récits, les sources du moi peuvent faire sortir des « silences de l'histoire » selon l'expression de Michelle Perrot, les paroles intimes d'hommes et de femmes « ordinaires » pour renouveler les problématiques de l'histoire des sexualités.

Correspondances[9]

Le geste épistolaire est un geste à la fois libre et codifié (cf. l'abondance des manuels épistolaires jusqu'à la fin du XIXe siècle[10]), entre intimité et sociabilité, entre secret et expression publique. La lettre est, par définition, un objet-phare de l'histoire culturelle où s'articulent et se greffent pratiques et représentations. Trois évolutions majeures en commandent les aspects : le processus d'alphabétisation diffuse massivement la compétence de l'écriture qui n'est plus déléguée à une tierce personne (écrivain public ou membre de l'entourage); le désenclavement économique et social favorise les échanges (au XIXe siècle, plus de la moitié du courrier est un courrier d'affaires); on passe d'une écriture domestique majoritairement masculine (les livres de raison du XVIIe-XVIIIe siècle) à une écriture féminine, moins valorisée et qui relève du secret et du privé. Mais l'autre versant, plus positif, c'est l'affirmation d'une sphère de l'individualité : la correspondance devient le refuge du

9. CHARTIER Roger (dir.), *La Correspondance. Les usages de la lettre au XIXe*, Fayard, 1991.
10. DAUPHIN Cécile, « Questions à l'histoire culturelle des femmes. Les manuels épistolaires au XIXe siècle », *Genèses*, n° 21, décembre 1995, p. 96-119.

sentiment, des émotions et de l'expression du moi communiquée à celles et à ceux qui sont choisis comme interlocuteurs. La correspondance peut être aussi l'occasion d'entretenir un réseau (de travail ou familial). Caroline Cotard-Lioret a étudié 11 000 lettres adressées, entre 1868 et 1920, à une même famille de l'Anjou une famille de négociants en chevaux, de la bourgeoisie rurale (*in* Chartier, 1991). Plus de la moitié des lettres proviennent de la famille restreinte ; puis viennent les amis et les cousins. Ce réseau de correspondances entretient les liens familiaux, mais ouvre aussi un espace de sociabilité élargi, au moment où certains membres de la famille s'éloignent pour se marier et travailler. Une autre correspondance, entre deux amies, restées célibataires, a été étudiée par Anne Martin-Fugier (*in* Chartier, 1991). Hélène et Berthe s'écrivent pendant 41 ans entre 1880 et 1931, avec une grande régularité qui s'estompe cependant après la guerre et la mort du père, despote familial qui surveillait encore la correspondance et les activités de sa fille âgée de près de 50 ans. Cette correspondance permet, entre les deux amies, l'expression des sentiments intimes, les confidences, et impose par écrit la présence de mots qui font défaut dans une existence sociale étriquée. La lettre permet de se constituer une identité qui échappe à l'ordinaire.

Michelle Perrot (1998), s'appuyant sur l'exemple des lettres inédites des filles de Karl Marx, écrit dans sa présentation que les correspondances ont « l'avantage sur les autobiographies d'une spontanéité plus grande, d'une moindre mise en scène ». L'intime et les secrets de famille ne se disent cependant pas toujours dans les correspondances. Chaque personne ajuste ses propos à ce qu'il est permis de dire et de montrer, à ce qu'il est possible d'écrire. Historiciser une correspondance familiale, c'est considérer qu'elle renvoie à des pratiques situées dans le temps et l'histoire. Les correspondances sont un dialogue avec celui ou celle auxquelles elles sont destinées, mais elles sont tout autant des modes de présentation de soi dans un rapport à l'autre. Un cas est particulièrement significatif, c'est celui des lettres échangées entre le capitaine Dreyfus, incarcéré à l'île du Diable en Guyane (d'avril 1895 à juin 1899) et sa femme Lucie Dreyfus. Cas passionnant où l'histoire intime de deux individus rejoint l'histoire générale, « la grande histoire » et l'événementialité. Quelques rappels seront nécessaires sur l'Affaire, avant de revenir à la correspondance elle-même[11].

Arrêté le 15 octobre 1894, le capitaine Dreyfus est accusé de trahison et, après un procès inique, condamné le 22 décembre 1894 à la déportation à vie dans une enceinte fortifiée, en même temps que se déclenche en France une vague d'antisémitisme et que les familles et les groupes politiques et syndicaux se déchirent entre dreyfusards (partisans de l'innocence de Dreyfus) et antidreyfusards. La cérémonie de dégradation publique a lieu le 5 janvier 1895. Alfred Dreyfus est alors transféré à la prison de la Santé, puis au pénitencier de l'île de Ré. Il est ensuite embarqué pour l'île du Diable, en Guyane (avril 1895), où il est soumis pendant plus de cinq ans à une sur-

11. DONET-VINCENT Danielle, « Lucie Dreyfus, le fil d'Ariane », *Lunes*, n° 13, 2000, p. 49-58.

veillance tatillonne et humiliante : tout est fait pour conduire à une dépersonnalisation de l'accusé qui, de plus, est humilié par ses gardiens en raison de sa position sociale (les sommes reçues par Dreyfus pour « cantiner » sont supérieures au traitement des gardiens du bagne de Guyane). Une campagne de soutien se développe dans la presse métropolitaine (cf. le *J'accuse* de Zola en 1898); le 3 juin 1899, Dreyfus est rapatrié puis jugé de nouveau à Rennes et condamné avec les circonstances atténuantes à dix ans de détention. Il est gracié le 19 septembre 1899. Mais Dreyfus et sa famille poursuivent le combat : il est réhabilité le 12 juillet 1906, réintégré dans son grade de l'armée et décoré de la Légion d'honneur. Les personnalités, les individualités, celle d'Alfred et de Lucie Dreyfus, dans une sorte de fondu enchaîné, sont effacées, supplantées par leur profil public, mythique, dans l'Affaire.

Lucie Dreyfus (1869-1946) est issue d'une famille de la bourgeoisie intellectuelle juive. Citons un extrait d'une lettre de 1999 de sa petite-fille : « L'enfance de Lucie a été celle d'une enfant d'une excellente et très stricte famille bourgeoise juive très française. Au milieu de nombreux domestiques [...] l'atmosphère était sévère, les enfants peu gâtés [...]. Lucie était fort studieuse, très musicienne, elle avait de nombreux précepteurs à la maison[12]. » Elle rencontre à 19 ans le capitaine Dreyfus qu'elle épouse le 21 avril 1890. Lucie et Alfred ont eu deux enfants, Pierre né en 1891, Jeanne née en 1893. Un an plus tard éclate l'Affaire. C'est donc une jeune femme de 24 ans, avec deux enfants en bas âge, qui fait face, avec un dévouement et une intelligence de la situation qui émeuvent même le commandant du bagne de Guyane – peu enclin à la sentimentalité – qui loue « les sentiments si aimants, si dévoués, si élevés de cette femme qu'on admire pour son courage et sa dignité, sacrifiant tout pour lui ». En effet, élément de la surveillance obsessionnelle de Dreyfus pendant toute sa détention à l'île du Diable, toute la correspondance avec sa femme a été lue et relue, recopiée, décortiquée et analysée à Paris et en Guyane[13]. La vie de Dreyfus, très déprimé, était cependant suspendue à ces lettres qu'il relisait sans cesse. Dans cette correspondance intime, mais de fait semi-publique, Lucie qui ne bridait ni sa spontanéité ni sa sensibilité disait la douleur de la séparation; les réactions émotionnelles de Dreyfus, tenté par le suicide, paraissaient donc normales et sa faiblesse qui mettait en difficulté son équilibre mental, était ainsi comprise. La correspondance a permis à Dreyfus de conserver et de restaurer une image de soi. Lucie Dreyfus lui faisait vivre par l'écrit, la vie de la famille, de ses enfants et de ses proches, reconstituant ainsi une vie familiale virtuelle. En bonne épouse de la bourgeoisie du XIXe siècle, elle s'effaçait en apparence, derrière son mari. Mais en réalité ses lettres révèlent une passion contenue, une vivacité et une détermination : « Les lettres de Lucie restent infiniment plus chaleureuses et vivantes que celles de son mari » écrit Danielle Donet-Vincent. Dreyfus a toujours gardé une sorte de rigidité, due à un sens de l'honneur exacerbé, et une

12. Lettre de Mme Perl, juin 1999, source privée citée par D. Donet-Vincent.
13. La correspondance se trouve aux Archives d'outre-mer à Aix-en-Provence.

notion stéréotypée de ce qui se fait pour un homme, de surcroît capitaine de l'armée française. Ses lettres montrent de la froideur et un style conventionnel qui tranchent avec celles de sa femme. Il garde ainsi son prestige d'officier et de chef de famille, mais a sans doute survécu à l'épreuve grâce à l'intense travail psychologique constant de son épouse.

Journaux intimes des adolescentes et correspondances féminines sont partie prenante de la production d'identités individuelles et collectives des jeunes filles et des femmes du passé. Cette pratique d'écriture, devenue spécifiquement féminine au XVIIIe siècle, d'abord dans les classes les plus aisées, puis peu à peu dans toutes les autres couches sociales, au fur et à mesure du développement de la scolarisation des filles, montre comment il s'agit d'un lieu où s'est éprouvé et s'est construit le sentiment d'intériorité, un espace social où s'élaborent à la fois une nouvelle forme complexe d'existence sociale pour les femmes et un des territoires majeurs de production des formes modernes de l'individu.

L'âge des romancières et des lectrices

Le roman est par excellence le genre littéraire du XIXe siècle. La littérature sur ce point est immense. Modestement, nous aborderons, le sujet seulement sous certains angles : celui des écrivaines qui s'imposent sur la scène littéraire au tournant des XIXe et XXe siècles; celui aussi des personnages de romans qui représentent les différents « états de femmes »; enfin celui du nouveau public des lectrices, construit grâce à la généralisation de la scolarisation des filles et aussi grâce à la diffusion d'une culture de masse[14].

À la Belle Époque, un nombre de plus en plus grand de femmes de lettres prennent la plume et publient des livres qui trouvent leur public. Combien sont-elles? En l'absence d'un recensement général des livres publiés, il est difficile de l'avancer avec précision. Sans doute entre 5 % vers 1869 et 20 % en 1928 des auteurs de la Société des gens de lettres. Au total, entre 500 et 1000 romancières tout au plus. Mais c'est assez pour créer ce que les contemporains ont appelé un « phénomène », et aussi pour faire une « génération » de romancières, dont seul émerge aujourd'hui, dans les anthologies littéraires, le nom d'Anna de Noailles, mais comme poétesse et non comme romancière. La génération de romancières, née à partir des années 1880, rencontre un public : à l'âge de la généralisation de la scolarisation, les filles et les femmes lisent de plus en plus et surtout des romans. Livres et journaux constituent, en effet, le loisir et la distraction culturelle les plus accessibles, avant la généralisation du cinéma puis de la radio, et enfin de la télévision. Le tirage et les ventes de certains de ces romans laissent rêveuse : *Marie*

14. HOUBRE Gabrielle, « La Belle Époque des romancières », *Masculin-féminin. Le XIXe siècle à l'épreuve du genre*, Centre d'études du XIXe siècle, p. 183-197. ZYLBERBERG-HOQUART Marie-Hélène, « L'ouvrière dans les romans populaires du XIXe », *Revue du Nord*, tome LXII, n° 250, juillet-septembre 1981, p. 603-636.

Claire de Marguerite Audoux, qui reçoit le prix Femina en 1910, est tiré à 75 000 exemplaires. Le prix Femina – avec un jury composé exclusivement de femmes – avait été créé en 1904 pour protester contre la misogynie du prix Goncourt. Confrontés à la réussite éditoriale des romancières, les écrivains et les éditeurs la considèrent comme un « phénomène » que l'on doit analyser : « Lorsqu'il est si dur pour un écrivain de se faire, non pas même éditer, mais lire, voici que les femmes envahissent la carrière, y brillent soudainement, et sont accueillies avec une ferveur certaine » écrit *La Liberté d'opinion* à propos de Colette Yver, auteur d'un livre, *Les Cervelines*, qui est une charge contre les femmes « savantes ». Ce « phénomène » de réussite littéraire des femmes se développe à un moment considéré comme critique par l'édition qui produit du coup des stratégies éditoriales auxquelles les auteurs-femmes collaborent :

> « Le reportage joint à un goût de la réclame intense nous initia à tous les détails de la vie privée de ces femmes dans le même temps que leurs livres paraissaient. Ces indiscrétions, favorisées par les auteurs elles-mêmes, nous révélèrent que la majorité de ces amazones littéraires se recrutait parmi les grandes dames, parmi les femmes du monde ou parmi les femmes ou filles d'artistes célèbres appartenant au monde. »

L'auteur de *La Littérature française aujourd'hui* ne manque ici ni de pertinence ni de perfidie. D'autres critiques s'empressent de souligner que les romancières n'ont pas de génie créateur, mais qu'elles savent bien assimiler les leçons que leur donnent leurs confrères masculins. Autre signe sans doute de l'identité masculine en crise décrite par Anne-Lise Maugue (Rivages, 1987).

Gabrielle Houbre, dans un article cité en référence, étudie de près la production de trois de ces romancières et nous allons suivre son analyse. Gabrielle Réval (1870-1938) ancienne élève de l'École normale supérieure de Sèvres, et professeur de lycée, narre son expérience dans un livre intitulé *Les Sévriennes* (1900), délice actuel des historien/ne/s de l'éducation. Marcelle Tynaire (1872-1948), collaboratrice de *La Fronde* de Marguerite Durand – le seul journal, rappelons-le, écrit et réalisé uniquement par des femmes – a publié en 1905 *La Rebelle*. Enfin, Colette Yver (1874-1953), évoquée ci-dessus, avec une production nettement antiféministe qui fit une grande part de son succès : *Les Cervelines* (1903), *Princesses de science* (1907), *Les Dames du Palais* (1910). Ces trois auteurs, très différentes, se servent d'une trame narrative identique : elles mettent en scène des femmes tiraillées entre leurs devoirs et leurs occupations privées (amour, mariage, maternité) et leur vie professionnelle (en général valorisante, dans le journalisme, l'enseignement, la médecine ou la justice). Ces expériences sont bien sûr à mettre en relation avec les mutations en cours dans la société française (dans l'éducation secondaire et supérieure des filles en particulier) et avec l'« âge d'or du féminisme » entre 1900 et 1914. À une période où, après la loi sur le divorce de 1884, le mariage est remis en question par les syndicalistes-révolutionnaires et les anarchistes, comme par le jeune avocat socialiste Léon Blum (qui publie *Du Mariage* en 1907 où il défend les relations prénuptiales), Marcelle Tinayre, bien que féministe, se démarque soigneusement, dans son roman intitulé pourtant *La Rebelle*, des féministes les plus radicales (comme Madeleine Pelletier qui considère le mariage comme une aliénation pour les femmes). Son héroïne, mariée, prend un amant et revendique ce choix tout en restant dans sa vie maritale « ça vous a des airs de renverser la Bastille tandis que c'est au fond bourgeois comme chausson » écrit perfidement un critique après la parution du roman. L'héroïne de Gabrielle Réval dans *Les Sévriennes*, pour des raisons très morales (la promesse faite à une amie morte), défend aussi le principe d'une relation amoureuse en dehors des liens du mariage. Pour Colette Yver, les portraits des « cervelines » sont ceux de femmes qui préfèrent leurs carrières à leurs amours. Colette Yver s'insurge, non contre la poursuite d'études supérieures pour les filles, mais parce qu'elles préfèrent leurs carrières au mariage pour fonder une famille. Elles sont donc, dans les romans, punies de ce fait : frappées en tant que mères puisqu'ayant délaissé leur progéniture, elles renoncent finalement à leur carrière ou terminent leur vie dans la solitude.

Les romanciers, eux, font le portrait de femmes, qui ne suivent plus leur destin féminin traditionnel, et qui restent cantonnées aux délices de l'amour sous la forme du *flirt* – le mot devient à la mode, lancé par des héroïnes anglaises ou américaines. Il s'agit aussi dans ces portraits d'un renversement des rôles : les femmes aguicheuses ont l'initiative sur des mâles conquis et défaits. *Les Demi-Vierges* – titre évocateur – de Marcel Prévost sont un succès de librairie. Le pragmatisme des héroïnes modernes, plus ou moins cyniques, est fort éloigné des amours romantiques de la littérature de la première moitié du XIXe siècle. Ils reflètent la mise en cause de l'éternel féminin par les romancières du début du XXe siècle, et, parallèlement, l'angoisse masculine d'une redéfinition des relations entre les sexes. Avec la vogue des romans feuilletons et l'influence du naturalisme, dans les romans populaires de la fin du XIXe des femmes du peuple sont mises en scène. Ménagères, exerçant de petits métiers ou plus rarement ouvrières d'usine, elles sont alors soit dévergondées, soit de pauvres victimes. L'usine et la ville pervertissent les filles et les femmes. Les femmes actives ont un sort peu enviable dans le roman, mais elles accèdent cependant au statut d'héroïne, ce qui peut contribuer à forger des modèles.

« États de femmes »

La sociologue Nathalie Heinich propose de lire les ouvrages de fiction avec un regard anthropologique pour repérer comment, dans le cadre du récit, se déploient les espaces du possible pour les jeunes filles et les femmes[15]. Ces romans sont, écrit-elle, de véritables romans de formation pour les adolescentes, qui transmettent des exemples et des valeurs pour une identifica-

15. HEINICH Nathalie, *États de femmes. L'identité féminine dans la fiction occidentale*, Gallimard, 1996.

tion et une édification. Ces configurations fictionnelles définissent un certain nombre d'« états » dont les modalités sont définies à la fois par les relations économiques et par les orientations sexuelles, alliant ainsi expériences construites dans la fiction et logique symbolique. Il s'agit de la description d'un système de représentations qui évolue dans le temps. La période concernée va du XIXe à la première moitié du XXe siècle, jusqu'au moment où se produit un changement de paradigme dans les représentations de l'identité féminine, avec l'apparition de ce que l'auteur appelle « la femme non liée », figure qui dissocie subsistance économique et disponibilité sexuelle. Nathalie Heinich distingue ainsi différents « états ».

Les « états de filles »

Les filles sans histoire (lorsqu'elles se maintiennent en dehors du sexe, donc de la fiction) entrent dans le monde des « états de femmes » par le mariage : c'est le thème principal de la littérature romanesque, bonne ou mauvaise. Ce moment construit un changement d'identité. Le moment de suspension entre fille pubère et femme, entre enfance et féminité est mis en scène par Colette dans *Claudine à l'école* (1900) : le monde scolaire de l'héroïne est constamment menacé par l'intrusion des rapports amoureux. C'est seulement dans le roman suivant – *Claudine à Paris* (1901) –, où elle a changé de cadre, que la féminité enfin assumée est révélée par la demande en mariage : elle passe ici de l'état de fille à l'état de femme. Certaines figures incarnent des vierges héroïques, asexuées, dont le renoncement au sexe assure l'héroïsation – version idéalisée de la femme savante; dévouées à une cause, elles deviennent des « vierges rouges », telle Louise Michel. Sacralisation ou sanctification (la Vierge Marie ou Jeanne d'Arc) sont les deux conditions pour l'héroïsation. Obstinée dans l'état de célibataire, la figure de fille se dégrade en « vieille fille ». Seule autre figure célibataire possible dans la fiction, la religieuse, cloîtrée dans un état de fille, mais socialisée avec un statut et des règles dans le couvent. Le maintien de l'innocence, hors du monde sexué, ne peut provenir que du sacrifice ou du refus, pour pouvoir produire du racontable c'est-à-dire du roman. La communauté des filles (ou des femmes) permet de définir un espace où ne joue pas la différence des sexes et donc une socialisation non fondée sur le manque ou l'exclusion. Elle définit un état féminin, hors du masculin : c'est le cas des romans décrivant les communautés que sont les pensionnats de jeunes filles où se développent des amours homosexuelles. Mais ceci se termine toujours par la séparation. L'entrée dans l'espace fictionnel du roman implique un changement d'état. L'espérance de l'état de femme, produit par le mariage, exige de conserver l'état antérieur, celui de jeune fille, défini par la virginité. L'imaginaire des jeunes filles est nourri par l'espoir de la venue du prince charmant. Dans *Le Rêve* de Zola (1888), l'héroïne, brodeuse de l'Assistance publique, rencontre un homme riche, noble et amoureux, mais elle meurt à l'issue de la cérémonie en gardant sa virginité. Le mariage devient ici complètement fantasmatique, mais réalise l'accomplissement du conte de fées (le prince charmant) et de la légende dorée (la mort dans la virginité). Les jeunes filles se trouvent dans une position critique : il faut apprendre à séduire tout en ne se laissant pas séduire. Elles doivent apprendre à garder leur vertu, quitte à rester pauvres et célibataires, afin de ne pas connaître la dure destinée des filles perdues. Zola dans *Au bonheur des dames* (1883) donne un bon usage de cette vertu : la jeune provinciale, employée de grand magasin, finit par épouser le patron dont elle a repoussé, quoiqu'amoureuse, les avances, gagnant ainsi l'estime de tous. Mais la jeune fille peut aussi trébucher dans l'attente de l'état de mariage : promise, elle peut être abandonnée ; ou elle peut être compromise par un séducteur et ensuite délaissée. La grossesse hors mariage est la forme suprême de la compromission.

Les femmes épousées, les « premières », sont sans histoire dans le roman. Elles n'existent que dans le regard de l'autre (celle qui envie cette place : la fille, la maîtresse ou la vieille fille). Elle n'a une existence romanesque que lorsque son état est menacé ou que vient la déception à l'égard du mari. Flaubert est le grand portraitiste de ces épouses déçues : *Madame Bovary* (1857), *L'Éducation sentimentale* (1969) ; mais aussi Gervaise dans *L'Assommoir* de Zola (1877) ; et surtout *Une Vie* de Maupassant (1883) qui est une description précise de ce que peut être le viol conjugal : l'héroïne s'aperçoit vite qu'elle est mariée à un être brutal, grossier, buveur, égoïste et adultère ; Maupassant ne laisse à l'épouse que la voie de la maternité.

« La seconde » (la maîtresse) fait exister fictionnellement la « première épouse ». Si dans les romans du XIXe siècle, elle se résigne souvent, et en silence, à la situation d'épouse trompée, dans les romans du XXe, elle peut témoigner d'une certaine forme de modernité en l'acceptant, quitte à faire de même, comme dans *L'Invitée* de Simone de Beauvoir (1943) ; mais elle finit quand même par supprimer sa rivale à la fin du roman. C'est une tentative pour passer de la figure classique de l'épouse, victime résignée, à la figure moderne de la femme libérée.

La maternité devient une identité qui sépare les femmes, entre les mères et celles qui ne le sont pas. Elle impose des sacrifices et des équilibres entre les exigences de la bonne mère et les obligations de la parfaite épouse. D'où la notion de « clivage » que l'on peut attribuer à des personnages qui sont dans l'ambivalence entre une position de mère-épouse qui perd son autonomie individuelle et une position d'individue attirée par une passion amoureuse. Le roman met en scène plusieurs configurations : la femme qui renonce à la passion en sacrifiant à la morale et à la vertu conjugale. De Balzac à Stendhal, on passe du douloureux renoncement au lent consentement, pour un amant toujours jeune, face à un mari plus âgé : ce qui intéresse les romanciers, c'est que la femme soit prise entre deux hommes. L'adultère peut donc être le moyen d'une conquête de soi. Le veuvage est particulièrement propice à l'émancipation (dans les romans) : cet état permet de ne pas être exclue de la société traditionnelle qui fait en général payer cher aux femmes mariées leurs renoncements, par le bannissement et l'exclusion.

La « seconde » a un statut ambigu qui peut aller d'une illégitimité légitimée, au statut de courtisane qui oscille entre splendeur et misère. Toujours à la limite de la prostitution. *Nana* de Zola illustre la quasi-fatalité de l'avilissement : en effet, si les deux tiers du roman sont consacrés à l'ascension et au triomphe de l'héroïne, le dernier tiers est le récit de sa déchéance et de sa mort due à la « petite vérole », maladie des femmes perdues.

Les femmes de mauvaise vie sont, elles, de divers types : les actrices, les grisettes – ces ouvrières à la petite vertu, femmes d'attente pour les étudiants ; les lorettes (c'est une grisette en voie de promotion, une femme entretenue par son amant) ; enfin, les modèles des artistes sont les figures de femmes de mauvaise vie. L'état le plus bas est celui de la fille des rues, la prostituée ; mais il y a aussi la courtisane (qui est montrable dans la société) et la *call-girl* moderne, louée pour un soir.

Gouvernantes, vieilles filles (cf. les figures de vieilles tantes méchantes) et bas bleus sont les figures de la « tierce », figures du renoncement et du dévouement aux autres. La dévote est une manière de faire de nécessité, vertu. À la fin du XIXe siècle, avec les premières étudiantes, les femmes savantes deviennent des héroïnes de roman. La veuve est un état de « tierce » coupée du monde sexué. Cette limite est parfois franchie par les femmes mariées, celles qui se dévouent excessivement à leurs enfants ou celles qui s'enfoncent dans la bigoterie. L'état civil n'est donc pas superposable totalement à l'« état de femme ». *L'Éducation sentimentale* de Flaubert constitue, à cet égard, un véritable répertoire de figures, ce qui en fait un vrai roman de formation aux « états de femmes ». Il existe dans le roman un tournant qui marque la fin de la dépendance féminine. Le roman fournit une élaboration imaginaire qui témoigne de l'évolution de la société et lui donne des points d'appui dans la fiction. Le roman de Victor Margueritte, *La Garçonne* (voir chapitre 9), contribue à fixer cette figure de la femme émancipée dans l'entre-deux-guerres, la « femme libre » ou la « femme non liée », état qui permet l'accès à l'autonomie, sans faire le sacrifice de la sexualité qui est le lot des « tierces », sans la sujétion à l'homme qui est la situation des « premières », sans l'exclusion de la sociabilité qui est la position des « secondes ».

L'écriture, moyen privilégié de conquérir l'indépendance sans renoncer à la vie amoureuse, permet de représenter l'état de « femme non liée ». Colette est l'incarnation de cette figure d'écrivaine qui s'affranchit dans ses romans, comme dans la vie : elle reprend son nom de jeune fille, qui est par ailleurs un prénom. Le nom de plume est caractéristique de l'expression littéraire des femmes. Longtemps elles ont dû adopter un pseudonyme masculin : comme toutes les femmes, les écrivaines se marquent par l'absence d'un nom qui leur soit propre, marque habituelle d'une identité autonome. Les identités individuelles des femmes se construisent entre unité fantasmatique imaginée de l'extérieur (par des hommes écrivains le plus souvent) et infinie diversité des situations réelles. On comprend dans ces conditions le rôle fondamental, pour les femmes, du vêtement, instrument de ce travail d'ajustement identitaire, la question de l'identité se posant essentiellement à l'adolescence.

Le roman est un système cohérent de représentations, ni plus ni moins significatif que les faits positifs donnés par les statistiques. La différence entre ces deux sources c'est que les statistiques prétendent enregistrer la réalité, alors que le roman donne des représentations imaginaires et construit des systèmes symboliques. S'intéresser à la fiction romanesque revient à conférer toute sa place à l'imaginaire dans la construction identitaire, dans l'articulation du conscient et de l'inconscient, de l'individuel et du collectif, de la contingence et de la règle. C'est penser aussi qu'on peut l'historiciser.

Au lendemain de la Seconde Guerre mondiale, des femmes appartenant aux courants littéraires d'avant-garde vont de nouveau, comme au début du XXe siècle, s'imposer sur la scène publique. L'existentialisme, fondé par Jean-Paul Sartre, met en valeur l'œuvre de Simone de Beauvoir et défend une littérature engagée. Le Nouveau Roman, porté par des écrivaines comme Nathalie Sarraute et Marguerite Duras, développe une théorie de l'art pour l'art et remet en cause les conventions qui régissent les genres littéraires (romans, autobiographies, genres documentaires...). Mais dans ces deux courants, les femmes – si elles sont acceptées – n'existent pas en tant que telles, indépendamment des hommes et réciproquement. Simone de Beauvoir écrit en 1976 :

> « Quand j'ai commencé à écrire, nombreux étaient les auteurs féminins qui refusaient d'être classées précisément dans cette catégorie [...]. Nous rejetions la notion de littérature féminine parce que nous voulions parler à égalité avec les hommes de l'univers tout entier. »

Après l'éclosion du mouvement féministe de 1970, la question du marquage sexuel de l'écriture est posée. Cependant, il faut souligner, avec Béatrice Didier (1991), que l'époque n'a pas inventé l'écriture féminine ; elle a toujours existé, y compris contre les modèles masculins, depuis Sapho ou Héloïse. L'écriture féminine a toujours été le lieu d'un conflit entre celles qui veulent écrire et une société qui est hostile ou se livre à la dépréciation des écrits féminins.

Une écriture féminine ?

Jusqu'au milieu du XXe siècle, la stigmatisation des femmes de lettres, diffusée au XIXe sous la catégorie de « bas bleu » a perduré [16]. Inversement, après 1970, la revendication d'une « écriture-femme [17] » a retourné le stigmate en revendiquant la spécificité d'une « écriture feminine. » La notion d'écriture féminine a été lancée en 1975 par Hélène Cixous qui publie *La Jeune Née*, en collaboration avec Catherine Clément. La période semble se clore moins

16. Planté Christine, *La Petite Sœur de Balzac. Essai sur la femme-auteur*, Seuil, 1989.
17. Didier Béatrice, *L'Écriture-femme*, PUF, 1981. Stistrup-Jensen Merete, « La notion de nature dans les théories de l'écriture-féminine », *Clio, Histoire, Femmes et Sociétés*, n° 11, 2000, p. 165-177. Naudier Delphine, « L'écriture-femme, une innovation esthétique emblématique », *Sociétés contemporaines*, 2002, n° 44, p. 57-73.

de dix ans plus tard. Sous ce vocable d'« écriture féminine » sont regroupées des auteurs aussi différentes qu'Annie Leclerc, Annie Ernaux, Monique Wittig, Luce Irigaray ou Hélène Cixous. Hélène Cixous définit ainsi la féminité dans l'écriture : une certaine forme d'oralisation de la langue ; le privilège du corps (jonction entre corps et langage) ; une dépersonnalisation qui permet de s'ouvrir à l'autre, l'expérience spécifique de la maternité permettant de vivre ce qu'elle nomme le « clivage ». Avec, pour conclure sur cette définition de l'« écriture-femme », un paradoxe : le refus de l'identité à soi, alors qu'est avancée une affirmation du féminin qui se confond chez Cixous avec le maternel. La mère devient donc le centre et la figure idéale de LA femme.

En 1974, *La Quinzaine littéraire* pose dans un de ses dossiers, la question suivante « L'écriture a-t-elle un sexe? », au moment où paraissent *Paroles de femme* d'Annie Leclerc et *Spéculum de l'autre femme* de Luce Irigaray : il s'agit d'une dénonciation de l'oppression masculine et un éloge de la différence sexuée qui s'énonce en « paroles de femme ». En 1975, avec la parution dans un numéro de *L'Arc* consacré à Simone de Beauvoir d'un article intitulé « Le radeau de la méduse », Hélène Cixous promeut la lutte contre l'exclusion de LA femme. Cette prise de position esthétique est contemporaine d'un vif débat à l'intérieur du mouvement féministe entre partisanes d'une différence et partisanes d'un égalitarisme qui refuse une spécificité féminine.

La promotion d'une littérature identitaire fondée sur l'appartenance sexuée va devenir une arme pour se positionner dans l'avant-garde littéraire et philosophique. Le « féminin » devient une thématique littéraire subversive, une littérature « insurgée » selon les termes de Cixous. Il s'agit de dire, d'écrire le corps au féminin. C'est une prise de position sur le terrain esthétique, une stratégie de distinction sur un terrain valorisé. Elle s'appuie sur des dispositifs institutionnels : une maison d'édition, *Des femmes*, une revue *Sorcières*, et un appui universitaire : le département d'études féminines à Paris 8. Cette institutionnalisation renverse les rôles : ce qui était discrédité précédemment – la production féminine – est maintenant exalté. Ce courant perdure en France jusqu'au début des années 1980, puis il décline. En revanche, il connaît une nouvelle jeunesse aux États-Unis avec l'engouement, dans les *Gender Studies* et les *Cultural Studies*, à orientation le plus souvent littéraire, outre pour la posture critique de Foucault et la théorie du déconstructionnisme de Derida, pour ce qui est appelé là-bas – paradoxalement – *The French Feminism*, représenté par le trio Cixous, Kristeva, Irigaray. Mais ceci est une autre histoire…

Annexe

GALERIE DE BREFS PORTRAITS

On peut se poser de légitimes questions sur le choix de ces « héroïnes-là » et sur leur représentativité dans la société française de leur temps. Il s'agit simplement de donner ici quelques éléments biographiques sur des personnalités remarquables, mais pas forcément exemplaires, croisées au fil des chapitres précédents et sur lesquelles on n'a pas pris le temps de s'arrêter (c'est la raison pour laquelle Olympe de Gouges, George Sand, Louise Michel ou Simone de Beauvoir ne figurent pas dans cette galerie de brefs portraits). Ce choix, peut-être partial, et à coup sûr personnel, n'est sûrement pas exhaustif et demanderait sans aucun doute à être complété...

AUCLERT Hubertine (1848-1914), la première suffragiste et suffragette française. Fille d'un républicain opposant à l'Empire, Hubertine est, de 9 à 16 ans, élevée dans un couvent, où son frère la renvoie (jusqu'à sa majorité) à la mort de sa mère. Convertie au féminisme par la lettre de Victor Hugo en 1872 au Banquet pour le droit des femmes. En 1876 elle fonde la Société du droit des femmes. Son premier texte publié – *Le Droit politique des femmes. Question qui n'est pas traitée au Congrès international des femmes* (celui de 1878) – est le texte de l'intervention que Léon Richer et Maria Deraismes ne lui ont pas laissé prononcer. Elle a fait du suffrage et de l'éligibilité des femmes la source de tous les autres droits, pour que les femmes accèdent à l'autonomie. Elle assimile la « Bastille de pierre » prise en 1789 et la « Bastille de papier », c'est-à-dire le Code civil (1804) et demande que les femmes composent 50 % des assemblées. En 1880, elle refuse de payer ses impôts Elle a créé le journal *La Citoyenne* (1881-1891). Partie en Algérie avec son époux en 1888, elle revient à sa mort en 1892. En 1908, elle renverse une urne électorale à la mairie du IVe arrondissement à Paris en compagnie de Madeleine Pelletier et se présente aux élections en 1910. Elle meurt en avril 1914, accompagnée au Père-Lachaise par des centaines de féministes[1].

1. TAÏEB Édith, *La Citoyenne*, Syros, coll. « Mémoires des femmes », 1982. TAÏEB Édith, « Penser la parité avec Hubertine Auclert », *Lunes*, n° 7, avril 1999, p. 34-41.

BONNEVIAL Marie (1841-1918), née dans un milieu modeste, devient institutrice; révoquée en 1871, elle doit s'exiler un temps après la Commune de Lyon. Syndicaliste et socialiste, franc-maçonne dans la loge mixte du Droit humain, elle adhère à la Ligue des droits de l'homme. Participe à la création du Conseil national des femmes françaises en 1901, présidente de la Ligue française du droit des femmes depuis 1904. Elle rejoint le groupe des femmes socialistes en 1913[2].

BOUVIER Jeanne (1865-1964), issue d'un milieu populaire, ouvrière de la couture à Paris, syndicaliste et autodidacte, a œuvré pour la reconnaissance du travail à domicile (Office du travail à domicile créé en 1916). Elle a publié une série d'études sur le travail des femmes et préparé des notices pour un *Dictionnaire des femmes célèbres*, non publié. Ses *Mémoires, Une syndicaliste féministe 1876-1935*, publiées en 1936 ont été republiées en 1983 par Maspéro à La Découverte.

BRION Hélène (1882-1962), née à Clermont-Ferrand d'un père officier, élevée par sa grand-mère dans les Ardennes. Fait ses études à l'école primaire supérieure Sophie-Germain, à Paris, et devient institutrice. Elle est, à partir de 1905, adhérente à l'Amicale des instituteurs et institutrices, puis au syndicat (interdit pour les fonctionnaires) et à la SFIO. Féministe, socialiste, elle devient secrétaire adjointe de la CGT en 1914. À partir de 1915, elle anime avec une autre institutrice, Marie Mayoux, des réunions pacifistes : elle est membre du Comité pour la reprise des relations internationales. Arrêtée le 17 novembre 1917, emprisonnée à Saint-Lazare (prison pour femmes), elle passe en conseil de guerre en mars 1918; elle est condamnée à trois ans avec sursis, mais révoquée de l'Éducation nationale (jusqu'en 1925). Elle s'est tournée vers le spiritisme et a travaillé pendant 60 ans à une *Encyclopédie féministe* non achevée.

BRUNSCHVICG Cécile (1877-1946), née Cécile Kahn, fille d'un industriel juif alsacien; elle reçoit une éducation bourgeoise avec une faible instruction, passe clandestinement son brevet supérieur à 17 ans; elle épouse en 1899 le philosophe Léon Brunschvicg. Elle adhère au Conseil national des femmes françaises et à l'Union française pour le suffrage des femmes (UFSF) dès sa création en 1909; elle est secrétaire générale, puis elle en devient présidente en 1924. Elle a été une des fondatrices de l'École des surintendantes en 1917 (action sociale dans les entreprises). Figure du féminisme de l'entre-deux-guerres, conférencière prolixe, elle dirige le journal *La Française* de 1924 à 1939, elle est la représentante d'un « féminisme maternaliste » (la maternité comme fonction sociale). Elle adhère au parti radical en 1924, malgré l'opposition de ce dernier au vote des femmes. L'année 1924 est le point de départ de ses années politiques après des années associatives; sous-secrétaire d'État à l'Éducation nationale dans le gouvernement de Front populaire de Léon Blum de juin 1936 à mars 1937, où sa principale action concerne

2. BARD Christine, *Les Filles de Marianne*, Fayard, 1995 (chap. 1).

les cantines scolaires. Réfugiée en zone sud dès juillet 1940, elle garde cependant foi en l'avenir dans ces « années noires[3] ».

BUTILLARD Andrée (1881-1955) se rattache au courant Chrétien ; elle fonde en 1925 l'Union féminine civique et sociale. Elle s'était auparavant investie dans les œuvres sociales avec la création en 1911 de l'École normale sociale. Elle soutient la création du diplôme d'assistante sociale en 1932. C'est une des chevilles ouvrières de la professionnalisation du travail social dans l'entre-deux-guerres.

COLIN Madeleine (1905-2001), Parisienne, née dans une famille de la petite bourgeoisie, elle entre comme téléphoniste aux PTT à 19 ans et se marie deux ans plus tard. Résistante, elle adhère au PC et à la CGT après la Seconde Guerre mondiale, où elle développe le secteur féminin ; active pendant les grèves de fonctionnaire de 1953, elle devient secrétaire confédérale de la CGT de 1955 à 1969, directrice du journal *Antoinette* de sa création à 1975, année où elle prend sa retraite. Elle a publié ses mémoires, à compte d'auteur, à 84 ans : *Traces d'une vie dans la mouvance du siècle*, où elle relit l'histoire des rapports du syndicalisme et des femmes à l'aune du conflit et du sabordage de la revue *Antoinette* par la direction de la CGT.

COTTON Eugénie (1881-1967), élève en 1901 à l'École normale de Sèvres (1re au concours de l'agrégation des sciences physiques et naturelles), docteur en sciences physiques en 1925, professeur puis, en 1936, directrice de l'ENS Sèvres, elle met en œuvre la réforme des études masculines et féminines dans les ENS (1937-1938) en unifiant les concours d'entrée. Après la Seconde Guerre mondiale, elle préside l'Union des femmes françaises et la Fédération démocratique internationale des femmes. Elle reçoit le prix Staline de la paix en 1951.

DERAISMES Maria (1828-1894), une des premières féministes, considérée comme modérée, présidente de la Société pour l'amélioration du sort de la femme et la revendication de ses droits (SASFRD), cofondatrice de la première obédience (loge maçonnique) mixte, le Droit humain. Une des rares féministes à avoir une statue érigée en 1898, square des Épinettes à Paris (XVIIe).

DEROIN Jeanne (1805-1894), sa première intervention politique date de 1831 avec les « prolétaires saint-simoniennes » parmi lesquelles elle se distingue par sa religiosité : elle est profondément croyante, mais d'une foi qui rejette Église instituée et prêtres. Elle se définit comme une socialiste chrétienne et se méfie de la violence révolutionnaire. Première candidate à l'Assemblée nationale en 1849, elle s'attire les foudres de Joseph Proudhon et l'incompréhension de son ami Jean Macé (fondateur de la Ligue de l'enseignement). Exilée en Angleterre après le coup d'État de Louis Napoléon Bonaparte, elle refuse l'amnistie et meurt, dans la misère à Londres en 1894.

3. AUBRUN Juliette, *Cécile Brunschwicg (1877-1946). Itinéraire d'une femme en politique*, DEA, IEP Paris, 1992. Voir la description de ses archives déposées à la BU d'Angers in *Bulletin de l'association Archives du féminisme*.

DURAND Marguerite (1864-1936), née de père « non dénommé » (sa mère avait alors 25 ans). Sa grand-mère avait été lectrice de la Grande Duchesse de Russie, son grand-père était devenu journaliste après avoir exercé comme avocat, et traduit Schiller pour la première fois. Marguerite reçoit une « bonne » éducation dans un couvent parisien, mais devient actrice de théâtre et pensionnaire à la Comédie française de 1881 à 1888. Elle se marie avec un avocat, député du Vaucluse depuis 1883, partisan du général Boulanger ; ce mariage lui ouvre le monde de la politique et du journalisme dans lequel elle évolue jusqu'à sa mort. Après le suicide de Boulanger, elle se sépare de son mari et divorce en 1895. Elle a réalisé un *Dictionnaire des femmes célèbres* non publié et menait une vie sans préjugés (elle avait vécu avec un sculpteur) ; elle devient journaliste au *Figaro* et pour ce journal se rend au Congrès féministe international organisé par la Ligue française pour le droit des femmes et présidé par Maria Pognon. Après des débats houleux entre les étudiants socialistes et les féministes taxées de « bourgeoises », ce congrès est une véritable révélation pour Marguerite Durand qui devient une « féministe indépendante ». À la suite de ce congrès, elle crée en 1897 *La Fronde*, journal unique dans les annales de la presse, car il s'agit, au départ, d'un quotidien (1897-1903), devenu mensuel (1903-1905) dirigé, administré, composé, diffusé uniquement par des femmes, qui a son siège social dans un hôtel particulier (le premier numéro, daté du 9 décembre 1897, est vendu à 200000 exemplaires). Elle s'affronte avec le syndicat des typographes à cause de la non-application de la loi de 1892 sur le travail de nuit et soutient la constitution d'un syndicat et d'une coopérative des femmes typographes. Marguerite Durand est une dreyfusarde convaincue, républicaine, laïque et même anticléricale. Elle s'intéresse particulièrement aux institutrices, lectrices potentielles du journal ; mais elle n'est pas une partisane acharnée du vote des femmes (à cause de son républicanisme et de la peur des prêtres). Elle organise en 1900 (en même temps que l'Exposition universelle) le Congrès international des droits de la femme, où l'on défend la coéducation et l'égalité des droits politiques. Cependant, en 1910, elle reprend à son compte l'idée de candidature féminine et se présente à Paris ; elle est l'une des quatre oratrices à la première manifestation féministe du 5 juillet 1914, et fait réapparaître *La Fronde* (4 numéros en juillet, puis du 17 août au 3 septembre) en soutien à la guerre. Elle relance *La Fronde* en 1926 jusqu'à sa disparition définitive en 1928 ; elle voulait en faire un appui pour le parti radical-socialiste auquel elle avait adhéré. Après la guerre, journaliste, conférencière, elle se consacre à trouver un lieu pour pérenniser sa documentation et sa bibliothèque, ce que le conseil municipal de Paris accepte le 31 décembre 1931 : la bibliothèque Marguerite-Durand est fondée. Marguerite Durand meurt à 72 ans d'une crise cardiaque dans sa bibliothèque alors située à la mairie du Ve, place du Panthéon (sise aujourd'hui dans le XIIIe arrondissement[4]).

4. DIZIER-METZ Annie, *Histoire d'une femme, mémoire des femmes*, BMD, 1992.

GIROUD Françoise (1916-2003) a fait ses débuts au cinéma comme script avec Renoir, devenue journaliste à *Elle* puis à *L'Express* quand cet hebdomadaire était dans l'opposition et contre la torture en Algérie. En 1974, elle est nommée par le président de la République Giscard d'Estaing, secrétaire d'État à la Condition féminine, puis ministre de la Culture sous le gouvernement Barre. Elle a eu des relations difficiles avec le mouvement féministe qui lui demandait un soutien pour ouvrir un lieu pour les femmes battues. Plus que par sa carrière politique, c'est par son activité de journaliste et patronne de presse qu'elle a marqué l'histoire.

GUILLOT Marie (1880-1934), institutrice de Saône-et-Loire, pionnière du syndicalisme enseignant (alors interdit), a mené une action continue dans la CGT pour la syndicalisation des femmes : elle a lancé l'affaire Couriau en 1913 (typote refusée à la CGT du Livre et exclue de l'imprimerie) et créé la Commission féminine de la CGT, ainsi que la Fédération féministe du Sud-Est; elle lance le journal *L'École émancipée* en 1910 où elle tient une « Tribune féministe »; pacifiste pendant la guerre de 1914-1918, elle a été radiée de l'Éducation nationale jusqu'en 1925.

HAMILTON Anna (1864-1935), docteur en médecine, elle transforme à partir de 1900 la Maison de Santé protestante de Bordeaux en un hôpital-école qui forme les gardes-malades hospitalières et les visiteuses, précieuses au moment du processus de laïcisation des hôpitaux. Elle est une des initiatrices de la professionnalisation des infirmières et des infirmières-visiteuses au lendemain de la Grande Guerre.

KERGOMARD Pauline (1838-1925), née Reclus dans une famille protestante (sœur d'Élisée et d'Élie), inspectrice générale des écoles maternelles de 1879 à 1917. Elle transforme les salles d'asile en « écoles maternelles », prolongement de la famille. En 1886, elle est la première femme admise au Conseil supérieur de l'Instruction publique. Collaboratrice de *La Fronde* sur l'éducation des femmes, elle défend Paul Robin et la coéducation. Théoricienne de la pédagogie du jeu dans les écoles maternelles[5].

MELIN Jeanne (1877-1964), née dans une famille d'industriels ardennais, anticléricale et républicaine, Jeanne Mélin socialiste et féministe fut avant tout une pacifiste qui participe à tous les congrès nationaux et internationaux – y compris pendant la Grande Guerre – et devient une conférencière recherchée. Son pacifisme la conduit à soutenir la Société des nations, le rapprochement franco-allemand, mais aussi plus tard le régime de Vichy, et même à tenir des propos antisémites. Ce sont ses écrits sur la sexualité, l'amour libre, le mariage et l'éducation sexuelle qui paraissent le plus novateur[6].

PELLETIER Madeleine (1874-1939), médecin psychiatre en 1903, franc-maçonne, socialiste puis communiste (voyage en Russie en 1921, est exclue

5. KERGOMARD Geneviève et Alain, *Pauline Kergomard*, Rodez, Le Fil d'Ariane, 2000.
6. Thèse d'Isabelle Vahé, université Paris 8, direction Y. Ripa, à paraître.

du PCF en 1926) ; elle s'occupe de l'association la Solidarité des femmes depuis 1906. En 1908, elle brise à coups de cailloux les vitres d'un bureau de vote ; en compagnie d'Hubertine Auclert, elle renverse des urnes, puis fonde le journal *La Suffragiste* et publie en 1912 *L'Éducation féministe des filles.* Elle défend le droit à l'avortement. En mars 1939, dénoncée pour pratique illégale d'avortement, elle est arrêtée, déclarée irresponsable et internée. Elle meurt le 29 décembre 1939[7].

POGNON Maria (1844-1925), libre-penseuse et franc-maçonne, devenue féministe après le Congrès de 1889, elle est présidente de la Ligue française pour le droit des femmes depuis 1893. Elle préside le Congrès de 1896 où de vifs débats eurent lieu avec des socialistes traitant les féministes de « bourgeoises exploiteuses ». Collaboratrice du journal *La Fronde* dès 1897, elle tient une rubrique régulière « Les conseillères municipales » (elle préconise le suffrage et l'éligibilité des femmes aux conseils municipaux).

PONSO CHAPUIS Germaine (1901-1981), première française à être ministre (de la Santé et de la Population) en 1947-1948 dans le cabinet de Robert Schuman. D'une famille ardéchoise catholique, elle fait des études de droit jusqu'au doctorat et devient avocate à Marseille. Membre de plusieurs associations féministes, elle a surtout milité dans les Soroptimistes. Avocate des « terroristes » pendant la Seconde Guerre mondiale, elle participe activement au nouveau pouvoir municipal à la Libération. Élue députée du MRP en octobre 1945 et jusqu'en 1956, femme d'État un bref moment. Son action sociale en faveur des handicapés et son mandat municipal à Marseille, moins connus, sont cependant la grande part de son action publique[8].

RICHER Léon (1824-1911), clerc de notaire franc-maçon et républicain, opposant sous l'Empire ; fonde avec Maria Deraismes en 1869 une revue *Le Droit des femmes*, qui devient *L'Avenir des femmes* après la Commune. Plusieurs associations sont interdites pendant l'ordre moral, jusqu'à la fondation, avec Maria Deraismes de la Ligue française pour le droit des femmes. Un des premiers hommes féministes.

ROUSSEL Nelly (1878-1922) est issue d'un milieu catholique et bourgeois, avec qui elle rompt en épousant à 20 ans un sculpteur, libre-penseur et franc-maçon qui va orienter son engagement, d'abord en faveur de Dreyfus, puis dans une loge mixte le Droit humain, enfin à la Libre pensée. Elle collabore à *La Fronde.* Sa rencontre avec Paul Robin en 1901 lui fait adopter la cause du néomalthusianisme – le contrôle des naissances : c'est une des premières en France à se battre pour la contraception. Elle va faire une synthèse entre son féminisme et son combat néomalthusien pour la « libre maternité » contre

7. MAIGNIEN Claude et SOWERWINE Charles, *Madeleine Pelletier une féministe dans l'arène politique,* Éditions ouvrières, 1991. BARD Christine (dir.), *Madeleine Pelletier (1874-1939). Logique et infortunes d'un combat pour l'égalité,* Côté Femmes, 1992.

8. KNIBIEHLER Yvonne (dir.), *Germaine Ponso-Chapuis, femme d'État (1901-1981),* Aix-en-Provence, Edisud, 1998.

la « maternité sans consentement » et pour le travail salarié dans le but d'émanciper les femmes. Son « féminisme intégral » lui fait défendre la coéducation et l'égalité des sexes. Oratrice et conférencière hors pair, pacifiste pendant la guerre, elle consacra sa vie (brève, elle meurt à 44 ans de la tuberculose) à la défense de ses idées[9].

ROYER Clémence (1830-1902), femme de sciences, autodidacte – anthropologue, économiste et philosophe – connue comme la première traductrice en France de *L'Origine des espèces* de Darwin. Première femme à assurer un cours à la Sorbonne en 1884. Franc-maçonne et pacifiste, elle a l'idée de la « constitution d'un pouvoir international pour éviter les conflits » (1898). Elle participe au Congrès du droit des femmes de 1878, puis à celui de 1889 et préside le Congrès féministe de 1900[10].

SAINTE-CROIX Avril de (1855-1939), nom de plume dans *La Fronde* Savioz ; devenue féministe en 1896 (comme Marguerite Durand). Après une visite à la prison Saint-Lazare se consacre à l'« Œuvre libératrice » en faveur des femmes les plus démunies. Son nom est attaché à la philanthropie. Dans *La Fronde*, elle traite les sujets économiques et sociaux : la prostitution – c'est une ardente militante abolitionniste –, l'alcoolisme féminin, les prisonnières... Première femme à être nommée dans une commission officielle de l'État, la Commission sur le régime des mœurs en 1903.

SÉVERINE (1855-1929), née Catherine Rémy (Séverine est son nom de plume), elle est une des premières femmes journalistes. Elle a fait ses classes avec Jules Vallès dans *Le Cri du peuple* dont elle devient directrice à la mort de Vallès (de 1885 à 1888). Journaliste reconnue, elle fut une des collaboratrices vedettes de *La Fronde* créée par Marguerite Durand avec sa chronique « Notes d'une frondeuse ». Au total, de 1883 à 1928, elle écrivit plus de six mille articles. Après avoir écrit un bref moment dans *La Libre Parole* de Drumont (antisémite), elle soutint Dreyfus et fut une des fondatrices de la Ligue des droits de l'homme ; socialiste, vallésienne avant tout, féministe – elle écrit en faveur du vote des femmes en 1914[11].

THIBERT Marguerite (1886-1982), qui a appartenu toute sa vie à des cercles féministes et socialistes, est la quatrième Française à avoir soutenu un doctorat d'État (thèse d'histoire en 1926). Elle a longtemps travaillé au Bureau international du travail à Genève (BIT), en charge de la Division du travail des femmes et des jeunes. Elle a été une véritable *globe-trotter* qui a rencontré militant/e/s et administrations aux États-Unis, au Canada, en Asie et en Amérique latine. Amie de François Mitterrand, Colette Audry, Yvette Roudy, Madeleine Guilbert et Jeannette Laot, elle a été membre du Mou-

9. ROCHEFORT Florence, « Nelly Roussel ou le combat pour la libre maternité », *Lunes*, n° 2, 1997, p. 50-54. ROUSSEL Nelly, *L'Éternelle Sacrifiée*, Syros, 1979.
10. FRAISSE Geneviève, *Clémence Royer, philosophe et femme de sciences*, La Découverte, 1985 (rééd. 2003).
11. LE GARREC Évelyne, *Séverine, une rebelle (1855-1929)*, Seuil, 1982.

vement démocratique féminin (MDF) dans les années 1960, nommée en 1966 comme experte au Comité d'étude et de liaison des problèmes du travail féminin. Elle est une référence forte pour Yvette Roudy, devenue ministre des Droits de la femme au cours du premier septennat de F. Mitterrand.

TILLION Germaine (1907-20...), ethnologue de la Kabylie (depuis 1934); résistante dès juin 1940, elle participe au réseau du Musée de l'Homme. Déportée à Ravensbrück, où sa mère a été gazée. Membre du cabinet de Jacques Soustelle, gouverneur général d'Alger, elle crée les Centres sociaux en 1955. Elle dénonce, en 1957, la généralisation de la torture et dialogue avec les responsables FLN pendant la guerre d'Algérie. Elle est une des fondatrices de l'Association nationale des déportées et internées de la Résistance (ADIR). A écrit *Ravensbrück* sur l'expérience concentrationnaire, livre réédité en réponse à un livre d'Olga Wormser sur l'absence de chambres à gaz sur le territoire allemand, puis face aux écrits négationnistes. *Le Harem et les Cousins*, publié en 1966, est une description magistrale des sociétés méditerranéennes et endogames. La journaliste Catherine Simon résume ainsi sa vie dans le sous-titre d'un article : « Germaine Tillion, fausse candide. Iconoclaste et inclassable, ethnographe, mi-historienne, mi-reporter, elle a connu les camps nazis et dénoncé en 1957 la généralisation de la torture en Algérie. Portrait d'une femme qui a modifié l'Histoire[12]. »

VALETTE Aline (1850-1899), institutrice et syndicaliste, militante socialiste du POF. Elle publie dans *La Fronde* 24 articles issus d'une grande enquête sur la classe ouvrière féminine, remplacée dans ce rôle par Marie Bonnevial pour la rubrique « Tribune du travail », soutient les grèves féminines et contribue au développement des syndicats féminins.

VERONE Maria (1874-1938), militante depuis l'âge de 16 ans, libre-penseuse, d'abord fleuriste-plumassière avec sa mère, puis institutrice de la ville de Paris, elle est révoquée en 1897 pour son combat en faveur de la laïcité. Devenue avocate en 1907, féministe, présidente de la Ligue française pour le droit des femmes (fondée en 1882 par Léon Richer), elle est une militante féministe importante, suffragette de l'entre-deux-guerres pour un « féminisme au-dessus des partis ».

WEISS Louise (1893-1983), seconde d'une famille protestante de six enfants, a fait des études au lycée Molière à Paris (lycée de filles), puis au collège Sévigné, où elle prépare l'agrégation de lettres. A fait une carrière de journaliste. Européiste convaincue, elle dirige la revue *L'Europe nouvelle*. Dans l'entre-deux-guerres, elle mène des actions d'éclat pour le suffrage des femmes. Elle a créé sa propre association, la Femme nouvelle, en 1934. Le 12 mai 1935, 45 suffragettes se réunissent place de la Bastille, chacune tenant quelques maillons de chaîne. Elles brûlent des journaux hostiles au fémi-

12. Voir sa biographie par Jean Lacouture et les articles : « Vies et vertus de Germaine Tillion », *Libération*, 3 février 2000 et « Germaine Tillion, fausse candide », *Le Monde*, 10-11 septembre 2000 (article de Catherine Simon).

nisme et jettent les chaînes par terre (manifestation filmée et photographiée, la photographie est très souvent citée comme illustration de la lutte pour le suffrage des femmes) ; le 3 mai 1936, elle organise un lâcher de ballons à la finale de la Coupe du monde de football à laquelle participe le président de la République Albert Lebrun ; le 28 juin 1936, elle perturbe le Grand Prix de Longchamp. Elle publie en 1946, *Années de lutte pour le droit de suffrage : ce que femme veut 1934-1939*, récit de son activité et de son expérience de suffragette. Élue au premier Parlement européen : doyenne en âge, elle préside la séance d'ouverture le 17 juillet 1979. A écrit *Mémoires d'une Européenne*[13].

13. BERTIN Célia, *Louise Weiss*, Albin Michel, 1999.

Conclusion

14 juillet 2005 : aux actualités régionales du soir, le présentateur rend compte d'une manifestation qui s'est tenue le jour même dans la cour du château de Vizille (où s'est jouée une des scènes de la Révolution française). Le président du conseil général de l'Isère, entouré d'une assemblée de femmes ceintes de leur écharpe tricolore – ce sont des élues venues de toute la France –, entend célébrer, en ce jour de fête nationale et de commémoration de la prise de la Bastille, la parité en politique. Une journaliste interroge l'élue la plus âgée (on dit la plus expérimentée) et la plus jeune, pas encore trentenaire. À la question posée sur le bilan à tirer de la situation des femmes en France, la première conclut en disant qu'aujourd'hui les femmes sont parvenues à l'égalité et qu'il n'y a plus beaucoup de combats à mener, la seconde que tout reste à faire pour les femmes dans un monde d'inégalités. La journaliste termine son reportage en soulignant, perfidement, qu'il n'y a que six femmes au conseil général de l'Isère. Fin de la scène de genre.

Cet événement, anecdotique en apparence, est en réalité très révélateur de la situation paradoxale des femmes en France au début du XXIe siècle, et témoigne de la difficulté à tirer un bilan sur les deux siècles d'histoire des femmes que nous venons de parcourir. Difficulté à conclure parce que, pour paraphraser Georges Duby, l'histoire continue. Il paraît cependant nécessaire de revenir brièvement sur les définitions, les débats, les réflexions, évoqués tout au long de notre parcours, comme sur les options suivies dans cet ouvrage.

Le but n'était pas d'écrire une histoire linéaire, une histoire du progrès de la « condition féminine » du début du XIXe siècle à la fin du XXe siècle[1]. En effet, elle est bousculée par des événements remarquables qui changent le cours de la vie des femmes et des hommes : la guerre civile (la Commune de 1871) et surtout, au XXe siècle, les deux guerres mondiales et les guerres d'Indépendance des colonies bouleversent le cours ordinaire des choses et de l'histoire[2]. Le second parti pris a été de faire une histoire des femmes et

1. Pour reprendre une expression utilisée dans les années 1960, voir la bibliographie publiée en 1977, dirigée par la sociologue Madeleine Guilbert, sous le titre *Travail et condition féminine*, sorte de butte-témoin de l'usage de l'expression condition féminine.
2. BERGÈRE Marc et CAPDEVILA Luc (éd.), *Genre et Événement*, Rennes, PUR, 2005.

non une histoire du genre, même si dans le récit, la question du genre est posée par le dessin, en creux, du masculin. Ces femmes que nous avons évoquées tout au long de ces deux siècles ne sont pas seules : dans la famille, au travail, dans la rue, dans le monde politique, elles croisent des hommes et quelques-uns – une infime minorité – accompagnent certaines d'entre elles dans leurs combats ; nous avons évoqué Léon Richer, Ferdinand Buisson ou Fernand Grenier, par exemple. Par ailleurs, l'histoire des masculinités est encore balbutiante dans l'historiographie française[3] et cette synthèse a pu s'appuyer sur les travaux trentenaires entrepris en histoire des femmes. Enfin, la légitimation institutionnelle de ce champ de recherches est loin d'être établie dans le monde académique et il n'est pas inutile de montrer l'étendue, la diversité et l'intérêt des travaux publiés depuis plusieurs décennies[4]. Nous avons cependant tout au long de ces pages entrepris de dénaturaliser les catégories du sens commun et de poser la question des identités sexuelles, tout en soulignant que si l'identité sexuelle est un paradigme majeur (qui peut, par ailleurs, varier au cours de la vie d'un[e] individu[e]), elle ne peut être la seule explication pour décrypter le monde social. Michelle Perrot a souligné qu'on ne peut abandonner l'histoire des femmes « toute simple » précisément parce qu'elle doit être encore complexifiée « en la croisant avec d'autres données (sociales, ethniques, religieuses...)[5] ».

Étudier les femmes dans l'histoire, de la Révolution française à la fin du XXe siècle, a posé d'emblée la question de la « démocratie exclusive » à la française. Le discours sur l'exclusion des femmes est aujourd'hui nuancé et remplacé même, dans certains travaux, par un discours qui souligne la participation active des femmes, dès le début des événements révolutionnaires, à Paris comme en province, et la transformation majeure opérée dans le droit des familles (point de vue qui minore, de fait, le poids du Code civil pendant plus d'un siècle et demi)[6]. Selon Geneviève Fraisse « démocratie exclusive » ne veut pas dire « démocratie excluante » car « elle n'énonce pas les règles de l'exclusion[7] », même si aujourd'hui, malgré l'adoption de la parité, le politique résiste à la présence des femmes en particulier aux échelons supérieurs des institutions (direction des partis, maires de très grandes villes, députés, sénateurs, ministres). Le pluriel contenu dans « les femmes », et décliné dans ses différentes acceptions de groupes sociaux, d'âge et de génération, a per-

---

3. Voir les contributions dans la partie intitulée de façon significative : « Vers une histoire de la masculinité », *in* SOHN A.-M. et THÉLAMON F. (dir.), *Une histoire sans les femmes est-elle possible ?*, Perrin, 1998. RAUCH André, *Le Premier Sexe. Mutations et crise de l'identité masculine*, Hachette, 2000. RAUCH André, *L'Identité masculine à l'ombre des femmes. De la Grande Guerre à la Gay Pride*, Hachette, 2004.
4. THÉBAUD Françoise, « La vitalité d'un champ », *Vingtième Siècle. Revue d'histoire*, n° 75, « Histoire des femmes, histoire des genres », juillet-septembre 2002, p. 177-181.
5. PERROT Michelle, « Des femmes, des hommes et des genres », *Vingtième Siècle. Revue d'histoire*, n° 75, « Histoire des femmes, histoire des genres », juillet-septembre 2002, p. 176.
6. HUNT Lynn, « L'histoire des femmes : accomplissements et ouvertures », *in* Martine Lapied et Christine Peyrard (dir.), *La Révolution française au carrefour des recherches*, Aix-en-Provence, Publications de l'université de Provence, 2003.
7. FRAISSE Geneviève, « Les deux gouvernements la famille et la cité », *in* Marc Sadoun, *La Démocratie en France*, tome 2, Gallimard, 2000, p. 62.

mis de s'interroger sur la place des femmes dans la société, mais aussi sur la diversité de leurs conditions. L'unité du groupe femmes, est cependant partiellement forgée par la confrontation avec la maternité et par les représentations du féminin omniprésentes dans le monde social. Les féministes ont lutté, depuis la fin du XIXe siècle, pour la « libre maternité », la liberté de choix des femmes, et donc pour la contraception et le droit à l'avortement. Les avancées en ce domaine ont contribué à transformer le cycle de vie des femmes, les histoires familiales et le rapport aux enfants. Dans le très contemporain, avec les mutations de la conjugalité – le « démariage » selon Irène Théry –, le pacte civil de solidarité (PaCS) autorisé par la loi du 15 novembre 1999 pour les couples homosexuels ou hétérosexuels, avec les découvertes de la génétique et l'usage de la procréation médicalement assistée, ainsi que le développement de l'adoption internationale, les questions de filiation deviennent primordiales. Certain/e/s, comme Marcela Iacub, contestent l'« empire du ventre[8] ». Le développement de la pluriparentalité dans les familles recomposées, la revendication d'homoparentalité composent de nouveaux modèles de liens familiaux qui nécessiteront sans doute ultérieurement une évolution du droit. Enfin, comme les femmes, célibataires ou mariées, ont toujours travaillé, l'histoire sur deux siècles du travail des femmes, couplée à celle de l'éducation et de la formation des filles, explique la situation paradoxale actuelle : les Françaises sont, parmi les Européennes, celles qui à la fois travaillent le plus et ont le plus d'enfants[9]. L'histoire longue de l'influence du lien privilégié des femmes et de la religion, et aussi, sans discontinuité, des politiques étatistes natalistes, tout comme un attachement viscéral et politique des femmes à l'emploi, sont également des éléments d'explication de cette spécificité française. Par ailleurs, si les changements récents dans les relations entre les sexes vont dans le sens d'une diminution de la domination masculine et que les inégalités et les hiérarchies paraissent s'estomper, elles se recomposent, en réalité, sous d'autres formes (cela est particulièrement vrai pour la question du travail, mais aussi des sexualités comme le montrent les débats sur la prostitution et la pornographie)[10]. Nous avons enfin exploré les représentations des femmes – sur les femmes, produites le plus souvent par des hommes, ou par les femmes –, comme la construction des types et des stéréotypes sécrétés dans certains moments historiques, représentations symboliques et culturelles qui façonnent l'histoire sociale et politique de la France.

Faire le pari d'écrire une histoire des femmes, c'est avoir l'ambition, grâce à ce changement de point de vue, de refuser que l'Histoire soit amputée d'une moitié de l'humanité et de transformer ainsi le regard historique. Peut-on encore raisonnablement aujourd'hui penser, écrire, transmettre l'Histoire sans prendre en compte la différence des sexes?

8. JACUB Marcela, *L'Empire du ventre. Pour une autre histoire de la maternité*, Fayard, coll. « Histoire de la pensée », 2004.
9. Colloque de démographie de Tours, juillet 2005.
10. MARUANI Margaret (dir.), *Femmes, genre et sociétés*, La Découverte, coll. « L'état des savoirs », 2005.

Chronologie sommaire

Droits politiques

1791 Olympe de Gouges, Déclaration des droits de la femme et de la citoyenne

1944 Ordonnance du 21 avril 1944 signée par le général de Gaulle sur l'organisation des pouvoirs à la Libération : suffrage universel; = droit de vote et d'éligibilité pour les femmes

1999 Loi constitutionnelle du 8 juillet sur la parité

Droits civils

Statut juridique

1804 Code civil (dit Code Napoléon) instaure la dépendance de la femme mariée, mineure qui dépend de son mari, chef de famille

1938 Capacité civile de la femme mariée

1965 Réforme des régimes matrimoniaux

Enseignement

1879 Loi Paul-Bert : une école normale de filles par département

1880 Camille Sée crée les lycées féminins (le premier à Montpellier)

1881 Fondation de l'École normale de Sèvres (former des professeurs féminins)

1924 Décret Bérard sur l'assimilation des programmes des lycées féminins à ceux des lycées masculins. Décrets d'application en 1925

1933 Loi sur l'instauration des « classes géminées » dans le primaire

1957 Circulaire sur la construction d'établissements mixtes dans le secondaire

1976 Décrets d'application de la loi Haby (1975) généralisant la mixité

Famille

1884 Rétablissement du divorce (loi Naquet) supprimé en 1816

1939 Code de la famille

1970 Autorité parentale conjointe (suppression du chef de famille)

1975 Divorce par consentement mutuel

1999 Le PaCS (pacte civil de solidarité)

Travail

1892 Loi interdisant le travail de nuit pour les femmes et limitant à 8 heures la journée de travail (loi de protection/exclusion) supprimée en 2001

1907 Autorisation pour les femmes mariées de disposer de leur salaire
1983 Loi Roudy sur l'égalité professionnelle

Corps et maternité

1913 Congé de maternité
1920 Loi interdisant la propagande anticonceptionnelle
1923 Lois correctionnalisant l'avortement
1967 Loi Neuwirth autorisant (avec des restrictions) la contraception (décrets d'application publiés en 1972)
1974 Loi Veil autorisant la contraception, y compris aux mineures
1975 Loi Veil sur l'interruption volontaire de grossesse (IVG) votée pour cinq ans et confirmée en 1979. En 1982 : remboursement de l'IVG par la Sécurité sociale
1980 Loi sur le viol interdisant sa correctionnalisation : le viol reste un crime jugé en assises

Bibliographie

Cette bibliographie n'est pas exhaustive. Les travaux utilisés dans ce livre ont été privilégiés, de même que des livres ou articles pouvant apporter des compléments et ceux qui sont facilement accessibles. Le classement par thème est indicatif : des passerelles existent entre les différentes thématiques. Sauf mention contraire le lieu d'édition est Paris.

Ouvrages généraux, manuels, revues

BARD Christine, *Les Femmes dans la société française du XXe siècle*, Colin, coll. « U », 2002.

BOURDIEU Pierre, *La Domination masculine*, Seuil, 1998.

BRANCHE Raphaëlle et VOLDMAN Danièle (dir.), « Histoire des femmes, histoire des genres », *Vingtième Siècle. Revue d'histoire*, juillet-septembre 2002.

CAPDEVILA Luc, CASSAGNES Sophie, COCAUD Martine, GODINEAU Dominique, ROUQUET François et SAINCLIVIER Jacqueline (dir.), *Le Genre face aux mutations. Masculin et féminin du Moyen Âge à nos jours*, Rennes, PUR, 2003.

CLIO, Histoire, Femmes et Sociétés, revue francophone d'histoire des femmes, deux numéros par an depuis 1995; voir collection sur www.clio.revues.org.

DUBY Georges et PERROT Michelle (dir.), *Histoire des femmes en Occident*, Plon, 5 tomes, 1re éd. 1991-1992, édition poche 2002, coll. « Tempus ».

FRAISSE Geneviève, *Les Deux Gouvernements : la famille et la Cité*, Gallimard, 2000.

FRAISSE Geneviève et PERROT Michelle (dir.), *Histoire des femmes en Occident. Le XIXe siècle*, Plon, 1991, 2e éd. en poche, 2002.

GODINEAU Dominique, *Les Femmes dans la société française, 16e-18e siècle*, Armand Colin, 2003.

PERROT Michelle (dir.), *L'Histoire des femmes est-elle possible?*, Marseille, Rivages, 1984.

RIPA Yannick, *Les Femmes actrices de l'histoire, France, 1789-1945*, SEDES, 1re éd. 1999.

SOHN Anne-Marie et THÉLAMON Françoise (dir.), *L'Histoire sans les femmes est-elle possible?*, Perrin, 1998.

THÉBAUD Françoise, *Écrire l'histoire des femmes*, Fontenay-aux-Roses, ENS Éditions, 1998.

THÉBAUD Françoise, *Histoire des femmes en Occident*, tome V : *Le XXe siècle*, Plon, édition de poche, 2002 (nouvelle introduction qui fait le point sur les recherches les plus récentes).

ZANCARINI-FOURNEL Michelle (coord.), CLIO HFS, *Les Mots de l'Histoire des femmes*, Toulouse, PUM, 2004.

Femmes et politique

BARD Christine, *Les Filles de Marianne*, Fayard, 1995.

BARD Christine, « L'étrange défaite des suffragistes (1919-1939) », *in* Éliane Viennot (dir.), *La Démocratie « à la française » ou les femmes indésirables*, 1997, p. 234-239.

BARD Christine, BAUDELOT Christian et MOSSUZ-LAVAU Janine (dir.), *Quand les femmes s'en mêlent. Genre et pouvoir*, Éditions de la Martinière, 2004.

BRIVE Marie-France (dir.), *Les Femmes et la Révolution française*, Toulouse, Presses universitaires du Mirail, 1991.

CHAPERON Sylvie, *Les Années Beauvoir*, Fayard, 2000.

COHEN Yolande et THÉBAUD Françoise (dir.), *Féminismes et identités nationales*, Lyon, Programme Rhône-Alpes recherches en sciences humaines, 1998.

DERMENJIAN Geneviève, GUILHAUMOU Jacques et LAPIED Martine, *Femmes entre ombre et lumière. Recherches sur la visibilité sociale (16e-20e siècle)*, Publisud, 2000.

GARIGOU Alain, *Histoire sociale du suffrage universel en France (1848-2000)*, Seuil, coll. « Points Histoire », 2002.

GASPARD Françoise, SERVAN-SCHREIBER Claude et LE GALL Anne, *Au pouvoir citoyennes! Liberté, égalité, parité*, Seuil, 1992.

GODINEAU Dominique, « Filles de la liberté et citoyennes révolutionnaires », *Histoire des femmes en Occident, Le XIXe siècle*, Plon, 1991, p. 27-56.

GODINEAU Dominique, « Histoire d'un mot : Tricoteuse de la Révolution française à nos jours », *Langages de la Révolution (1770-1815)*, Klinsieck, INALF, coll. « Saint-Cloud », 1995, p. 601-611.

GUBIN Éliane, JACQUES Catherine, ROCHEFORT Florence, STUDER Brigitte, THÉBAUD Françoise et ZANCARINI-FOURNEL Michelle (dir.), *Le Siècle des féminismes*, Éd. de l'Atelier, 2004.

GUÉRAICHE William, *Les Femmes et la République*, Éd. de l'Atelier, 1999.

GUÉRAICHE William, « La "question femmes" dans les partis (1946-1962) », *Historiens-Géographes*, n° 358, juillet-août 1997, p. 235-248.

HUNT Lynn, « L'histoire des femmes : accomplissements et ouvertures », *in* Martine Lapied et Christine Peyrard (dir.), *La Révolution française au carrefour des recherches*, Aix-en-Provence, Publications de l'université de Provence, 2003.

HUNT Lynn, *Le Roman familial de la Révolution française*, Albin Michel, 1995.

KLEJMAN Laurence et ROCHEFORT Florence, *L'Égalité en marche. Le Féminisme sous la Troisième République*, Presses de la FNSP, 1989.

LAGRAVE Marie-Rose, « Une étrange défaite. La loi constitutionnelle sur la parité », *Politix*, vol. 13, n° 51, p. 113-141.

LANDES Joan, *Women and the Public Sphere in the Age of the French Revolution*, Ithaca, Cornell University Press, 1988.

MOSSUZ-LAVAU Janine, « Le vote des femmes en France (1945-1993) », *Revue française de science politique*, 1993, vol. 43, n° 4, p. 673-689.

MOSSUZ-LAVAU Janine, *Femmes/Hommes pour la parité*, Presses de la FNSP, 1998.

PICQ Françoise, *Libération des femmes. Les années-mouvement*, Seuil, 1993.

RIOT-SARCEY Michèle, *La Démocratie à l'épreuve des femmes. Trois figures critiques du pouvoir (1830-1848)*, Albin Michel, 1994.

ROCHEFORT Florence, « La citoyenneté interdite ou les enjeux du suffragisme », *Vingtième Siècle. Revue d'histoire*, avril-juin 1994, n° 42, p. 41-51.

ROCHEFORT Florence, « Démocratie féministe contre démocratie exclusive ou les enjeux de la mixité », *Démocratie et représentation*, 1995, p. 181-202.

ROCHEFORT Florence, « L'égalité dans la différence : les paradoxes de la République, 1880-1940 », *in* Marc Olivier Baruch et Vincent Duclerc, *Serviteurs de l'État. Une histoire politique de l'administration française, 1875-1945*, La Découverte, 2000, p. 183-198.

VERJUS Anne, *Le Cens de la famille. Les femmes et le vote, 1789-1848*, Belin, 2003.

Femmes et guerres

ANDRIEU Claire, « Les Résistantes, perspectives de recherche », *Le Mouvement social*, n° 80, 1997.
AUDOUIN-ROUZEAU Stéphane, *L'Enfant de l'ennemi*, Noesis, 1995.
AUDOUIN-ROUZEAU Stéphane, *Cinq deuils de guerre*, Noesis, 2001.
BORDEAUX Michèle, « Femmes hors d'État français 1940-1944 », *in* Rita Thalmann, *Femmes et fascismes*, Tierce, 1986, p. 135-156.
BORDEAUX Michèle, *La Place de la famille dans la France défaite*, Flammarion, 2002.
CAPDEVILA Luc, ROUQUET François, VIRGILI Fabrice et VOLDMAN Danièle, *Hommes et femmes dans la France en guerre (1914-1945)*, Payot, 2003.
COLLINS WEITZ Margaret, *Les Combattantes de l'ombre. Histoire des femmes dans la Résistance*, Albin Michel, 1997.
DOUZOU Laurent, « La Résistance, une affaire d'hommes? », *Les Cahiers de l'IHTP*, n° 31, octobre 1995.
FARON Olivier, *Les Enfants du deuil. Orphelins et pupilles de la nation de la Première Guerre mondiale (1914-1941)*, La Découverte, 2002.
FRIDENSON Patrick (dir.), « L'Autre-front », *Cahiers du Mouvement social*, Éditions ouvrières, 1977.
LE NAOUR Jean-Yves, *Misères et tourments de la chair durant la Grande Guerre*, Aubier, 2002.
MUEL-DREYFUS Francine, *Vichy et l'éternel féminin*, Seuil, 1996.
SINEAU Mariette, *Profession : femme politique. Sexe et pouvoir sous la Cinquième République*, Presses de Sciences-Po, 2001.
THÉBAUD Françoise, *La Femme au temps de la guerre de 1914*, Stock, 1986.
THÉBAUD Françoise (dir.), « Résistances et Libérations. France 1940-1945 », *CLIO, Histoire, Femmes et Sociétés*, n° 1, 1995.
TRÉVISAN Carine, *Les Fables du deuil. La Grande Guerre, mort et écriture*, PUF, 2001.
VEILLON Dominique, *La Mode sous l'Occupation*, Payot, 1990.
VEILLON Dominique, « La vie quotidienne des femmes », *in* J.-P. Azéma et F. Bédarida (éd.), *Vichy et les Français*, Fayard, 1992, p. 629-639.
VEILLON Dominique, *Vivre et survivre en France (1939-1947)*, Payot, 1995.
VIRGILI Fabrice, *La France virile*, Payot, 2000.
ZANCARINI-FOURNEL Michelle, « Travailler pour la patrie » et « Femmes, genre et syndicalisme pendant la Grande Guerre », *in* Évelyne Morin-Rotureau (dir.), *1914-1918 : combats de femmes. Les femmes pilier de l'effort de guerre*, Autrement, coll. « Mémoires », 2004, respectivement p. 32-46 et p. 98-112.
ZANCARINI-FOURNEL Michelle, « Saint-Étienne pendant la Première Guerre mondiale », *Le XXe siècle des guerres*, Éd. de l'Atelier, 2004, p. 211-219.

Éducation et formation. Religion et laïcité

BAUDELOT Christian et ESTABLET Roger, *Allez les filles !*, Seuil, 1992 (2e éd. en poche, 1998).
BECCHI Eglge et JULIA Dominique (dir.), *Histoire de l'enfance en Occident du XVIIIe à nos jours*, Seuil, 1998, tome 2.
BELOTTI Elena Gianini, *Du côté des petites filles*, Des femmes, 1974.
BOUTRY Philippe, « Marie, la grande consolatrice de la France au XIXe siècle », *L'Histoire*, n° 50, novembre 1982, p. 30-39.
BRIAND Jean-Pierre et CHAPOULIE Jean-Michel, *Les Collèges du peuple. L'enseignement primaire supérieur et le développement de la scolarisation prolongée sous la IIIe République*, CNRS/INRP/Presses de l'ENS Fontenay Saint-Cloud, 1992.
CADIER-REY Gabrielle (études réunies par), « Femmes protestantes aux XIXe-XXe siècles »,

Bulletin de la Société de l'histoire du protestantisme français, tome 146, janvier-mars 2000.

CHOLVY Gérard, *La Religion en France de la fin du XVIIIe siècle à nos jours*, Hachette, coll. « Carré Histoire », 1998.

COVA Anne, *Au service de l'Église, de la patrie, et de la famille. Femmes catholiques et maternité sous la IIIe République*, L'Harmattan, 2000.

CROIX Alain et DOUARD Christel (dir.), *Femmes de Bretagne. Images et histoire*, Rennes, Presses universitaires de Rennes, 1998.

CRUBELLIER Maurice, *L'Enfance et la jeunesse dans la société française. 1800-1950*, Colin, coll. « U », 1979.

« Daubié Julie », *Cahiers du Centre Pierre Léon*, 1993, 2-3.

DUBESSET Mathilde (dir.), « Chrétiennes », *CLIO, Histoire, Femmes et Sociétés*, n° 15, 2002.

DUMONS Bruno, « Histoire des femmes et histoire religieuse de la France contemporaine : de l'ignorance mutuelle à l'ouverture », *CLIO, Histoire, Femmes et Sociétés*, n° 15, 2002, p. 147-157.

FAYET-SCRIBE Sylvie, *Associations féminines et catholicisme. De la charité à l'action sociale, XIXe-XXe siècles*, Éditions ouvrières, 1990.

FINE Agnès et LEDUC Claudine (dir.), « Femmes et religions », *CLIO, Histoire, Femmes et Sociétés*, n° 2, 1995.

FOUILLOUX Étienne, « Femmes et catholicisme dans la France contemporaine », *CLIO, Histoire, Femmes et Sociétés*, n° 2, « Femmes et religions », 1995, p. 319-322.

GASPARD Françoise et KHOSROKHAVAR Farhad, *Le Foulard et la République*, La Découverte, 1995,

HOUBRE Gabrielle, *La Discipline de l'amour, L'éducation sentimentale des filles et des garçons*, Perrin, 1997.

HULIN Nicole, *L'Éducation scientifique des filles*, PUF, 2002.

LANGLOIS Claude, *Le Catholicisme au féminin. Les congrégations françaises à supérieure générale au XIXe siècle*, Le Cerf, 1984.

LELIÈVRE Claude et Françoise, *Histoire de la scolarisation des filles*, Nathan, 1991.

LEVI Giovanni et SCHMITT Jean-Claude (dir.), *Histoire des jeunes en Occident. L'époque contemporaine*, Seuil, 1996 et en particulier l'article de Jean-Claude Caron « Les jeunes à l'école », p. 143-207.

MARRY Catherine, « Filles et garçons à l'école », *in* Van Zanten (dir.), *L'École, l'état des savoirs*, La Découverte, 2000.

MAYEUR Françoise, *L'Éducation des filles au XIXe siècle*, Flammarion, 1979.

MAYEUR Françoise, *Histoire générale de l'enseignement et de l'éducation*, tome III, 1981, « La ségrégation des filles », p. 120-158.

MAYEUR Françoise, « L'éducation des filles en France au XIXe siècle : historiographie récente et problématiques », *Problèmes d'histoire de l'éducation*, collection de l'École française de Rome, 104, 1988, p. 79-90.

MICHAUD Stéphane, *Muse et Madone. Visages de la femme de la Révolution française aux apparitions de Lourdes*, Seuil, 1985.

PELLETIER Denis, *La Crise catholique. Religion, société, politique*, Payot, 2002.

PROST Antoine, *L'Histoire de l'enseignement en France, 1800-1867*, A. Colin, 1968.

ROCHEFORT Florence, « Foulard, genre et laïcité en 1989 », *Vingtième Siècle. Revue d'histoire*, n° 75, « Histoire des femmes, histoire des genres », juillet-septembre 2002, p. 145-156.

ROGERS Rebecca, *Les Demoiselles de la Légion d'honneur*, Plon, 1992.

ROGERS Rebecca, « Le professeur a-t-il un sexe? Les débats autour de la présence des hommes dans l'enseignement secondaire féminin, 1880-1940 », *CLIO, Histoire, Femmes et Sociétés*, n° 4, « Le temps des jeunes filles », 1996, p. 214-225.

ROGERS Rebecca (dir.), *La Mixité dans l'éducation. Enjeux passés et présents*, Lyon, ENS Éditions, 2004.

ROLLET Catherine, *Les Enfants au XIXe siècle*, Hachette, coll. « La vie quotidienne », 2002.
THÉBAUD Françoise et ZANCARINI-FOURNEL Michelle (dir.), « Coéducation et mixité », *CLIO, Histoire, Femmes et Sociétés*, n° 18, 2003.

Corps, maternités, sexualités

AUSLANDER Leora et ZANCARINI-FOURNEL Michelle (dir.), *Différence des sexes et protection sociale*, Saint-Denis, PUV, 1995.
BOCK Gisela, « Pauvreté féminine, droits des femmes et État providence », *Histoire des femmes en Occident. Le XXe siècle*, 1992, p. 381-409.
BOZON Michel, « Sexualité et genre », *Masculin/féminin. Questions pour les sciences de l'homme*, PUF, 2001, p. 170-185.
BOZON Michel, « Sexualité et conjugalité », *La Dialectique des rapports hommes-femmes*, PUF, 2001, p. 239-259.
BRUIT ZAIDMAN Louise, HOUBRE Gabrielle, KLAPISCH-ZUBER Christiane et SCHMITT PANTEL Pauline (dir.), *Le Corps des jeunes filles de l'Antiquité à nos jours*, Perrin, 2001.
COVA Anne, *Maternité et droits des femmes en France (XIXe-XXe siècles)*, Anthropos, 1997.
COVA Anne, « Généalogie d'une conquête : maternité et droits des femmes en France, fin XIXe-XXe siècles », *Travail, genre et sociétés*, 3, mars 2000.
DAUPHIN Cécile, « Femmes seules », *Histoire des femmes. Le XIXe siècle*, Plon, 1991, p. 445-459.
DUBESSET Mathilde et ZANCARINI-FOURNEL Michelle, *Parcours de femmes. Réalités et représentations. Saint-Étienne, 1880-1950*, Lyon, PUL, 1993 (3e partie).
FARGE Arlette et KLAPISCH-ZUBER Christiane (dir.), *Madame ou Mademoiselle? Itinéraires de la solitude féminine*, Arthaud/Montalba, 1984.
FINE Agnès, « Vers une reconnaissance de la pluriparentalité? », *Esprit*, « L'un et l'autre sexe », mars-avril 2001, p. 40-52.
KAUFMANN Jean-Claude, *La Femme seule et le Prince charmant*, Pocket, 2002 (1re éd. 1999).
KNIBIEHLER Yvonne, *La Révolution maternelle depuis 1945, Femmes, maternité, citoyenneté*, Perrin, 1997.
MONJARET Anne, *La Sainte-Catherine. Culture festive dans l'entreprise*, Éditions du CTHS, 1997.
SEGALEN Martine et CHAMARAT Jocelyne, « La Rosière et la "Miss" : les « reines » des fêtes populaires », *L'Histoire*, n° 53, février 1983, p. 44-55.
SOHN Anne-Marie, *Chrysalides. Femmes dans la vie privée*, Presses de la Sorbonne, 1996.
TARAUD Christelle, *La Prostitution coloniale*, Payot, 2004.
VERDIER Yvonne, *Façons de faire. La laveuse, la couturière, la cuisinière*, Gallimard, 1979.

Travail

BATTAGLIOLA Françoise, *Histoire du travail des femmes*, La Découverte, coll. « Repères », 2000.
DUBESSET Mathilde, ZANCARINI-FOURNEL Michelle, *Parcours de femmes. Réalités et représentations. Saint-Étienne, 1880-1950*, Lyon, PUL, 1993 (2e et 4e partie).
FOURCAUT Annie, *Femmes à l'usine entre les deux guerres*, Maspéro, 1982.
GARDEY Delphine, « Perspectives historiques », *in* M. Maruani (dir.), *Les Nouvelles Frontières de l'inégalité*, MAGE/La Découverte, 1998, p. 23-38.
GARDEY Delphine, *La Dactylographe et l'Expéditionnaire*, Belin, 2001.

KNIBIEHLER Yvonne, « Sur le service social », *Le Mouvement social*, n° 116, juillet-septembre 1981.
KNIBIEHLER Yvonne, *Nous les assistantes sociales*, Aubier, 1989.
KNIBIEHLER Yvonne, *Cornettes et blouses blanches. Les infirmières dans la société française (1880-1980)*, Hachette, 1984.
LAGRAVE Rose-Marie (dir.), « Femme et terre », *Pénélope*, n° 7, 1982.
LAGRAVE Rose-Marie (dir.), « Les agricultrices », *Lunes*, n° 4, juillet 1998, p. 21-26.
MARCHAND Olivier et THÉLOT Claude, *Deux siècles de travail en France*, INSEE, 1991.
MARTIN-FUGIER Anne, *La Place des bonnes*, Grasset, 1979.
MARUANI Margaret, *Travail et emploi des femmes*, La Découverte, coll. « Repères », 2000.
MARUANI Margaret, *Les Syndicats à l'épreuve du féminisme*, Syros, 1979.
MARUANI Margaret (dir.), *Femmes, genre et sociétés*, La Découverte, coll. « L'état des savoirs », 2005.
OMNÈS Catherine, *Ouvrières parisiennes. Marchés du travail et trajectoires professionnelles au 20e siècle*, Éditions de l'EHESS, 1997.
PERROT Michelle, « Grèves féminines », *Les Ouvriers en grève*, Mouton, 1974, tome I, p. 318-330.
PERROT Michelle (dir.), « Travaux de femmes », *Le Mouvement social*, 1978, n° 105.
PERROT Michelle (dir.), « Métiers de femmes », *Le Mouvement social*, 1987, n° 140.
PERROT Michelle, *Les Femmes ou les silences de l'Histoire*, Flammarion, 1998 (deuxième partie).
SCOTT W. Joan et TILLY Louise, *Les Femmes, le travail et la famille*, Marseille, Rivages (traduction), 1987.
SCOTT Joan, « La travailleuse », *Histoire des femmes en Occident. Le XIXe siècle*, Plon, 1991, p. 419-444.
SCHWEITZER Sylvie (dir.), « Formations, emplois XIXe-XXe siècles », *Cahiers du Centre Pierre Léon*, n° 3-4, 1997.
SCHWEITZER Sylvie, *Les Femmes ont toujours travaillé*, Flammarion, 2002.
SCHWEITZER Sylvie, « Les enjeux du travail des femmes », *Vingtième Siècle. Revue d'histoire*, 75, 2002, p. 21-33.
SEGALEN Martine, *Mari et femme dans la France rurale traditionnelle*, Éditions des musées nationaux, 1973.
ZANCARINI-FOURNEL Michelle (dir.), « Métiers, corporations, syndicalismes », *CLIO, Histoire, Femmes et Sociétés*, n° 3, 1996.
ZYLBERBERG-HOCQUARD Marie-Hélène, *Féminisme et syndicalisme avant 1914*, Anthropos, 1978.

— Portraits de femmes

AGULHON Maurice, *Marianne au combat*, Flammarion, 1979.
AGULHON Maurice, *Marianne au pouvoir*, Flammarion, 1989.
AGULHON Maurice, *Les Métamorphoses de Marianne*, Flammarion, 2001.
AGULHON Maurice et BONTE Pierre, *Marianne. Les visages de la République*, Gallimard, coll. « Découvertes », 1992.
ANGEROT Marc, « La "fin d'un sexe" : le discours sur les femmes en 1989 », *Romantisme*, n° 63, 1989, p. 5-22.
ARTIÈRES Philippe et KALIFA Dominique (dir.), « Histoire et archives de soi », *Sociétés et représentations*, n° 13, avril 2002.
AUSLANDER Leora, « Le vote des femmes et l'imaginaire de la citoyenneté. L'État-nation en France et en Allemagne », *L'Histoire sans les femmes est-elle possible ?*, Perrin, 1998, p. 74-86.
AUSLANDER Leora et ZANCARINI-FOURNEL Michelle (dir.), « Le genre de la nation », *CLIO, Histoire, Femmes et Sociétés*, n° 12, 2000.

BARD Christine, *Les Garçonnes. Modes et fantasmes des Années folles*, Flammarion, 1998.

BURCH Noël et SELLIER Geneviève, *La Drôle de guerre des sexes dans le cinéma français (1930-1856)*, Nathan, 1996.

CHARTIER Roger (dir.), *La Correspondance. Les usages de la lettre au XIXe siècle*, Fayard, 1991.

DAUPHIN Cécile, PÉZERAT Pierrette et POUBLAN Danièle, *Ces bonnes lettres. Une correspondance familiale au XIXe siècle*, Albin Michel, 1995.

DE BAECQUE Antoine, « Des corps modernes. Filles et petites filles de la Nouvelle Vague », *Les Années 68 : le temps de la contestation*, Bruxelles, Complexe, 2000, p. 125-139.

DELPORTE Christian, « Au miroir des médias », *in* J.-P. Rioux et J.-F. Sirinelli, *La Culture de masse en France de la Belle Époque à aujourd'hui*, Fayard, 2002, p. 305-351.

DIDIER Béatrice, « Femme/identité/écriture. À propos de l'Histoire de ma vie », *L'Écriture femme*, PUF, 1981, p. 187-207.

DIDIER-METZ Annie, *La Bibliothèque Marguerite Durand. Histoire d'une femme, mémoire des femmes*, BMD, 1992.

DONET-VINCENT Danielle, « Lucie Dreyfus, le fil d'Ariane », *Lunes*, n° 13, 2000, p. 49-58.

FABRE Daniel (dir.), *Écritures ordinaires*, POL, 1993.

FABRE Daniel (dir.), « Parler, écrire, lire, chanter », *CLIO, Histoire, Femmes et Sociétés*, n° 11, 2000.

FINE Agnès, « Écritures féminines et rites de passage », *Communications*, Seuil, « Passages », n° 70, p. 121-142.

GAUTHIER Marie-Véronique, *Du masculin dans les années soixante. Des hommes écrivent à Ménie Grégoire*, Imago, 1999.

GUIDO Laurent et HAVER Gianni (dir.), *Images de la femme sportive*, Genève, Goerg, 2003.

HELLER Nancy, *Femmes artistes*, Herscher, 1991.

HEINICH Nathalie, *États de femmes. L'identité féminine dans la fiction occidentale*, Gallimard, 1996.

HOUBRE Gabrielle, « La Belle époque des romancières », *Masculin-féminin. Le XIXe siècle à l'épreuve du genre*, Centre d'études du XIXe siècle, p. 183-197.

JEANNENEY Jean-Noël, « Les médias », *in* R. Rémond (dir.), *Pour une histoire politique*, Seuil, 1988, rééd. Points Histoire, 1996.

JEANNENEY Jean-Noël, « Le devoir de s'en mêler », *in* J.-P. Rioux et J.-F. Sirinelli, *Pour une histoire culturelle*, Seuil, coll. « L'Univers historique », 1997, p. 147-163.

KRAKOVITCH Odile, « Violence des communardes : une mémoire à revisiter », *Revue historique*, n° 602, avril-juin 1997, p. 520-531.

KRAKOVITCH Odile et SELLIER Geneviève, *L'Exclusion des femmes. Masculinité et politique dans la culture au XXe siècle*, Bruxelles, Complexe, 2001.

LAHIRE Bernard, « Masculin-féminin. L'écriture domestique », *in* Daniel Fabre (dir.), *Par écrit*, Maison des sciences de l'homme, 1997, p. 145-161.

LECARME-TABONE Éliane commente *Mémoires d'une jeune fille rangée de Simone de Beauvoir*, Gallimard, coll. « Folio », 2000.

LEJEUNE PHILIPPE, *Le Moi des demoiselles. Enquête sur le journal de jeune fille*, Seuil, 1993.

LÉVY Marie-Françoise, *La Télévision dans la République*, Bruxelles, Complexe, 1998.

LÉVY Marie-Françoise, « Les femmes du temps présent à la télévision : la mutation des identités », *Les Années 68 : le temps de la contestation*, Bruxelles, Complexe, 2000, p. 199-214.

LÉVY Marie-Françoise, « Les représentations sociales de la jeunesse à la télévision française. Les années soixante », *Hermès*, n° 13-14, 1994.

LÉVY Marie-Françoise, « Famille et télévision. 1950-1986 », *Réseaux*, n° 72-73, 1995.

LINTON Marisa, « Les femmes et la Commune de Paris de 1871 », *Revue historique*, n° 602, avril-juin 1997, p. 23-47.

MAUGUE Anne-Lise, *L'Identité masculine en crise au tournant du siècle*, Marseille, Rivages, 1987.

Catalogue de l'exposition MUCHA, Réunion des Musées nationaux, 1980.

NAUDIER Delphine, « L'écriture-femme, une innovation esthétique emblématique », *Sociétés contemporaines*, 2002, n° 44, p. 57-73.

NEWTON Esther et SMITH-ROSENBERG Carroll, « Le mythe de la lesbienne et de la femme nouvelle : pouvoir, sexualité et légitimité, 1870-1930 », *Stratégies des femmes*, Tierce, 1984, p. 274-311.

PERROT Michelle, « De Marianne à Lulu, les images de la femme », *Le Débat*, n° 3, 1980, p. 142-151.

PERROT Michelle et RIBEILL Georges (enquête), *Journal intime de Caroline B.*, Arthaud-Montalba, 1985.

PLANTÉ Christine, *La Petite Sœur de Balzac. Essai sur la femme-auteur*, Seuil, 1989.

QUIGUER Claude, *Femmes et machines de 1900. Lectures d'une obsession Modern Style*, Klincksieck, 1979.

REBREYEND Anne-Claire, « Contraception, avortement et nouvelles représentations des sexualités dans la France des années 1920 au début des années 1970 », *CLIO, Histoire, Femmes et Sociétés*, n° 18, 2003.

ROLLET Brigitte, « Femmes cinéastes en France, l'après-mai 1968 », *CLIO, Histoire, Femmes et Sociétés*, n° 10, 1999, p. 233-248.

ROLLET Brigitte et SELLIER Geneviève, « Cinéma et genre : état des lieux », *CLIO, Histoire, Femmes et Sociétés*, n° 10, 1999, p. 205-215.

SELLIER Geneviève, « Images de femmes dans le cinéma de la Nouvelle Vague », *CLIO, Histoire, Femmes et Sociétés*, n° 10, 1999, p. 216-232.

SOHN Anne-Marie, « Les individus-femmes entre négation du moi et narcissisme. Les auditrices de Ménie Grégoire 1967-1968 », *in* G. Dreyfus-Armand, R. Frank, M. Le Puloch, M.-F. Lévy, M. Zancarini-Fournel (dir.), *Les Années 68. Le temps de la contestation*, Bruxelles, Complexe, 2000, p. 179-197.

SOHN Anne-Marie, « Pour une histoire de la société au regard des médias », *Revue d'histoire moderne et contemporaine*, avril-juin 1997, p. 286-306.

STISTRUP-JENSEN Merete, « La notion de nature dans les théories de l'écriture-féminine », *CLIO, Histoire, Femmes et Sociétés*, n° 11, 2000, p. 165-177.

THOMAS Édith, *Les Pétroleuses*, Gallimard, 1963.

ZDATNY Steven, « La mode à la garçonne, 1900-1925 : une histoire sociale des coupes de cheveux », *Le Mouvement social*, 1994, janvier-mars 1996, p. 23-56.

Achevé d'imprimer sur les presses de l'Imprimerie BARNÉOUD
B.P. 44 - 53960 BONCHAMP-LÈS-LAVAL
Dépôt légal : novembre 2005 - N° d'imprimeur : 510.099
Imprimé en France